Celebração da
disciplina

RICHARD FOSTER

Celebração da
disciplina

o caminho do crescimento espiritual

2. edição

Tradução
Marson Guedes

EDITORA VIDA
Rua Conde de Sarzedas, 246 — Liberdade
CEP 01512-070 — São Paulo, SP
Tel.: 0 xx 11 2618 7000
atendimento@editoravida.com.br
www.editoravida.com.br
@editora_vida /editoravida

CELEBRAÇÃO DA DISCIPLINA
©1978, 1988, de Richard Foster
Título original
Celebration of Discipline
edição publicada por
HARPERCOLLINS PUBLISHERS
(New York, NY, EUA)

■

Todos os direitos desta tradução em língua portuguesa são reservados por Editora Vida.

PROIBIDA A REPRODUÇÃO POR QUAISQUER MEIOS, SALVO EM BREVES CITAÇÕES, COM INDICAÇÃO DA FONTE.

■

Scripture quotations taken from *Bíblia Sagrada, Nova Versão Internacional, NVI*®
Copyright © 1993, 2000 by International Bible Society®.
Used by permission IBS-STL U.S.
All rights reserved worldwide.
Edição publicada por Editora Vida,
salvo indicação em contrário.

Editor responsável: Sônia Freire Lula Almeida
Revisão de tradução: Judson Canto
Revisão do Acordo Ortográfico: Josemar de Souza Pinto
Diagramação: Set-up Time
Capa: Arte Peniel

■

Todas as citações bíblicas e de terceiros foram adaptadas segundo o Acordo Ortográfico da Língua Portuguesa, assinado em 1990, em vigor desde janeiro de 2009.
Todos os grifos são do autor.

2. edição: 2007	10ª reimpr.: 2018
1ª reimpr.: 2007	11ª reimpr.: 2019
2ª reimpr.: 2008	12ª reimpr.: mar. 2020
3ª reimpr.: 2009	13ª reimpr.: nov. 2020
4ª reimpr.: 2010	14ª reimpr.: mar. 2021
5ª reimpr.: 2011	15ª reimpr.: set. 2021
6ª reimpr.: 2012	16ª reimpr.: abr. 2022
7ª reimpr.: 2013	17ª reimpr.: nov. 2023
8ª reimpr.: 2014	18ª reimpr.: dez. 2024
9ª reimpr.: 2018	

Dados Internacionais de Catalogação na Publicação (CIP)
(Câmara Brasileira do Livro, SP, Brasil)

Foster, Richard J.
 Celebração da disciplina: o caminho do crescimento espiritual / Richard J. Foster; tradução Marson Guedes; posfácio Eduardo Rosa Pedreira. — 2. ed. — São Paulo: Editora Vida, 2007.

 Título original: *Celebration of Discipline: The Path to Spiritual Growth*
 ISBN 978-85-383-0015-1

 1. Vida espiritual — Cristianismo I. Título.

07-5213 CDD-248.4896

Índice para catálogo sistemático:
1. Disciplina : Vida espiritual : Cristianismo 248.4896

Esta obra foi composta em *Agaramond*
e impressa por Gráfica Expressão e Arte sobre papel
Pólen Bold 70 g/m² para Editora Vida.

A Carolynn
esposa, conselheira, companheira e incentivadora

Sumário

Agradecimentos   9

Prefácio de D. Elton Trueblood   13

Introdução   17

1. As disciplinas espirituais: porta de entrada para a liberdade   29

PARTE I – AS DISCIPLINAS INTERIORES
 2. Meditação   45
 3. Oração   67
 4. Jejum   83
 5. Estudo   101

PARTE II – AS DISCIPLINAS EXTERIORES
 6. Simplicidade   121
 7. Solitude   143
 8. Submissão   161
 9. Serviço   181

PARTE III – AS DISCIPLINAS COMUNITÁRIAS
 10. Confissão   203

11. Adoração 221
12. Orientação 241
13. Celebração 259

Celebrando a *celebração da disciplina* 275

Lista de versões bíblicas usadas 287

Bibliografia concisa de obras recentes 289

Índice de assuntos 295

Posfácio 302

Agradecimentos

1978

Os livros são melhores quando produzidos em comunidade. Tenho uma dívida muito grande com aqueles que estiveram à minha volta e deram solidez às ideias que aqui apresento. Foi por meio da amizade e do ensino de Dallas Willard que enxerguei, pela primeira vez, o significado e a necessidade das disciplinas espirituais. Sua vida é a personificação dos princípios deste livro.

Devo muito a Bess Bulgin, que leu cada frase deste livro diversas vezes, com cuidado e em atitude de oração. Sua sensibilidade para o ritmo aumentou bastante a fluência da leitura. O encorajamento e o entusiasmo de Ken e Doris Boyce ajudaram-me muito além do que podem imaginar. O auxílio de Connie Varce na datilografia, na gramática e no otimismo foi uma tremenda contribuição. Mary Myton trabalhou sem descanso para datilografar tanto o rascunho inicial quanto o manuscrito final. Stan Thornburg ensinou com palavras e com a própria vida a disciplina do serviço. Rachel Hinshaw ofereceu graciosamente suas habilidades de revisora profissional. Um agradecimento especial à Newberg Friends Church, por me conceder o tempo de que eu precisava para escrever, nas semanas finais desta obra, especialmente a Ron Woodward, que via sua carga pastoral aumentar enquanto a minha diminuía.

Agradeço à minha esposa, Carolynn, e a meus filhos, Joel e Nathan, por terem sido incrivelmente pacientes durante todo o tempo em que trabalhei neste livro.

1988

Já se passaram dez anos desde a primeira publicação de *Celebração da disciplina*. Vejo que isto ainda é verdade: os livros são melhores quando produzidos em comunidade. A única diferença é que agora a comunidade com a qual tenho dívidas é imensamente maior. Ao longo dos anos, diversas pessoas escreveram para encorajar, questionar, corrigir e estimular meu raciocínio. Outras conversaram comigo pessoalmente a respeito de lutas, lições aprendidas e crescimento. Todas elas, e outras mais, ensinaram-me muito a respeito da vida espiritual e contribuíram para esta reedição.

Quero fazer um agradecimento pessoal à minha esposa, Carolynn, que por todos esses anos me ensinou mais coisas a respeito de andar com Deus do que as palavras podem expressar. Dedicar este livro a ela é ainda mais relevante hoje do que foi há dez anos. Também expresso gratidão a Lynda Graybeal, minha assistente administrativa, que trabalhou incansavelmente nos detalhes desta revisão.

Enquanto revisava o livro, causou-me profundo impacto a imprecisão das palavras. Na melhor das hipóteses, elas são testemunhas fragmentadas, despedaçadas da verdade de Deus. De fato, vemos apenas um reflexo obscuro, como num espelho. Contudo, fico ainda mais admirado com o fato de Deus conseguir tirar proveito de algo tão limitado, tão imperfeito e tão superficial quanto a palavra no papel e usá-la para transformar vidas. Não sei como isso acontece. É um milagre da graça e indica que, se nestas páginas existir algo que transmita vida a você, isso não vem de mim. *Soli Deo Gloria!*

1998

Vinte anos atrás, escrevi: "Os livros são melhores quando produzidos em comunidade". Dez anos atrás, reafirmei essa declaração confessional, acrescentando "A única diferença é que agora a comunidade com a qual tenho dívidas é imensamente maior". E depois disso ela duplicou e triplicou.

Entretanto, gostaria de ressaltar uma diferença, na realidade um fato novo: muitos de nossa comunidade em constante expansão já atravessaram o Vale da Sombra. Agora eles vivem do outro lado, em plenitude de contentamento e realização, disso não tenho dúvidas.

A primeira a fazer essa jornada foi Bess Bulgin. Quando eu estava escrevendo *Celebração*, encontrava-me com ela toda semana e ouvia seus comentários ao meu trabalho. Ela focava seu olhar de poetisa em tudo que eu escrevia. Apesar disso, havia mais que simples crítica: forjou-se ali uma amizade rica e duradoura.

Então me mudei. Não sabia se voltaríamos a nos encontrar outra vez deste lado do Vale, mas nos encontramos. E ambos tivemos a sensação de que seria o último encontro, e expressamos isso em palavras. Conversamos e falamos sobre reminiscências. Ela mostrou-me um poema novo. Então, com voz trêmula, li para ela o parágrafo final do último livro de *As crônicas de Nárnia*: "As coisas que começaram a acontecer a partir daquele momento eram tão lindas e grandiosas que não as consigo descrever. Para nós, este é o fim de todas as histórias, e podemos dizer, com absoluta certeza, que todos viveram felizes para sempre. Para eles, porém, este foi apenas o começo da verdadeira história. Toda a vida deles neste mundo e todas as suas aventuras em Nárnia haviam sido apenas a capa e a página de rosto. Agora, finalmente, estavam começando o Capítulo Um da Grande História que ninguém na terra jamais leu: a história que continua eternamente e na qual cada capítulo é muito melhor do que o anterior".

Terminei de ler, e ficamos sentados, em silêncio absoluto. Depois fui embora, viajando de volta para meu novo lar. Pouco tempo depois, Bess foi embora também, viajando para o novo lar, o que fica além do Vale da Sombra.

Perdas como essas são uma realidade que precisamos enfrentar — mais dia, menos dia — talvez muitas vezes. Ouça, então, as palavras animadoras de Charles Wesley:

> Se meu amigo e eu a MORTE separar,
> não repreendas, Senhor, o meu pesar,
> nem olhes com desagrado as lágrimas que vês;
> comedido, sem excesso apaixonado
> dá-me lamentar serenamente angustiado
> por aqueles que descansam em tuas mercês.
>
> Sinto uma forte e imortal esperança,
> que sustém meu espírito pesaroso
> sob o fardo montanhoso;
> da morte, do pesar e da dor redimido
> logo encontrarei outra vez
> nos braços de Deus meu amigo.
>
> Que passem mais uns poucos momentos fugazes
> e a morte as bênçãos vai restaurar,
> aquelas que a morte tinha arrancado;
> para mim a intimação tu mandarás,
> e o amigo apartado de volta me darás
> naquele dia eterno.

Prefácio

Há muitos livros sobre vida interior, mas são poucos os que combinam verdadeira originalidade com integridade intelectual. Entretanto, foi exatamente essa a combinação que Richard Foster conseguiu produzir. Impregnado pelos Clássicos Devocionais, o autor apresenta-nos um estudo cuidadoso que pode, por si mesmo, ser apreciado ainda por longo tempo. Embora este trabalho demonstre a dívida que tem para com os clássicos, não é um livro a respeito deles; é, antes, uma obra original.

O que causa o primeiro impacto é o caráter abrangente da tarefa assumida. Muitos livros contemporâneos abordam aspectos específicos da vida interior, mas este é diferente, pois abrange uma variedade espantosa de temas importantes. Boa parte de sua vitalidade emana dessa ousadia. O autor impôs a si mesmo a incumbência de avaliar um conjunto amplo de experiências, desde a confissão, passando pela simplicidade até o contentamento. Já que o produto final é resultado de leituras extensas e de pensamento meticuloso, não é o tipo de livro que se escreva às pressas, sem esforço.

São variadas as fontes de inspiração, destacando-se como principais as Sagradas Escrituras e os reconhecidos clássicos devocionais. Não são essas, no entanto, as únicas fontes às quais o autor recorre.

O leitor atento logo perceberá que também há dívidas para com os pensadores seculares. Pelo fato de o autor ser um quacre, não é de admirar que as contribuições dos escritores clássicos dessa corrente religiosa tenham proeminência. Aí estão incluídas as obras de George Fox, John Woolman, Hannah Whitall Smith, Thomas Kelly e as de muitos outros. O propósito não é ser sectário, mas genuinamente ecumênico, já que o conteúdo mais inspirador não deve restringir-se ao grupo de origem. Assim, o que constatamos é um exemplo da catolicidade da comunhão.*

O tratamento dado à simplicidade é especialmente valioso, em parte por não ser simples. De fato, os dez "princípios reguladores" relativos à simplicidade, explicados no capítulo 6, são em si mesmos justificativa suficiente para a publicação de outro livro sobre vida espiritual. Os dez princípios enunciados, embora tenham suas raízes na sabedoria antiga, são apresentados de forma espantosamente contemporânea.

O autor compreende muito bem que a ênfase na simplicidade pode constituir uma cilada. Por isso, não aceita nada tão óbvio quanto a adoção de trajes modestos, embora afirme concisamente: "Aposente os modismos! Compre apenas aquilo de que precisa". Essa é uma proposta radical, que, se amplamente adotada, resultará num grito de liberdade às vítimas dos anunciantes, particularmente dos que veiculam anúncios pela televisão. Uma verdadeira revolução cultural ocorreria se um número significativo de pessoas obedecesse à incisiva recomendação: "Pare de acumular".

Os maiores problemas de nossa época não são tecnológicos, pois lidamos consideravelmente bem com eles. Tampouco políticos ou econômicos, porque as dificuldades nessas áreas, embora evidentes, em larga medida são problemas de segunda ordem. Os maiores problemas são morais e espirituais, e, a menos que consigamos

---

* Em inglês: "catholicity of sharing". [N. do E.]

progredir nesses setores, talvez nem mesmo consigamos sobreviver. Foi por isso que as culturas avançadas do passado entraram em decadência. Assim, só posso dar as boas-vindas a um trabalho verdadeiramente maduro sobre o cultivo da vida espiritual.

D. Elton Trueblood

Introdução

Fico maravilhado ao ver como Deus usa rabiscos feitos no papel para realizar sua obra no coração e na mente das pessoas. Como esses rabiscos se transformam em letras, palavras, frases e, finalmente, em significado? Bem, podemos nos regozijar por saber algo a respeito da função dos neurotransmissores no cérebro ou de como as proteínas afetam a aprendizagem e a conservação da memória. Se formos honestos, porém, sabemos que o pensamento em si é um mistério. A doxologia é a única reação apropriada.

No momento em que escrevo, duas décadas se passaram desde que o primeiro conjunto de rabiscos, que trouxe à luz *Celebração da disciplina*, foi publicado pela primeira vez. Depois da primeira década, a editora quis celebrar esse marco — sem dúvida perplexa com a longevidade e a popularidade do livro — e pediu que eu revisasse o texto original, o que fiz com alegria. E hoje, após a segunda década, a perplexidade continua. De alguma maneira (quem algum dia poderá explicar isso?), as pessoas continuam encontrando ajuda para sua caminhada diária com Deus nas páginas deste livro. Para comemorar o vigésimo aniversário, a editora pediu que eu escrevesse uma introdução, e, novamente, fiquei feliz em fazê-lo. Ao atender a esse pedido, talvez seja apropriado contar como o livro que você tem em mãos passou a existir.*

FALÊNCIA ESPIRITUAL

Recém-saído do seminário, eu estava pronto para conquistar o mundo. Minha primeira atribuição foi cuidar de uma igreja pequena, numa região florescente no sul da Califórnia. "Aqui", raciocinei, "está a minha chance de mostrar à liderança denominacional — não, ao mundo inteiro — o que sei fazer". Acredite-me: visões grandiosas dançavam em minha cabeça. O pastor anterior, ao saber de minha indicação, *trouxe-me* ligeiramente de volta à sobriedade: colocou o braço em meu ombro e disse: "Bem, Foster, é a sua vez de ficar no deserto!". A "sobriedade", porém, durou apenas um momento. "Esta igreja será uma luz que resplandece sobre os montes. As pessoas literalmente encherão este lugar até transbordar." Era o que eu pensava e em que acreditava.

Cerca de três meses depois, eu havia aplicado naquela diminuta congregação tudo que sabia e mais um pouco, sem obter efeito algum. Eu não tinha mais nada a oferecer. Estava espiritualmente falido e sabia disso. A "luz que resplandece sobre os montes" nem sequer acendeu.

Meu problema era mais que ter algo a dizer de domingo a domingo: minhas palavras não tinham poder algum para ajudar os membros da igreja. Faltavam substância e profundidade. O povo estava faminto de uma palavra da parte de Deus, e eu não tinha nada a lhe oferecer. Nada.

---

* Em 1998, *Celebration of Discipline* completou vinte anos de publicação, resultando em trinta anos de sucesso até aqui. A primeira publicação em língua portuguesa — *Celebração da disciplina* — data de 1983, pela Editora Vida. [N. do E.]

Três influências convergentes

Na sabedoria de Deus, entretanto, três influências convergiam para aquela pequena igreja, as quais mudariam o rumo de meu ministério — na verdade, de toda a minha vida. Juntas, elas proveriam a profundidade e a substância de que eu precisava como pessoa e que, com o tempo, levariam ao surgimento de *Celebração*. Mas estou me adiantando na história.

A primeira influência foi acelerada pela afluência de pessoas genuinamente necessitadas à nossa pequena congregação. Elas simplesmente acorreram em nossa direção, como correntes depois de um temporal. Ah, como estavam famintas de alimento espiritual e dispostas a fazer praticamente qualquer coisa para encontrá-lo! Eram os excluídos da cultura apressada de hoje ("os esmagados, os escarrados, os atraiçoados"*), e por isso sua indigência era óbvia — tão óbvia quanto minha incapacidade de lhes providenciar um cuidado pastoral sólido.

Essa carência de densidade espiritual verdadeira conduziu-me, quase que instintivamente, aos mestres devocionais da fé cristã — Agostinho de Hipona, Francisco de Assis, Juliana de Norwich e muitos outros. Por algum motivo, eu tinha a sensação de que esses antigos autores viviam e respiravam a substância espiritual que os novos amigos de nossa pequena comunidade buscavam tão desesperadamente.

Obviamente, eu já tivera contato com as obras desses autores no ambiente acadêmico, mas fora uma leitura distanciada, cerebral. Lia-os agora com olhos diferentes, pois lidava no dia a dia com necessidades humanas dolorosas, que dilaceram a alma e rasgam as entranhas. Esses "santos", como às vezes os chamamos, conheciam

---

* A expressão "the sat upon, spat upon, ratted on" faz parte da letra da música *Blessed*, composta por Paul Simon para o disco da dupla Simon & Garfunkel, *Sounds of Silence*, lançado em 1966. [N. do T.]

Deus de um jeito que eu evidentemente não conhecia. Cristo fazia parte da experiência deles como uma realidade capaz de definir os rumos da própria vida. Possuíam uma visão ardorosa de Deus, que os cegava para todos os comprometimentos concorrentes. Eles experimentavam a vida construída sobre a Rocha.

Não importava o que eu estivesse lendo na época — *A prática da presença de Deus*, do Irmão Lourenço; *Castelo interior*, de Teresa de Ávila; *Journal* [Diário], de John Woolman; *The Knowledge of the Holy* [O conhecimento do Santo], de A. W. Tozer: eles conheciam Deus de maneiras que excediam em muito qualquer coisa que eu houvesse experimentado. Ou desejasse experimentar. Contudo, à medida que me deixava embeber com as histórias desses homens e mulheres em cuja vida ardia o fogo do amor divino, comecei a desejar para mim esse tipo de vida. E esse desejo levou à busca, que levou à descoberta. E o que encontrei me apaziguou, levou-me a regiões mais profundas e solidificou minha fé.

A segunda influência veio de um membro daquela congregação: o dr. Dallas Willard. Filósofo por profissão, Dallas era bem versado nos clássicos e, ao mesmo tempo, tinha uma habilidade incomum de captar o cenário contemporâneo. Ele dava aulas para nosso pequeno e inexperiente grupo: estudos em Romanos, Atos, Sermão do Monte, disciplinas espirituais e outros. Independentemente do tema, ele, não raro, nos levava a contemplar o quadro geral. Era um ensino fundamentado na vida, que sempre respeitava as fontes clássicas e buscava dar a elas uma expressão contemporânea. Aqueles ensinamentos forneceram-me a *Weltanschauung*, isto é, a cosmovisão sobre a qual eu poderia organizar toda a minha formação acadêmica e bíblica.

Contudo, não foi unicamente o ensino, ou, pelo menos, não foi o ensino tal como normalmente o concebemos. Era uma comunicação de coração para coração que acontecia entre um filósofo de primeira linha e um punhadinho de gente, que por acaso eram discípulos de Cristo. Dallas ministrou-nos seu ensino bem no meio de nossas lutas, nossos sofrimentos e temores. Seu intelecto fluía até o coração, e desse centro profundo fluíam seus ensinamentos.

Hoje, muitos anos depois, ainda me deleito com o impacto daqueles encontros de ensino, vivência e oração. Evidentemente que foi ensino em comunidade. Estávamos sempre na casa de alguém — rindo juntos, chorando juntos, aprendendo juntos, orando juntos. Alguns dos melhores momentos desse aprendizado surgiram da dinâmica do ambiente caseiro, onde podíamos ficar até tarde da noite — fazendo perguntas, debatendo questões, aplicando a verdade do evangelho às circunstâncias da vida. Dallas circulava entre nós, ensinando, sempre ensinando — o dom espiritual de ensinar, creio eu. Ensino com sabedoria. Ensino com paixão. Ensino com o coração. E sempre experimentávamos a sensação do numinoso.

A terceira influência veio inicialmente de um pastor luterano, William Luther Vaswig (com um nome desses, como poderia ele pastorear alguma igreja que não fosse luterana?). A igreja de Bill, grande e influente, ofuscava nossa pequena comunidade quacre. No entanto, o que me atraiu em Bill não foi o "grande" ou "influente", nem mesmo o "luterano". Não. O que eu via era alguém sedento pelas coisas de Deus. Por isso, fui procurá-lo e disse-lhe: "Bill, você sabe muito mais sobre oração do que eu. Poderia me ensinar o que sabe?".

Bem, a maneira pela qual Bill me ensinou a respeito da oração foi orando. Oração vívida, honesta, sincera, que sonda a alma, de intenso contentamento. Fazíamos isso e com o tempo começamos a experimentar o "doce abandonar-se na Divindade", para usar as palavras de Madame Guyon. Para ser honesto, havia nisso bastante da sensação e do aroma que emanavam das experiências dos mestres devocionais que eu estava lendo.

Esse avizinhamento com a oração era, na verdade, uma influência dividida em duas frentes. Minhas experiências com Bill tomavam mais corpo quando somadas às de uma mulher maravilhosamente determinada: Beth Shapiro, a líder dos idosos de nossa pequena comunidade. Beth era enfermeira num grande hospital. Depois de fazer o turno da noite, dirigia-se até o prédio da igreja logo no início da manhã, e nós (Beth e eu) passávamos uma hora ou duas orando pelas pessoas — todo tipo de pessoa, de dentro e de fora da comunidade. Fosse quem fosse, fosse pelo que fosse, Beth estava sempre disposta a orar por elas.

Depois discutíamos questões de teologia, fé e vida. Qualquer coisa que discutíssemos, Beth testava no hospital. Se conversássemos a respeito do ensino bíblico da "imposição de mãos", Beth inseria as mãos nas luvas de borracha de uma incubadora e as colocava sobre um bebê prematuro, orando silenciosa e amorosamente, logo observando melhoras na saúde e no bem-estar do pequeno ser. Esse era o tipo de coisa que Beth fazia, não apenas em um momento ou em outro, mas repetidamente. Com Beth, aprendi a necessidade de levar as realidades espirituais até a humanidade carente e sofrida.

Bem, essas três influências convergiram no início do meu pastorado; a consequência foi uma revolução silenciosa, por dentro e por fora. Em nossa comunidade de cristãos necessitados, estávamos experimentando tudo que aprendíamos. Foram dias inebriantes, pois era evidente que participávamos de algo sublime. Forjamos sobre a dura bigorna da vida diária tudo o que apareceu anos depois em *Celebração da disciplina*. Tais influências em si, porém, não me induziram a sentar e escrever. Era preciso mais.

Três catalisadores

Esse "mais" surgiu na forma de três catalisadores bem distintos. O primeiro veio pelas mãos de Bill Cathers, ex-missionário e homem de discernimento e sabedoria incomuns. Aconteceu assim: após três dias de jejum e oração, comecei a me sentir inquieto e desejoso de telefonar para Bill e pedir que orasse por mim. A orientação que recebi chegava apenas até este ponto: que ele devia orar por mim. Eu não tinha a menor ideia sobre o que Bill deveria orar, nem mesmo o motivo da oração, mas ele concordou em vir.

Ao chegar, a primeira coisa que Bill fez foi confessar seus pecados a mim. Fiquei sentado ali, pasmado. "O que ele está fazendo? É ele quem tem a sabedoria espiritual!", disse a mim mesmo, contudo esperei em silêncio. Quando ele terminou, pronunciei as palavras libertadoras de 1João 1.9: "Se confessarmos os nossos pecados, ele é fiel e justo para perdoar os nossos pecados e nos purificar de toda injustiça".

Depois disso, Bill, olhando bem para mim — bem para dentro de mim —, perguntou-me com muita serenidade: "Bem, você ainda quer que eu ore por você?". Ele captura os sentimentos de meu coração! Sabia que eu o havia posto num pedestal, como se fosse um guru da espiritualidade, mas ele jogou tudo por terra, deixando ali apenas um monturo desordenado. Tendo recuperado a sobriedade com seu discernimento, respondi simplesmente: "Sim, quero".

Então ele impôs as mãos sobre minha cabeça e fez uma das orações mais profundas que alguém já fez. O poder comunicado naquela oração ainda permanece comigo. Não posso nem mesmo apresentar um vislumbre da altura, da profundidade, da largura e da amplitude daquela oração, mas vou repetir uma frase que ele disse — uma palavra cheia de poder, uma palavra profética. "Eu oro", disse ele, "pelas mãos de um escritor".

Aí está. Acalentei durante anos o desejo de escrever, mas jamais revelara a uma alma viva esse desejo secreto. Era tímido demais para contar a alguém. Naquele dia, senti haver recebido o poder para esse ministério e, embora *Celebração* ainda estivesse anos à frente, comecei de fato a empenhar-me no aprendizado necessário, escrevendo artigos para revistas.

O segundo catalisador foi D. Elton Trueblood, respeitado autor de 36 livros. Àquela altura, eu fazia parte de uma equipe pastoral inovadora no Pacífico noroeste, naquilo que os especialistas em crescimento de igreja chamam "igreja grande". Era um lugar em que as coisas pareciam correr bem, independentemente do que eu fazia. Também foi um tempo para avaliar as lições aprendidas, considerando se tinham aplicações mais amplas.

Na época, participei de um encontro nacional dos líderes quacres, entre os quais estava o dr. Trueblood. Depois da conferência, meu colaborador Ron Woodward e eu ficamos ali uns dias ainda, a fim de elaborar o plano dos sermões para os meses seguintes.

Foi então que deparei com o dr. Trueblood no saguão do hotel. Não há como exagerar na descrição do interesse genuíno e da gentileza que ele demonstrou por um desconhecido. Depois de alguns minutos de conversa, ele se virou abruptamente para mim e perguntou o que eu estava escrevendo. A pergunta causou-me um choque. Gaguejei algo acerca de não estar pronto para escrever um livro inteiro, mas que estava escrevendo diversos artigos. "Hummm", refletiu ele. "Sim, tudo bem. No entanto, *em breve* você precisa escrever um livro!" Suas palavras tinham tanta autoridade e peso que não as consegui expulsar de minha mente. Ele "revestiu a verdade com poder" em mim naquele dia.

De volta para casa, tive a ousadia de escrever a Trueblood, confirmando que eu tinha de fato a ideia de um livro. E anexei um breve esboço do que é hoje *Celebração da disciplina*. Ele escreveu uma resposta calorosa e encorajadora, acompanhada de um conselho austero: "Certifique-se de que cada capítulo empurre o leitor para o capítulo seguinte". De fato, foi o conselho que balizou a estrutura do livro.

Houve um terceiro catalisador. Enquanto as outras duas experiências foram nítidas e dramáticas, essa foi marcada pela discrição. Veio da parte de Ken e Doris Boyce, amigos de longa data que assumiram uma espécie de função paternal em minha vida depois que meus pais biológicos atravessaram o Vale da Sombra.

Eles me auxiliaram de incontáveis maneiras. Quando estava fazendo pós-graduação, Doris (muito antes dos computadores) datilografou inúmeros trabalhos para mim, incluindo minha tese de doutorado. Ela sempre tinha o cuidado de me dizer quão admiráveis eram todos os meus trabalhos — mesmo quando eram excessivamente técnicos e ela não fazia ideia sobre o que eu estava falando.

Ao longo daqueles anos, Ken sempre conversou comigo sobre teologia, ilustrando-a com os fatos do cotidiano. Doris sempre me encorajou, talvez até demais. Os dois tinham o cuidado de não estender muito os comentários a respeito de meus textos, mas reafirmavam constantemente a confiança neles. Eles torciam por mim do lado de fora da pista e confiavam em meu potencial quando eu mal conseguia acreditar em mim mesmo.

Num período crítico, Ken e Doris cederam-me o *trailer* deles, a fim de que eu sempre tivesse um espaço para escrever. Lá eu me sentava, dando forma às ideias, trabalhando as palavras como o artífice, riscando-as para dar-lhes nova forma e recriá-las. Escrevi as primeiras páginas de *Celebração* naquele *trailer*, na entrada da garagem de Ken e Doris Boyce.

Essas três experiências catapultaram-me para o texto. Todavia, escrever não é publicar. Honestamente, eu não sabia nada a respeito do mundo dos agentes e editores, provas tipográficas e provas impressas para revisão. Para sair do texto escrito e chegar à publicação do livro, foi necessária uma sequência de acontecimentos, os quais estavam além de meu controle.

TRÊS PROVIDÊNCIAS DE DEUS

Uma conferência para autores foi organizada nas proximidades de Portland, no Oregon. Compromissos anteriormente assumidos impediram que eu participasse, mas paguei a inscrição unicamente pela oportunidade de fazer uma entrevista de dez minutos com um representante da Harper & Row. Sabia que a Harper era uma editora com uma grade de publicações bem abrangente, que tinha uma divisão de religião robusta e sólida reputação de lançar literatura séria. Uma coisa que eu, felizmente, não sabia era que ninguém ouvira falar de um autor ainda sem livros publicados que tivesse se aproximado de uma editora de tanto prestígio.

Desse modo, encontrei-me com Roy M. Carlisle, editor de religião da Harper. A conversa foi produtiva, e ele pediu que eu lhe enviasse uma proposta com o conteúdo de todo o livro. Fiz isso de imediato e afirmei ousadamente na carta de apresentação: "Este livro é para todos os que estão desiludidos com as superficialidades da cultura moderna, incluindo a cultura religiosa".

O sr. Carlisle enviou a resposta pouco tempo depois, e sempre me lembrarei, palavra por palavra, da primeira frase de sua carta: "Numa palavra, nosso entusiasmo é irrestrito com sua proposta". Dos mais de 700 manuscritos não solicitados que foram submetidos à Harper naquele ano, o meu foi o único aceito. Por quê? Não consigo imaginar!

O que eu não sabia era que a segunda providência estava a caminho. Exatamente no mesmo instante em que eu conversava com o sr. Carlisle, D. Elton Trueblood enviou o resumo de meu livro junto com uma amável recomendação a Clayton Carlson, chefe da editoria de religião da Harper & Row. Elton havia publicado todos os seus 36 livros pela Harper, e seu relacionamento com o sr. Carlson era de longa data. Sem dúvida, ele abriu portas que, não fosse por sua atuação, talvez permanecessem fechadas para mim. Fiquei sem saber desses detalhes durante vinte e poucos anos, vindo a descobri-los recentemente, por intermédio do sr. Carlson. Trueblood jamais mencionou o que fizera.

E há mais. Aprovada a proposta do livro, deparei com um sério dilema. As responsabilidades na igreja exigiam dedicação total: preparação de sermões, visitas a hospitais, aconselhamento e outras tarefas. Além disso, o prazo final para a publicação deixou-me apavorado. Como iria cumpri-lo? De fato, eu estava consciente de que não conseguiria. O que fazer, então? Fiquei aturdido. A única opção que conseguia imaginar era não escrever o livro.

Nesse ponto crítico, nossa equipe ministerial deu provas de sua sabedoria. Ron Woodward, responsável pela equipe, deu um passo à frente num ato de pura graça e de sacrifício pessoal, apresentando-se como voluntário para assumir todos os compromissos de pregação até eu terminar o manuscrito. Os presbíteros também reconheceram que eu estava diante de uma oportunidade única. Assim, para benefício de uma comunidade cristã mais ampla, liberaram-me de praticamente todas as outras responsabilidades pastorais, para que eu pudesse dedicar minhas forças exclusivamente ao livro. Foi o que fiz, trabalhando de doze a quinze horas por dia, durante trinta e três dias. Certamente, havia mais trabalho a ser feito, mas a estrutura fundamental do livro ficou pronta naquele período concentrado de produção textual. Nunca mais fiquei plenamente liberado de todas as minhas preocupações e responsabilidades, e para mim essa disponibilidade representou um ato inspirado e abnegado por parte dos presbíteros da igreja, de Ron e dos outros membros da equipe. Foi assim que *Celebração da disciplina* passou a existir.

Então pergunto: o que de fato é este livro? Nada, senão rabiscos sobre papel. Pela graça de Deus, porém, ele tem sido usado, nestes vinte anos, como instrumento de transformação do ser humano. Agradeço a Deus por isso. E quanto ao futuro desta obra? Isso alegremente deixo nas mãos da Divina Providência. *Soli Deo Gloria.*

Richard J. Foster
Setembro de 1997

UM

As disciplinas espirituais: porta de entrada para a liberdade

Passo pela vida como o transitório a rumar para a eternidade, criado à imagem de Deus, mas com esta imagem corrompida, precisando aprender a meditar, adorar, pensar.

— Donald Coggan

A superficialidade é a maldição do nosso tempo. A doutrina da satisfação instantânea é o principal problema espiritual. A necessidade desesperada de hoje não é a de um número maior de pessoas inteligentes nem de pessoas talentosas, mas de pessoas com profundidade.

As disciplinas clássicas[a] da vida espiritual convocam-nos a sair da superfície e morar nas profundezas. Elas nos convidam a explorar as cavernas situadas nos domínios do mundo espiritual. Elas instam conosco a sermos a resposta a um mundo vazio.

---

[a] Talvez você esteja se perguntando por que as disciplinas descritas neste livro recebem a designação de "clássicas". Não são clássicas meramente por serem antigas, embora tenham sido praticadas por pessoas sinceras ao longo dos séculos. São clássicas porque são *essenciais* ao cristianismo vivencial. De uma forma ou de outra, todos os mestres devocionais ratificaram a necessidade das disciplinas.

John Woolman aconselha: "Bom é para ti habitar a profundeza, para que possas sentir e compreender o espírito das pessoas".[1]

Não devemos ser levados a acreditar que as disciplinas são apenas para os gigantes espirituais — e que, por isso, estão fora de nosso alcance — nem que servem somente para os contemplativos, que devotam todo o seu tempo à oração e à meditação. Longe disso! O desejo de Deus é que as disciplinas espirituais sejam praticadas por seres humanos comuns: pessoas que têm emprego, que cuidam de crianças, que lavam pratos e que retiram o lixo. De fato, a prática das disciplinas é melhor quando ocorre em meio aos relacionamentos que mantemos com marido ou mulher, irmãos e irmãs, amigos e vizinhos.

Também não devemos supor que as disciplinas espirituais sejam um exercício penoso e enfadonho, com o objetivo de exterminar o riso da face da terra. O contentamento é o tom básico de todas as disciplinas, e o propósito delas é libertar o ser humano da escravidão sufocante ao interesse próprio e ao medo. Se o espírito interior for liberto dos pesos excedentes, dificilmente tal exercício será descrito como penoso e enfadonho. Cantar, dançar e até mesmo gritar fazem parte das disciplinas da vida espiritual.

Num sentido importante, as disciplinas espirituais não são difíceis.[b] Não precisamos chegar a um estágio avançado em teologia para praticá-las. Os recém-convertidos — ou seja, pessoas que ainda precisam entregar-se completamente a Jesus Cristo — podem e devem praticar essas disciplinas. O requisito principal é ter anseio por Deus. "Como a corça anseia por águas correntes, a minha alma anseia por ti, ó Deus. A minha alma tem sede de Deus, do Deus vivo", escreve o salmista (Salmos 42.1,2).

Os iniciantes são bem-vindos. Também sou um iniciante, *especialmente* depois de praticar por diversos anos cada disciplina

---

[b] Em outro sentido, elas são realmente difíceis — tema que desenvolverei adiante.

discutida neste livro. Como diz Thomas Merton: "Não queremos ser iniciantes. Mas que nos convençamos do fato de que nunca seremos nada mais que iniciantes, a vida inteira!".[2]

Lê-se em Salmos 42.7: "Abismo chama abismo". Talvez, em algum lugar nas câmaras subterrâneas de sua vida, você tenha ouvido o chamado para um viver mais profundo e pleno. Talvez esteja enfastiado das experiências fúteis e do ensino raso. Aqui e ali, você tem captado vislumbres, evidências de que existe algo mais, coisas que não conhece. Em seu íntimo, você anseia rumar em direção às profundezas.

Os que ouviram o chamado distante, lá no íntimo, e desejam explorar o mundo das disciplinas espirituais deparam imediatamente com duas dificuldades. A primeira é filosófica. O fundamento materialista de nossa época difundiu-se tanto que incutiu na humanidade sérias dúvidas a respeito de sua capacidade de alcançar algo que esteja além do mundo físico. Muitos cientistas de primeira linha já deixaram para trás essas dúvidas, sabendo que não podemos ficar confinados a uma caixa espaço-temporal. O indivíduo mediano, no entanto, é influenciado pela ciência popular, que está uma geração atrasada em relação aos dias atuais e é preconceituosa contra o mundo imaterial.

Nem mesmo descrições exageradas conseguem mostrar quão impregnados estamos com a mentalidade da ciência popular. A meditação, por exemplo, quando levada em conta, não é considerada um encontro entre o ser humano e Deus, e sim mera manipulação psicológica. As pessoas em geral toleram uma incursão despretensiosa "ao interior", até que chegue a hora de cuidar de negócios *reais* no mundo *real*. É preciso coragem para renunciar ao preconceito de nossa época e afirmar, em coro com os melhores cientistas, que existem coisas além do mundo material. Com honestidade intelectual, devemos propor-nos a estudar e explorar a vida espiritual com o mesmo rigor e determinação que aplicaríamos a qualquer área de pesquisa.

A segunda dificuldade é prática. Simplesmente não sabemos como partir para a exploração da vida interior, mas nem sempre foi assim. No século I e antes disso, não eram necessárias instruções do tipo "como fazer" acerca das disciplinas espirituais. A Bíblia conclamava as pessoas a disciplinas como jejum, oração, adoração e celebração, mas não oferecia quase nenhuma orientação sobre como praticá-las. E é fácil entender o motivo. As disciplinas eram praticadas com tanta frequência e estavam tão incorporadas à cultura geral que o "como fazer" era do conhecimento de todos. O jejum, por exemplo, era tão comum que ninguém precisava perguntar o que comer antes do jejum nem como quebrar o jejum ou ainda como evitar as tonturas enquanto jejuava — todos sabiam as respostas.

Contudo, isso não se aplica à nossa geração. Hoje, predomina uma ignorância abismal mesmo quanto aos aspectos mais simples e práticos de quase todas as disciplinas espirituais. Sendo assim, qualquer livro escrito sobre o assunto precisa oferecer instruções práticas e precisas sobre como conduzir-se nesses exercícios. Uma palavra de cautela faz-se necessária logo de início: conhecer a mecânica não significa que estamos praticando as disciplinas. As disciplinas espirituais são uma realidade interior e espiritual, e a atitude íntima do coração é de longe mais crucial que a mera atitude mecânica para adentrar a realidade da vida espiritual.

No entusiasmo de praticar as Disciplinas, pode ser que fracassemos em praticar a disciplina. A vida que agrada a Deus não é a que acumula deveres religiosos. Temos uma única coisa a fazer: experimentar uma vida de relacionamento e de intimidade com Deus, o "Pai das luzes, que não muda como sombras inconstantes" (Tiago 1.17).

A ESCRAVIDÃO AOS HÁBITOS ARRAIGADOS

Estamos acostumados a pensar no pecado como atos individuais de desobediência a Deus. Isso é verdade até certo ponto, mas as Escrituras vão muito além.[c] Em Romanos, o apóstolo Paulo frequentemente se refere ao pecado como uma condição que aflige a raça humana (por exemplo, Romanos 3.9-18). A condição pecaminosa abre caminho por entre os "membros do corpo", ou seja, os hábitos que se arraigaram à nossa vida (Romanos 7.5-7). E não há escravidão que se compare à escravidão dos hábitos pecaminosos arraigados.

Isaías 57.20 diz: "Os ímpios são como o mar agitado, incapaz de sossegar e cujas águas expelem lama e lodo". O mar não precisa fazer nenhum esforço para produzir lama e lodo: ambos resultam de sua movimentação natural. Isso também vale para nós na condição de pecado. A movimentação natural de nossa vida produz lama e lodo. O pecado faz parte de nossa estrutura interna. Não é preciso nenhum esforço especial para produzi-lo. Não é de admirar que nos sintamos presos em armadilhas.

O método habitual que utilizamos para lidar com o pecado arraigado é lançando um ataque frontal. Confiamos na força de vontade e na determinação que possuímos. Qualquer que seja o nosso problema — raiva, medo, amargura, glutonaria, orgulho, lascívia, vícios —, determinamo-nos a nunca mais cometer o erro novamente. Oramos por isso, lutamos contra isso e aplicamos nossa vontade nisso. A luta, porém, é inteiramente vã, e nos descobrimos outra vez em falência moral ou, pior ainda, tão orgulhosos de nossa justiça externa que "sepulcro caiado" seria uma descrição branda de nossa condição. No excelente livro *Freedom from Sinful Thoughts* [Livre de pensamentos pecaminosos], Heini Arnold

---

[c] O pecado é um tema tão complexo que o hebraico possui oito palavras diferentes para descrevê-lo — e as oito são empregadas na Bíblia.

escreve: "Queremos deixar muito claro que não é possível libertar e purificar o nosso coração exercendo a nossa 'vontade' ".[3]

Na carta aos Colossenses, Paulo faz uma lista das formas externas de controle do pecado: "Não manuseie!"; "Não prove!"; "Não toque!". Então ele acrescenta que essas coisas "têm, na verdade, alguma aparência de sabedoria, em *devoção voluntária*" (Colossenses 2.20-23, *ARC*). "Devoção voluntária" — que expressão contundente! E como descreve bem boa parte de nossa vida! No momento em que nos sentirmos capazes de obter sucesso e alcançar a vitória sobre o pecado usando unicamente a força de vontade, estaremos adorando a vontade. Não é irônico Paulo olhar para os esforços mais vigorosos que fazemos na caminhada espiritual e denominá-los "idolatria" ou "devoção voluntária"?

A força de vontade jamais será bem-sucedida na luta contra os hábitos pecaminosos profundamente arraigados. Emmet Fox escreve: "Tão logo você resista mentalmente a qualquer circunstância desagradável, por esse meio você a está dotando de mais força — força que ela usará contra você, e você ficará esvaziado de seus recursos exatamente nessa mesma medida".[4] Heini Arnold conclui: "Enquanto acharmos que podemos salvar a nós mesmos com a força de vontade, só faremos a maldade dentro de nós ficar ainda mais forte".[5] A mesma realidade tem sido experimentada por todos os grandes autores da vida devocional, de Agostinho a Francisco de Assis, de João Calvino a John Wesley, de Teresa de Ávila a Juliana de Norwich.

A "devoção voluntária" pode produzir uma demonstração exterior de sucesso durante certo tempo, mas nas trincas e rachaduras da vida — mais dia, menos dia — nossa condição íntima será revelada. Jesus descreve essa condição ao referir-se à justiça exterior dos fariseus. "A boca fala do que está cheio o coração. [...] eu lhes digo que, no dia do juízo, os homens haverão de dar conta de toda *palavra inútil* que tiverem falado" (Mateus 12.34-36).

Pois bem, por meio da vontade as pessoas conseguem, durante certo tempo, efeitos externos satisfatórios, mas cedo ou tarde chegará aquele momento irrefletido em que a "palavra inútil" escapará, revelando a condição real do coração. Se estivermos cheios de compaixão, isso será revelado; se estivermos cheios de amargura, isso também será revelado.

Não que planejemos ser assim. Não é nossa intenção ter um arroubo de raiva ou desfilar com arrogância pegajosa, mas, quando estamos diante das pessoas, aquilo que *somos* se manifesta. Embora possamos tentar com todas as forças esconder a realidade, os olhos nos traem, bem como a língua, o queixo, as mãos — enfim, todos os elementos da linguagem corporal. A força de vontade não possui nenhuma defesa contra a palavra inútil, o momento irrefletido. A vontade tem a mesma deficiência que a Lei — só consegue lidar com a aparência. É incapaz de gerar a transformação de que o espírito necessita.

As disciplinas espirituais abrem a porta

Quando perdemos a esperança de obter transformações internas mediante as forças humanas da vontade e da determinação, ficamos abertos a uma nova e maravilhosa percepção: a justiça interior é uma dádiva de Deus, a ser recebida graciosamente. A necessária mudança interior é obra de Deus, não nossa. Isso demanda um trabalho interno, e somente Deus consegue trabalhar pelo lado de dentro. Não podemos alcançar nem merecer a justiça do Reino de Deus: é uma graça concedida.

Na carta aos Romanos, o apóstolo Paulo discorre longamente com o propósito de mostrar que a justiça é uma dádiva divina.[d]

---

[d] Isso inclui a justiça objetiva e a justiça subjetiva. Neste livro, tratamos da questão da justiça subjetiva — ou santificação, caso prefira outro termo teológico, mas é importante entender que ambas são dádivas da graça de Deus. E, de fato, a Bíblia não faz distinção clara entre justiça objetiva e subjetiva,

Ele usa o termo 35 vezes na epístola e, em todas elas, insiste em que a justiça é inalcançável mediante esforço humano. Uma das afirmações mais claras está em Romanos 5.17: "Aqueles que recebem de Deus a imensa provisão da graça e a *dádiva da justiça* reinarão em vida por meio de um único homem, Jesus Cristo". Evidentemente, esse ensinamento não se encontra apenas em Romanos, mas em toda a Escritura, posto como uma das pedras fundamentais da fé cristã.

Entretanto, ao fazer essa fascinante descoberta, correremos o risco de cometer um engano, agora no outro extremo: seremos tentados a acreditar que não há nada que possamos fazer. Se todos os esforços humanos terminam em falência moral — tendo feito a tentativa, sabemos que é assim — e se a justiça é um dom gracioso de Deus, como a Bíblia claramente afirma, a conclusão lógica não seria que devemos apenas esperar até que Deus venha e nos transforme? Muito estranhamente, a resposta é não. A análise está correta: o esforço humano *é* insuficiente, e a justiça *é* uma dádiva divina, mas a conclusão é errônea. Felizmente, existe algo que podemos fazer. Podemos livrar-nos das garras do dilema, seja das ações humanas, seja da ociosidade. Deus concedeu-nos as disciplinas da vida espiritual como um meio de recebermos sua graça. As disciplinas permitem que nos apresentemos diante de Deus, a fim de que ele possa nos transformar.

O apóstolo Paulo declara: "Quem semeia para a sua carne, da carne colherá destruição; mas quem semeia para o Espírito, do Espírito colherá a vida eterna" (Gálatas 6.8). A analogia de Paulo é instrutiva. O agricultor é impotente para fazer a lavoura de grãos se desenvolver. Tudo que pode fazer é providenciar as condições adequadas para cultivar os grãos. Ele prepara o solo, planta as sementes, rega as plantas. Então as forças naturais da

---

como os teólogos estão acostumados a delinear, simplesmente porque os escritores sagrados achariam ridículo falar de uma na ausência da outra.

terra assumem seu papel, e o grão aparece. As disciplinas espirituais também funcionam assim — são uma maneira de semear para o Espírito. São os meios que Deus utiliza para nos firmar no chão, num lugar onde ele possa trabalhar em nós e nos transformar. Por si mesmas, as disciplinas espirituais nada podem fazer, exceto levar-nos ao ponto em que algo pode ser feito. São meios divinos da graça. A justiça interior que buscamos não é algo que se derrame sobre nossa cabeça. Deus estabeleceu as disciplinas espirituais como forma de nos conduzir numa situação em que ele possa nos abençoar.

Nesse sentido, seria apropriado falar da "trajetória da graça disciplinada". É "graça" porque é gratuita; é "disciplinada" porque existem coisas para nós fazermos. Em *Discipulado,* Dietrich Bonhoeffer deixa claro que a graça é gratuita, mas não é barata. A graça de Deus é imerecida, e não se pode merecê-la, mas, se em algum momento tivermos expectativas de crescer na graça, precisamos pagar o preço de um curso de ação conscientemente escolhido que envolva a vida individual e a comunitária. O crescimento espiritual é o propósito das disciplinas.

Pode ser útil visualizar o que estamos discutindo. Imagine uma cordilheira longa e estreita, com uma ribanceira vertiginosa de cada lado. O precipício da direita corresponde ao caminho da falência moral, causada pelo esforço humano para alcançar a justiça. Historicamente, é conhecido como heresia do moralismo. O precipício da esquerda corresponde à falência moral causada pela ausência de esforços humanos e é conhecido como heresia do antinomianismo. Na cordilheira, existe uma trilha, a das disciplinas espirituais. Essa trilha leva à transformação interior e à cura que buscamos. Não devemos, jamais, inclinar-nos para a direita nem para a esquerda, mas permanecer na trilha. Ela está pontilhada de dificuldades extremas, mas há também alegrias incríveis. À medida que percorremos o caminho, a bênção de Deus vem sobre nós, reconstruindo-nos à imagem de Jesus Cristo. Precisamos sempre nos lembrar de que a trilha em si não produz a mudança: ela apenas nos posiciona onde a mudança pode ocorrer. Esse é o caminho da graça disciplinada.

Há um dito em teologia moral, que é: "A virtude é fácil". No entanto, o ditado é verdadeiro apenas até o ponto em que a ação graciosa de Deus toma conta de nosso espírito e transforma hábitos arraigados à vida. Até que isso se complete, a virtude é difícil, realmente muito difícil. Empenhamo-nos para mostrar um espírito amoroso e compassivo, no entanto é como se estivéssemos trazendo para dentro algo que está do lado de fora. Então, fervilhando nas profundezas interiores, encontramos algo que não desejávamos: um espírito amargo ao ponto da corrosão. Entretanto, caso tenhamos vivido e andado algum tempo pelo caminho da graça disciplinada, descobriremos as mudanças internas.

Não fazemos nada mais que receber um presente, entretanto sabemos que as mudanças são reais. E são reais porque descobrimos que o espírito compassivo, que uma vez achamos tão difícil de demonstrar, agora é fácil. De fato, ficar tomado pela amargura é que será difícil. O Amor divino verteu para dentro de nosso espírito e tomou conta de nossos hábitos. Num momento qualquer, um fluxo espontâneo começou a brotar do santuário interno de nossa vida, de onde emanam "amor, alegria, paz, paciência, amabilidade, bondade, fidelidade, mansidão e domínio próprio" (Gálatas 5.22,23). Não existe mais a cansativa necessidade de esconder dos outros nosso verdadeiro eu. Não temos de nos esforçar para sermos bons e amáveis: agora *somos* bons e amáveis. Reprimir a bondade e a amabilidade é que será difícil, porque a bondade e a amabilidade fazem parte de nossa natureza. Assim como os movimentos naturais de nossa vida um dia produziram lama e lodo, agora produzem "justiça, paz e alegria no Espírito Santo" (Romanos 14.17). Shakespeare observa que "o caráter da misericórdia é não ser forçada" — bem como qualquer uma das virtudes, uma vez que tenham tomado conta da personalidade.

O CAMINHO DA MORTE: TRANSFORMANDO AS DISCIPLINAS EM LEIS

As disciplinas espirituais pretendem fazer-nos bem. Elas têm a intenção de trazer a abundância de Deus para nossa vida. No entanto, é possível transformá-las em outro conjunto de leis, que farão a alma definhar. Disciplinas presas a leis exalam o hálito da morte.

Jesus ensina que precisamos ultrapassar a justiça dos fariseus e mestres da lei (Mateus 5.20), mas precisamos entender que a justiça deles não era desprezível. O nível de comprometimento que eles tinham com Deus seria inatingível para muitos de nós. Contudo, um fator sempre ocupava o centro da justiça deles: a *exterioridade*. Essa justiça consistia em controlar coisas externas, não raro com a intenção de manipular a opinião pública. A superioridade de nossa justiça em relação à dos mestres da lei e fariseus será vista à medida que nossa vida demonstrar o agir de Deus em nosso interior. Por certo, haverá resultados externos, mas a ação será interna. Por causa do zelo em geral vinculado às disciplinas espirituais, é fácil transformá-las na justiça exterior dos escribas e fariseus.

Quando se degeneram e viram lei, as disciplinas acabam sendo usadas como instrumento de manipulação e controle. Valemo-nos de ordens explícitas para aprisionar as pessoas. Tal deterioração das disciplinas espirituais resulta em orgulho e medo. O orgulho assume as rédeas porque passamos a acreditar que somos o tipo certo de gente. O medo assume as rédeas porque temos pavor de perder o controle.

Se quisermos progredir em nossa caminhada espiritual, de forma que as disciplinas sejam bênção, em vez de maldição, precisamos chegar a um ponto da vida em que tiraremos dos ombros o fardo de precisar sempre, a todo instante, gerenciar o semelhante. Porque esse impulso, mais que qualquer outro fator isolado, pode levar-nos a transformar as disciplinas espirituais em leis. Depois que criamos uma lei, é estabelecida uma "exterioridade", pela qual julgamos quem está atingindo o padrão e quem não está. Livres das leis, as disciplinas caracterizam-se predominantemente como obra interna, algo impossível de controlar. Quando passarmos a acreditar de fato que a transformação interna é ação de Deus, não nossa, seremos capazes de deixar de lado a compulsão para endireitar as pessoas.

Precisamos estar atentos à rapidez com que conseguimos nos agarrar a alguma palavra, transformando-a em lei. No momento em que fizermos isso, estaremos enquadrados no severo pronunciamento que Jesus fez contra os fariseus: "Eles atam fardos pesados e os colocam sobre os ombros dos homens, mas eles mesmos não estão dispostos a levantar um só dedo para movê-los" (Mateus 23.4). Nessas questões, precisamos ter incrustadas na mente as palavras do apóstolo Paulo: "Nós não lhes dizemos que eles precisam obedecer a todas as leis de Deus ou, então, morrer; mas lhes dizemos que há vida para eles da parte do Espírito Santo" (2Coríntios 3.6, BV). A *Nova Versão Internacional* diz: "A letra [da lei] mata, mas o Espírito vivifica".

Quando adentrarmos o mundo das disciplinas espirituais, haverá o perigo constante de as transformarmos em leis, mas não estaremos abandonados à própria sorte. Jesus Cristo prometeu ser nosso Mestre e Guia sempre presente. Não é difícil ouvir sua voz. Não é difícil entender sua orientação. Se estivermos começando a cristalizar aquilo que sempre deveria permanecer vivo e ativo, ele nos dirá. Podemos confiar em seus ensinamentos. Quando estivermos desviando-nos para alguma ideia equivocada ou prática que não traga proveito, ele nos conduzirá de volta ao caminho certo. Se estivermos dispostos a ouvir o Sistema de Áudio Celestial, receberemos as instruções de que precisamos.

O mundo em que vivemos está faminto de pessoas genuinamente transformadas. Leon Tolstoi observa: "Todo mundo pensa em mudar a humanidade; ninguém pensa em mudar a si mesmo".[6] Estejamos entre os que acreditam que a transformação interior é um objetivo digno de nossos melhores esforços.

Notas

[1] Woolman, John. **The Journal of John Woolman**. Secaucus: Citadel Press, 1972. p. 118.
[2] Merton, Thomas. **Contemplative Prayer**. Garden City: Doubleday, 1969. p. 37.
[3] Arnold, Heini. **Freedom from Sinful Thoughts**. Rifton: Plough Publishing House, 1973. p. 94.
[4] Fox, Emmet. **The Sermon on the Mount**. New York: Harper & Row, 1938. p. 88 [**O sermão da montanha**. São Paulo: Record, 2000].
[5] Arnold, op. cit., p. 82.
[6] Mead, Frank S. (Org.). **Encyclopedia of Religious Quotations**. London: Peter Davis, 1965. p. 400.

Parte I
As disciplinas interiores

DOIS

A DISCIPLINA DA MEDITAÇÃO

A contemplação verdadeira não é um truque psicológico, mas uma graça teológica.

— THOMAS MERTON

Na sociedade contemporânea, o Adversário tem especialização em três áreas: ruído, pressa e multidões. Se ele conseguir nos manter debaixo de um amontoado de coisas, descansará satisfeito. O psiquiatra Carl Jung certa vez observou: "A pressa não é *do* Diabo; ela *é* o Diabo".[1]

Se alimentamos a esperança de ir além das superficialidades de nossa cultura, incluindo nossa cultura religiosa, precisamos estar dispostos a descer ao silêncio recriador, ao mundo interno da contemplação. Em seus escritos, todos os mestres da meditação acenam para nós, convocando-nos ao pioneirismo nessa fronteira do Espírito. Embora possa soar de forma estranha aos ouvidos modernos, devemos nos alistar, sem sentir vergonha, como aprendizes na escola da oração contemplativa.

Testemunho bíblico

A disciplina da meditação certamente era familiar aos escritores sagrados. A Bíblia emprega duas palavras hebraicas (הָגָה e שִׂיחַ) para transmitir a ideia de meditação, que, juntas, são usadas 58 vezes. Ambas as palavras possuem diversos significados: ouvir a palavra de Deus, refletir nos feitos de Deus, relembrar os atos divinos, ponderar sobre a lei de Deus, entre outros. Em cada caso, a ênfase está na mudança de comportamento como resultado do encontro com o Deus vivo. Arrependimento e obediência são traços essenciais de qualquer conceito bíblico de meditação. O salmista exclama: "Como eu amo a tua lei! Medito nela o dia inteiro. [...] Afasto os pés de todo caminho mau para obedecer à tua palavra. Não me afasto das tuas ordenanças, pois tu mesmo me ensinas" (Salmos 119.97,101,102). É esse foco contínuo, na obediência e na fidelidade, que distingue com maior clareza a meditação cristã de suas equivalentes orientais e seculares.

Os que vemos transitar pelas páginas da Bíblia conheciam os caminhos da meditação: "Certa tarde, [Isaque] saiu ao campo para meditar" (Gênesis 24.63); "[...] quando me lembrar de ti na minha cama e meditar em ti nas vigílias da noite" (Salmos 63.6, *ARC*). Os salmos praticamente cantam as meditações do povo de Deus a respeito de sua lei: "Fico acordado nas vigílias da noite, para meditar nas tuas promessas" (Salmos 119.148). O salmo que serve de introdução a todo o Saltério convida a que imitemos o "homem feliz" cuja "satisfação está na lei do Senhor, e nessa lei medita dia e noite" (Salmos 1.2).

O velho sacerdote Eli sabia como ouvir Deus e ajudou o jovem Samuel a reconhecer a voz do Senhor (1Samuel 3.1-18). Elias passou boa parte de um dia e de uma noite numa região despovoada, aprendendo a discernir a voz de Deus no "murmúrio de uma brisa suave" (1Reis 19.9-18). Isaías viu o Senhor "alto e exaltado" e ouviu sua voz, que dizia: "Quem enviarei? Quem irá por nós?" (Isaías 6.1-8). Jeremias descobriu que a palavra de Deus é "como fogo ardente, encerrado nos meus ossos" (Jeremias 20.9, *ARA*). E, assim, seguem-se as testemunhas. Todas eram íntimas do coração de Deus. E Deus falava com elas não porque possuíam capacidades especiais, mas porque estavam dispostas a ouvir.

Cumprindo um ministério extraordinariamente atarefado, Jesus criou o hábito de afastar-se "para um lugar deserto" (Mateus 14.13).[a] Ele não fazia isso apenas para ficar longe do povo, mas para poder ficar com Deus. O que Jesus fazia, vez após vez, naquelas colinas desertas? Ele buscava o Pai celeste. Queria ouvi-lo e manter comunhão com ele. E Jesus acena para nós, convidando-nos a fazer o mesmo.

Ouvir e obedecer

A meditação cristã, numa definição simples, é a capacidade de ouvir a voz de Deus e obedecer à sua Palavra. Simples assim. Gostaria de torná-la mais difícil para os que gostam de complicar; no entanto, ela não envolve nenhum mistério oculto, nenhum mantra secreto, nenhuma ginástica mental, nenhum mergulho esotérico para atingir a consciência cósmica. A verdade é que o grandioso Deus do Universo, o Criador de todas as coisas, deseja ter comunhão conosco. Adão e Eva conversavam com Deus no jardim do Éden, *e* Deus conversava com eles — havia comunhão entre eles. Então veio a Queda, e aconteceu uma ruptura do senso de comunhão perpétua, pois Adão e Eva se esconderam de Deus. Deus, no entanto, continuou em busca de seus filhos rebeldes. Nas histórias de pessoas como Caim, Abel, Noé e Abraão, vemos Deus falando e agindo, ensinando e orientando.

Moisés aprendeu a ouvir a voz de Deus e a obedecer à sua orientação, apesar das diversas hesitações e desculpas. De fato, as

---

[a] V. Mateus 4.1-11; 14.23; 17.1-9; 26.36-46; Marcos 1.35; 6.31; Lucas 5.16; 6.12.

Escrituras dão testemunho de que Deus "falava com Moisés face a face, como quem fala com seu amigo" (Êxodo 33.11). Havia a percepção de um relacionamento de intimidade, de comunhão. Já os israelitas, coletivamente, não estavam preparados para tal intimidade. Tendo aprendido um pouco a respeito de Deus, eles perceberam que estar em sua presença era coisa arriscada e expressaram seus temores a Moisés: "Fala tu mesmo conosco, e ouviremos. Mas que Deus não fale conosco, para que não morramos" (Êxodo 20.19). Por isso, Moisés tornou-se o mediador do povo. Dessa forma, poderiam manter a respeitabilidade religiosa sem assumir os riscos decorrentes. Esse foi o princípio de uma linhagem notável de profetas e juízes, inaugurada por Moisés. Contudo, era um passo para muito além da percepção do imediato, da visão da nuvem de dia e da coluna de fogo à noite.

Jesus veio na plenitude dos tempos, ensinou a realidade do Reino de Deus e demonstrou como seria a vida nesse Reino. Ele estabeleceu uma comunhão viva, pela qual veriam nele o Redentor e Rei, dando-lhe ouvidos em todas as coisas e obedecendo a ele em todas as ocasiões. No relacionamento íntimo que mantinha com o Pai, Jesus mostrou-nos o modelo para a realidade do que significa escutar e obedecer: "Eu lhes digo verdadeiramente que o Filho não pode fazer nada de si mesmo; só pode fazer o que vê o Pai fazer, porque o que o Pai faz o Filho também faz" (João 5.19); "Por mim mesmo, nada posso fazer; eu julgo apenas conforme ouço" (João 5.30); "As palavras que eu lhes digo não são apenas minhas. Ao contrário, o Pai, que vive em mim, está realizando a sua obra" (João 14.10). Quando Jesus aconselhou os discípulos a permanecer nele, eles entenderam o que ele queria dizer, pois Jesus permanecia no Pai. Ele declarou ser "o bom pastor" (João 10.11) e afirmou que suas ovelhas conheceriam sua voz (João 10.4). Ele prometeu que o Consolador viria, o Espírito da verdade, que nos guiaria "a toda a verdade" (João 16.13).

Em seu segundo livro, Lucas afirma sem rodeios que Jesus, depois de ressuscitar e subir aos céus, continuaria "a fazer e a ensinar", mesmo que as pessoas não conseguissem enxergá-lo a olho nu (Atos 1.1). Pedro e Estêvão apontam Jesus como o cumprimento da profecia de Deuteronômio 18.15, que prevê a chegada de um profeta semelhante a Moisés, que falaria e a quem as pessoas deveriam ouvir e obedecer (Atos 3.22; 7.37).[b] No livro de Atos, vemos o Cristo ressurreto e reinante, por meio do Espírito Santo, ensinando e guiando seus filhos: levando Filipe a culturas não alcançadas (Atos 8), revelando sua messianidade a Paulo (Atos 9), ensinando Pedro a respeito de seu nacionalismo judaico (Atos 10), guiando a Igreja para fora do cativeiro cultural (Atos 15). O que percebemos, em todas as ocasiões, é o povo de Deus aprendendo a viver orientado pela voz de Deus e pela obediência à sua palavra.

Eis aí, de forma resumida, o fundamento bíblico para a meditação. As maravilhosas novas dão conta de que Jesus não parou de agir nem de falar. Ele ressuscitou e continua trabalhando em nosso mundo. Ele não está ocioso nem pegou laringite. Ele está vivo, entre nós, como Sacerdote para nos perdoar, Profeta para nos ensinar, Rei para governar sobre nós, Pastor para nos guiar.

Todos os santos, em todas as épocas, deram testemunho dessa realidade. Como é triste que os cristãos contemporâneos demonstrem tanto desconhecimento do mar de literatura sobre meditação cristã, produzida por cristãos fiéis ao longo dos séculos! E o testemunho deles sobre a vida alegre de comunhão perene é de uma uniformidade espantosa. As igrejas católica, protestante, ortodoxa do Oriente e ocidental livre instam-nos todas a "viver na presença dele, em comunhão ininterrupta".[2] Diz o místico russo Teófano, o Recluso: "Orar é trazer a mente para dentro

---

[b] V. Deuteronômio 18.15-18; Mateus 17.5; João 1.21; 4.19-25; 6.14; 7.37-40; Hebreus 1.1-13; 3.7,8; 12.25.

do coração e lá permanecer diante da face do Senhor, sempre presente, que tudo vê e está no teu íntimo".[3] O clérigo anglicano Jeremy Taylor declara: "A meditação é dever de todos".[4] E, em nossos dias, o mártir luterano Dietrich Bonhoeffer, ao ser perguntado sobre seus motivos para meditar, respondeu: "Porque sou cristão".[5] Os testemunhos das Escrituras e dos mestres devocionais são tão ricos e tão vívidos por causa da presença de Deus que seríamos tolos em negligenciar um convite tão gracioso para experimentar, nas palavras de Madame Guyon, "as profundezas de Jesus Cristo".[6]

O PROPÓSITO DA MEDITAÇÃO

Na meditação, desenvolvemo-nos naquilo que Thomas à Kempis chama "amizade familiar com Jesus Cristo",[7] deixando-nos envolver pela luz e pela vida do Senhor e começando a nos sentir confortáveis nessa postura. A presença contínua de Jesus — onipresença, como costumamos dizer — deixa de ser um dogma teológico e passa a ser uma realidade radiante. "Ele anda comigo e conversa comigo" deixa de ser jargão religioso. Em vez disso, transforma-se numa descrição real da vida diária.

Por favor, entenda-me: não estou falando de nenhuma espécie de relacionamento piegas e leviano entre dois "camaradas". Esse sentimentalismo só pode indicar quão pouco conhecemos e distantes estamos do Senhor "alto e exaltado", revelado a nós nas Escrituras. João relata que, quando viu o Cristo reinante, caiu a seus pés como morto (Apocalipse 1.17). Deveríamos fazer o mesmo? Não, na verdade estou falando de uma realidade semelhante à vivenciada pelos discípulos no cenáculo, quando experimentaram uma intimidade intensa aliada a uma reverência sublime.

Na meditação, criamos o espaço emocional e espiritual que permite a Cristo edificar um santuário interno em nosso coração. O maravilhoso versículo "Eis que estou à porta e bato [...]" foi escrito originariamente para os cristãos, não para os descrentes (Apocalipse 3.20). Nós, que entregamos a vida a Cristo, precisamos saber que ele imensamente anseia cear, ter comunhão conosco. Ele deseja uma festa eucarística perene nesse santuário interior. A meditação abre a porta, e, embora estejamos envolvidos em exercícios específicos de meditação, em momentos específicos, o alvo é trazer essa realidade viva para dentro da vida. É um santuário móvel, que influencia tudo que somos e fazemos.

Esse tipo de comunhão transforma a personalidade. Não há como deixar acesa a chama eterna do santuário interior e permanecer igual, pois o Fogo divino consome tudo que é impuro. Nosso Mestre sempre presente nos guiará, em todos os momentos, à "justiça, paz e alegria no Espírito Santo" (Romanos 14.17). Tudo que for estranho a essa caminhada terá de desaparecer. Não, não o "ter de", mas, sim, o "querer", pois nossos desejos e aspirações ficarão cada vez mais conformes com o andar do Mestre. Cada vez mais, tudo que estiver dentro de nós irá girar como um ponteiro, indicando o polo norte do Espírito.

CONCEPÇÕES ERRÔNEAS ATÉ COMPREENSÍVEIS

Sempre que a concepção cristã de meditação é considerada seriamente, logo alguém a associa com o conceito de meditação das religiões orientais. Na realidade, há um mundo de distância entre as duas concepções. A meditação oriental é uma tentativa de esvaziar a mente; a meditação cristã é uma tentativa de preenchê--la. São conceitos bastante diferentes.

As formas orientais de meditação enfatizam a necessidade de se desligar do mundo. Existe a ênfase em perder a personalidade e a individualidade, fundindo-as com a Mente Cósmica. Há também o anseio de se libertar dos fardos e das dores desta vida, de se desprender na impessoalidade do Nirvana. A identidade pessoal se perde — a personalidade é vista como a ilusão perfeita.

Escapa-se da degradante roda da existência. Não há nenhum Deus a quem ouvir nem ao qual se vincular. O desligamento é o objetivo final da religião do Oriente.

A meditação cristã vai muito além da noção do desligamento. Existe, de fato, certa necessidade de desligamento — um "sábado de contemplação", como denomina Pedro de Celles, monge beneditino do século XII.[8] Mas há também o perigo de pensar apenas em termos de desligamento, como Jesus dá a entender na história do homem que se esvazia do mal, mas não é preenchido com o bem: "Quando um espírito imundo sai de um homem [esse espírito], vai e traz outros sete espíritos piores do que ele, e entrando passam a viver ali. E o estado final daquele homem torna-se pior do que o primeiro" (Lucas 11.24-26).[9]

O desligamento, portanto, não é suficiente: precisamos prosseguir com o *vínculo*. O isolamento da confusão que nos rodeia nos proporciona um vínculo mais enriquecedor com Deus. A meditação cristã leva-nos à integridade interior necessária para que nos entreguemos livremente a Deus.

Outra concepção errônea é que a meditação é difícil demais, complicada demais, que talvez deva ficar apenas com os especialistas no assunto, que têm mais tempo para explorar as regiões interiores. Nada disso! Os especialistas mais conceituados jamais se referem a esse tipo de jornada como algo exclusivo de uns poucos privilegiados, gigantes espirituais. Eles ririam só de pensar na ideia. Para eles, a sensação era de que estavam executando uma atividade humana natural — tão natural e importante quanto respirar. Eles nos diriam que não precisamos de nenhum talento especial nem de poderes paranormais. Thomas Merton escreve: "A meditação é realmente muito simples, e não há muita necessidade de técnicas elaboradas que nos ensinem como prosseguir".[10]

A terceira concepção errônea é enxergar a contemplação como algo incompatível com o século XXI e, portanto, impraticável.

Há o temor de que isso resulte no tipo de pessoa imortalizada no padre Ferapont, um asceta, personagem de Dostoievski no livro *Os irmãos Karamazov*: uma pessoa intransigente, que se considera virtuosa e que, por puro esforço, livra-se do mundo e depois roga pragas sobre ele. Muitos acreditam que, na melhor das hipóteses, a meditação leve à alienação doentia que nos mantém imunes aos sofrimentos da humanidade.

Tais avaliações passam muito longe do alvo. De fato, a meditação é a única coisa capaz de redirecionar nossa existência, para que assim consigamos lidar com a vida de maneira eficaz. Thomas Merton escreve: "A meditação não tem sentido nem realidade, a menos que esteja firmemente arraigada na *vida*".[11] Historicamente, nenhum grupo enfatizou mais a prática de sintonizar o silêncio que os quacres, e o resultado tem sido um impacto social vital, que em muito excede o número de quacres. William Penn observa: "A verdadeira santidade não tira os homens do mundo, mas capacita-os a viver melhor nele e incita os empreendimentos que ajudam a restaurá-lo".[12]

Com frequência, a meditação produz percepções extremamente práticas, quase seculares. Você será orientado a como se relacionar com sua mulher ou marido, como lidar com este problema delicado ou com aquela situação nos negócios. É maravilhoso quando uma meditação em particular conduz a um estado de alegria; no entanto, é bem mais comum receber orientação para lidar com problemas humanos comuns. A meditação devolve-nos às coisas do mundo com mais equilíbrio e com uma perspectiva alargada.

Talvez a concepção errônea mais comum de todas seja enxergar a meditação como uma forma religiosa de manipulação psicológica. Ou como uma boa opção para baixar a pressão arterial ou aliviar a tensão. Ou ainda como meio de obter inspiração, ao entrar em contato com o subconsciente. A ideia de contato real e de comunhão com o Deus de Abraão, Isaque e Jacó, entretanto, soa pouco científica e quase irracional. Se você acha que vivemos num Universo inteiramente material, pensará sempre na meditação como uma boa maneira de obter um padrão consistente de ondas cerebrais alfa. Se, no entanto, acredita que vivemos num Universo criado por um Deus infinito e pessoal que se deleita em ter comunhão conosco, verá a meditação como a comunicação entre a Fonte do amor e o ser amado.

Os dois conceitos de meditação são totalmente opostos. Um deles deixa-nos confinados a uma experiência totalmente humana; o outro lança-nos a um encontro entre o divino e o humano. Um se refere à exploração do subconsciente; o outro se refere a "descansar naquele a quem *encontramos*, que nos ama, que está próximo de nós, que se aproxima a fim de nos trazer para si mesmo".[13] Ambos os conceitos podem parecer espirituais e utilizar linguagem religiosa, mas o primeiro, em última análise, não consegue abrir espaço para a realidade espiritual.

Como, então, chegamos ao ponto de acreditar na existência do mundo do espírito? Seria por causa de uma fé cega? Nada disso! A realidade interior do mundo espiritual está ao alcance de todos os que se dispuserem a buscá-la. Tenho verificado com frequência que quem ridiculariza o mundo espiritual jamais dedicou dez minutos sequer à investigação para saber se ele existe de verdade.

Deixe-me sugerir que adotemos uma atitude experimental em relação às realidades espirituais. Assim como qualquer outra empreitada científica, formamos uma hipótese e fazemos experimentos para saber se ela é válida ou não. Se o primeiro experimento falha, não entramos em desespero nem rotulamos de fraudulento todo o trabalho. Examinamos outra vez o procedimento, talvez ajustando a hipótese e fazendo outra tentativa. Devemos, no mínimo, ter a honestidade de conceder a essa tarefa o mesmo grau de perseverança que dedicaríamos a qualquer área da ciência. O fato de muitos não terem a disposição de agir assim denuncia não a inteligência que possuem, mas seu preconceito.

Desejando a voz viva de Deus

Há momento em que tudo dentro de nós acena positivamente às palavras de Frederick W. Faber:

> Só sentar-se e pensar em Deus,
> Ah, que júbilo isso dá!
> Pensar o pensamento, o Nome respirar,
> Na terra maior bem-aventurança não há.[14]

Contudo, os que meditam sabem que a reação mais frequente é a inércia espiritual, a gelidez e a falta de desejo. Os seres humanos parecem ter a tendência perpétua de arrumar alguém para falar com Deus em seu lugar. Ficamos satisfeitos de receber uma mensagem de segunda mão. Um dos erros fatais dos israelitas foi insistir em ter um rei humano, em vez de descansar no governo teocrático de Deus. É possível detectar uma nota triste nas palavras do Senhor: "Foi a mim que rejeitaram como rei" (1Samuel 8.7). A história da religião nada mais tem sido que o relato de uma luta para conseguir um rei, um mediador, um sacerdote, um pastor, um intermediário. Assim, esquivamo-nos de ir a Deus por nós mesmos. Essa abordagem poupa-nos da necessidade de mudar, pois estar na presença de Deus significa mudança em nossa vida. Não é preciso observar a cultura ocidental muito de perto para perceber que ela é cativa da religião do mediador.

É por isso que a meditação nos parece tão temerária. Ela nos convida, com ousadia, a entrar na presença viva de Deus sem nenhum intermediário. Ela nos faz entender que Deus fala continuamente no presente e quer se comunicar conosco. Jesus e os escritores do Novo Testamento afirmam claramente que a meditação não está reservada aos profissionais da religião, mas é acessível a todos. *Todos* os que reconhecem Jesus Cristo como Senhor *representam* o sacerdócio universal de Deus e, nessa condição, podem adentrar o Santo dos Santos e conversar com o Deus vivo.

Pode parecer difícil convencer as pessoas de que *elas* podem ouvir a voz de Deus. Os membros da Igreja do Salvador, em Washington, a capital americana, realizam experimentos nessa área faz algum tempo. A conclusão deles: "Consideramo-nos cidadãos do século XXI, contudo temos indicativos de que é possível receber orientações tão nítidas quanto as que foram passadas a Ananias: 'Vá à casa de Judas, na rua chamada Direita' ".[15] Por que não? Se Deus está vivo e ativo nos afazeres do ser humano, por que sua voz não pode ser ouvida e obedecida hoje? Ela pode ser e é ouvida por todos os que o conhecem como Mestre e Profeta no presente.

E como passamos a desejar ouvir sua voz? "Esse desejo de se voltar [para Deus] é uma dádiva da graça. Qualquer um que se imagine capaz de começar a meditação sem orar pedindo o desejo e a graça para levá-la adiante logo desistirá. No entanto, o desejo de meditar e a graça de começar a meditação devem ser considerados uma promessa implícita de outras graças".[16] Buscar e receber tal "dádiva da graça" é a única coisa que nos permitirá prosseguir nessa jornada interna. Como diz Alberto, o Grande: "A contemplação dos santos incendeia-se com o amor daquele que é contemplado — ou seja, Deus".[17]

Santificando a imaginação

Podemos descer da mente ao coração com a maior facilidade, por meio da imaginação. O grande pregador escocês Alexander Whyte faz menção dos "ofícios divinos e dos serviços esplêndidos da imaginação cristã".[18] Talvez uns raros indivíduos tenham experiência com Deus unicamente por meio da contemplação abstrata; a maioria de nós, porém, precisa estar mais firmemente arraigada aos sentidos. Não devemos desprezar essa rota mais simples, mais humilde para a presença de Deus. O próprio Jesus recomendou-a, fazendo apelos constantes à imaginação, e muitos dos mestres devocionais igualmente nos encorajam a andar por esse caminho. Teresa de Ávila diz: "Já que não conseguia refletir com meu entendimento, planejei, por meio da imaginação, retratar Cristo dentro de mim".[19] Muitos de nós identificam-se com essas palavras, pois também tentamos uma abordagem meramente cerebral e descobrimos que é abstrata demais, isolada demais. Além disso, a imaginação põe uma âncora no pensamento e atrai o foco de nossa atenção. Francisco de Sales observa que, "assim como aprisionamos um pássaro na gaiola ou prendemos um falcão pela trela para que ele repouse na mão, por meio da imaginação restringimos a mente ao mistério sobre o qual meditamos, para que ela não vagueie para lá e para cá".[20]

Alguns fazem objeções ao uso da imaginação, alegando que não é digna de confiança, pois pode até mesmo ser usada pelo Maligno. De fato, há bons motivos para preocupação, porque ela, à semelhança de outras faculdades, teve sua participação na Queda. Contudo, assim como cremos que Deus pode tomar a razão (decaída como é) e santificá-la, usando-a para propósitos positivos, também acreditamos que ele é capaz de santificar a imaginação e usá-la para o bem. É evidente que a imaginação pode ser distorcida por Satanás, mas a isso também estão sujeitas todas as faculdades que possuímos. Deus nos dotou com a imaginação e, na qualidade de Senhor da criação, ele tem poder para redimi-la, e o faz, usando-a em benefício do Reino de Deus.

Outra preocupação a respeito do uso da imaginação é o receio da manipulação humana, até mesmo do engano autoinfligido. Afinal, alguns possuem uma "imaginação hiperativa", como dizemos, e conseguem forjar todo tipo de imagem sobre algo que gostariam de ver acontecendo. Além do mais, não nos previne a

Bíblia contra os "pensamentos fúteis" dos ímpios (Romanos 1.21)? Tal preocupação é legítima. É possível que tudo não passe de esforços humanos inúteis. É por isso que lançar-se na dependência completa de Deus nessas questões adquire importância tão vital. Estamos buscando pensar os pensamentos de Deus, desfrutar os prazeres de sua presença, desejar sua verdade e seu caminho. E, quanto mais vivermos assim, mais Deus utilizará nossa imaginação para seus bons propósitos. De fato, a experiência comum dos que caminham com Deus é *receber* imagens daquilo que pode existir. Quando estou orando por alguém, normalmente recebo uma imagem da condição em que ele se encontra e, quando compartilho essa imagem, ouço um suspiro profundo ou então a pessoa começa a chorar. Depois pergunta: "Como você sabia?". Bem, eu não sabia: apenas vi.

Acreditar que Deus pode santificar e utilizar a imaginação é simplesmente levar a sério a ideia cristã da encarnação. Deus se acomoda tão bem, encarna tão bem neste mundo que usa as imagens que conhecemos e compreendemos para nos ensinar a respeito do mundo invisível, do qual conhecemos tão pouco e achamos tão difícil de entender.

Preparando-se para meditar

É impossível aprender a meditar usando um livro. É meditando que se aprende a meditar, no entanto sugestões simples na hora certa podem fazer uma diferença enorme. As orientações e os exercícios que constam das páginas seguintes são apresentados na esperança de que o ajudem na prática real da meditação. Não são leis nem têm a intenção de restringir seus métodos.

Existe o momento adequado para a meditação, mas, quando se alcança certa proficiência na vida interior, é possível praticar a meditação a qualquer hora e em quase todas as circunstâncias. O Irmão Lourenço, no século XVII, e Thomas Kelly, no século XX, dão testemunhos eloquentes desse fato. Dito isso, faz-se necessário enxergar a importância, tanto para iniciantes quanto experimentados, de separar uma parte do dia para a meditação regular.

Uma vez convencidos de que é preciso separar momentos específicos para a contemplação, temos de nos prevenir contra a ideia de que praticar alguns atos religiosos em determinados momentos significa estar meditando. Esse trabalho, na verdade, envolve toda a nossa vida. É uma tarefa que ocupa as vinte e quatro horas do dia. A oração contemplativa é uma forma de vida. Paulo exorta: "Orem continuamente" (1Tessalonicenses 5.17). Com um toque bem-humorado, Pedro de Celles observa que "aquele que ronca na noite do vício não pode conhecer a luz da contemplação".[21]

Portanto, precisamos entender que o nosso dia por inteiro é parte vital na preparação para os momentos específicos de meditação. Se ficarmos presos ao redemoinho das atividades frenéticas, não conseguiremos concentrar-nos nas horas de silêncio interior. A mente atormentada e fragmentada por questões externas dificilmente estará preparada para a meditação. Os pais da Igreja falavam com frequência sobre o *Otium Sanctum*, o "ócio santo" — o senso de equilíbrio na vida, a capacidade de se apaziguar em meio às atividades do dia, a habilidade de descansar e deter-se para admirar a beleza, a aptidão de manter um ritmo compassado. Com a tendência que temos de definir as pessoas em termos do que produzem, faríamos bem em cultivar o "ócio santo". E, se temos a expectativa de sucesso no estilo contemplativo, precisamos buscar energicamente o "ócio santo", com uma determinação implacável, apesar de nossa agenda.

E quanto ao *lugar* da meditação? Isso será discutido na disciplina da solitude. Assim, umas poucas palavras serão suficientes por ora. Encontre um lugar silencioso, livre de interrupções e afastado de qualquer telefone. Se for possível encontrar um local de onde possa contemplar uma bela paisagem, tanto melhor.

É melhor ter um local fixo, em vez de ficar à caça de um ponto diferente todos os dias.

E quanto à postura? Em certo sentido, a postura não faz diferença alguma: você pode orar em qualquer lugar, a qualquer hora e em qualquer posição. Ao mesmo tempo, a postura tem importância máxima. O corpo, a mente e o espírito são inseparáveis. A tensão no espírito é como um telegrama, que se expressa na linguagem corporal. Na verdade, já vi pessoas mascarem chiclete vigorosamente durante todo o culto, sem perceber a profunda tensão interna que experimentavam. A postura externa não apenas reflete o estado interno: ela pode alimentar a atitude interna da oração. Se interiormente estamos carregados de distração e ansiedade, escolher conscientemente uma postura de paz e relaxamento tende a acalmar a turbulência em nosso interior.

Não existe nenhuma "lei" que prescreva a postura correta. Na Bíblia, encontramos as mais diversas: desde ficar prostrado no chão a estar em pé, com as mãos e cabeça levantadas em direção ao céu. Acho que a melhor alternativa é encontrar a posição que seja mais confortável e distraia menos. Richard Rolle, estimado místico do século XIV, preferia sentar-se, "porque eu sabia que [...] durava mais [...] do que andando, ou em pé, ou ajoelhado. Pois, sentado, fico em repouso máximo, e meu coração mais voltado para cima".[22] Concordo plenamente, e acho que o melhor é sentar-se em uma cadeira de encosto vertical, com as costas posicionadas corretamente e os dois pés totalmente apoiados no chão. Ficar com a postura relaxada indica negligência, e cruzar as pernas dificulta a circulação. Coloque as mãos sobre os joelhos, com as palmas viradas para cima, como um gesto de receptividade. Às vezes, é bom fechar os olhos para eliminar as distrações e focar a atenção em Cristo. Em outros momentos, será proveitoso refletir sobre uma imagem do Senhor ou procurar árvores e plantas aprazíveis pelo mesmo motivo. Independentemente de como for feito, o alvo é concentrar a atenção do corpo, das emoções, da mente e do espírito na "glória de Deus na face de Cristo" (2Coríntios 4.6).

As formas de meditação

Ao longo dos séculos, os cristãos mencionaram várias formas de ouvir Deus, de ter comunhão com o Criador dos céus e da terra, de experimentar o amor eterno do Senhor pelo mundo. A sabedoria acumulada dessas experiências pode ser extremamente útil em nossa busca de maior intimidade com Deus e na tentativa de sermos, assim como eles faziam, mais fiéis a ele.

Para os mestres devocionais, a *meditatio Scripturarum*, a "meditação nas Escrituras", é o ponto central de referência, que mantém todas as outras formas de meditação na perspectiva correta. Enquanto o estudo das Escrituras gira em torno da exegese, a meditação procura internalizar a passagem e torná-la pessoal. A Palavra escrita torna-se palavra viva dirigida a você. Não é o momento de estudos técnicos, de análise ou mesmo de juntar material para compartilhar com algum grupo. Deixe de lado todas as tendências à arrogância e, com coração humilde, receba a palavra dirigida a você. Creio que ficar de joelhos é especialmente apropriado nesse momento em particular. Dietrich Bonhoeffer diz: "Assim como você não analisa as palavras de alguém que você ama, mas as aceita como lhe são ditas, aceite a Palavra das Escrituras e guarde-as no coração, como fez Maria. É só isso. Isso é meditação".[23] No seminário fundado por Bonhoeffer, em Finkenwalde, todos praticavam meia hora de meditação silenciosa sobre as Escrituras.

É importante resistir à tentação de percorrer várias passagens superficialmente. Tal afobamento reflete nosso estado interno, e nosso estado interno é aquilo de que precisamos para ser transformados. Bonhoeffer recomenda passar uma semana inteira em um único texto! Portanto, minha sugestão é que você tome um único evento, uma parábola, uns poucos versículos ou mesmo uma única palavra e permita que isso crie raízes em você. Procure viver a experiência, lembrando o incentivo de Inácio de Loyola a aplicarmos todos os sentidos à tarefa. Sinta o cheiro do mar. Ouça o marulhar da água ao longo da costa. Contemple a multidão. Sinta o sol na cabeça e a fome no estômago, bem como o sabor do sal no ar. Toque a orla das vestes dele. Sobre esse aspecto, Alexander Whyte aconselha: "A imaginação verdadeiramente cristã jamais permite que Jesus Cristo saia de nosso campo de visão [...]. Você abre o Novo Testamento [...] e, pela imaginação, naquele instante você é um dos discípulos de Cristo, no lugar certo, e está aos pés dele".[24]

Suponha que queiramos meditar sobre a afirmação surpreendente de Jesus: "A minha paz lhes dou" (João 14.27). Refletimos sobre a verdade de que ele está nos enchendo agora com sua paz. O coração, a mente e o espírito são despertados para essa paz, que flui para dentro de nós. Percebemos que todas as inquietações causadas pelo medo foram superadas pelo "espírito [...] de poder, de amor e de equilíbrio" (2Timóteo 1.7). Em vez de dissecar a paz, estamos entrando nela. Somos envolvidos, absorvidos, entrelaçados com essa paz. O maravilhoso a respeito dessa experiência é que o eu fica bastante esquecido. Já não nos preocupamos sobre como obter mais paz, pois estamos atentos à paz que está sendo transmitida ao nosso coração. Já não precisamos mais elaborar diligentemente formas de agir pacificamente, pois os atos de paz brotam espontaneamente do interior.

Lembre-se sempre de que não entramos nesse empreendimento como observadores passivos, mas como participantes ativos. Lembre-se também de que Cristo está de fato conosco para nos ensinar, curar e perdoar. Alexander Whyte declara: "Com a imaginação ungida com óleo sagrado, você abre o Novo Testamento outra vez. Na primeira, é o publicano; na segunda, é o pródigo [...] depois, você é Maria Madalena; Pedro no pórtico [...] até que todo o Novo Testamento, por inteiro, corresponda à sua autobiografia".[25]

Outra forma de meditação é o que os contemplativos da Idade Média chamavam "recompilação" e os quacres em geral denominavam "convergência". É um momento de aquietar-se, de entrar no silêncio recriador, de permitir que a fragmentação da mente adquira um centro.

O breve exercício que se segue é para auxiliá-lo a "recompilar", chamado simplesmente "palmas para baixo, palmas para cima". Comece colocando as palmas para baixo, como indicação simbólica de seu desejo de entregar a Deus quaisquer preocupações que possa ter. Em silêncio, ore: "Senhor, entrego-te a raiva que sinto do João. Libero o medo que tenho da consulta do dentista nesta manhã. Rendo minha ansiedade por não ter dinheiro suficiente para pagar as contas do mês. Liberto-me da frustração causada pela tentativa de encontrar uma babá para esta noite". Em relação a tudo que represente um peso em sua mente ou que seja motivo de preocupação, diga apenas: "Palmas para baixo". Liberte-se. Pode ser que você sinta até mesmo certa sensação de alívio nas mãos. Após esse momento de entrega, vire as palmas para cima como sinal do desejo de receber algo do Senhor. Você pode orar silenciosamente: "Senhor, gostaria de receber teu divino amor por João, tua paz para a consulta com o dentista, tua paciência, tua alegria". Seja qual for sua necessidade, diga: "Palmas para cima". Tendo feito a convergência, gaste os momentos restantes em silêncio total. Não peça nada. Permita que o Senhor entre em comunhão com você, que ele o ame. Se vierem impressões ou orientações, ótimo! Caso contrário, ótimo!

Um terceiro tipo de oração contemplativa é meditar sobre a criação. Bem, isso não tem nada de panteísmo infantil: trata-se de um monoteísmo majestoso, no qual o grandioso Criador do Universo nos mostra um pouco de sua glória por intermédio da criação. De fato, os céus declaram a glória de Deus e o firmamento proclama a obra de suas mãos (Salmos 19.1). Evelyn Underhill recomenda: "Comece com a primeira forma de contemplação que os antigos místicos às vezes denominavam 'descobrir Deus em suas criaturas' ".[26]

Por isso, preste atenção à ordem criada. Observe as árvores — olhe realmente para elas. Apanhe uma flor e deixe que a beleza e simetria dela mergulhem profundamente em sua mente e em seu coração. Ouça os pássaros — eles são mensageiros de Deus. Observe as criaturas pequenas que rastejam sobre a terra. Certamente tais atos são humildes, mas Deus pode falar ao mais íntimo de nosso ser nessas coisas simples, se nos aquietarmos para ouvi-las.

Existe ainda uma quarta forma de meditação que, de certa forma, é bem oposta à mencionada agora: meditar sobre os fatos de nosso tempo, procurando perceber a importância deles. Temos a obrigação espiritual de penetrar a fundo no significado dos acontecimentos, não para adquirir poder, mas para obter uma perspectiva profética. Thomas Merton escreve que a pessoa "que meditou sobre a paixão de Cristo e não meditou sobre os campos de extermínio de Dachau e Auschwitz ainda não entrou plenamente na experiência do cristianismo de nosso tempo".[27]

Essa forma de meditação será mais bem executada com a Bíblia numa mão e o jornal na outra! Entretanto, não se deixe enredar pelos absurdos clichês políticos nem pela propaganda que nos bombardeia. Na verdade, em geral os jornais são superficiais e tendenciosos demais para serem de grande ajuda. Faremos bem se mantivermos os fatos de nosso tempo diante de Deus e pedirmos revelação profética, a fim de discernir o rumo que tais coisas irão tomar. Mais: devemos pedir orientação em tudo que fazemos para ser sal e luz neste mundo decadente e sombrio.

Não se sinta desencorajado se no começo suas meditações não parecerem significativas. Há uma progressão na vida espiritual, e é sensato ter alguma experiência com colinas menores antes de tentar atacar o Everest da alma. Por isso, tenha paciência consigo mesmo. Além do mais, você está aprendendo uma disciplina para a qual não recebeu nenhum treinamento, tampouco nossa cultura o encoraja a desenvolver tais habilidades. Você estará nadando contra a corrente, mas seja forte: essa tarefa tem imenso valor.

Há muitos outros aspectos da disciplina da meditação que podem ser proveitosamente considerados.[c] Entretanto, a meditação não é um ato isolado nem é algo acabado, do jeito que se finaliza a produção de uma cadeira. É um estilo de vida. Você aprenderá e se desenvolverá continuamente, à medida que sondar as regiões profundas do mundo interior.

Notas

[1] Apud Kelsey, Morton T. **The Other Side of Silence:** A Guide to Christian Meditation. New York: Paulist Press, 1976. p. 83.

[2] Guyon, Madame. **Experiencing the Depths of Jesus Christ**. Goleta: Christian Books, 1975. p. 3 [**Experimentando as profundezas de Jesus Cristo através da oração**. São Paulo: Editora dos Clássicos, 2004].

[3] Ware, Timothy (Org.). **The Art of Prayer:** An Orthodox Anthology. London: Faber & Faber, 1966), p. 110.

[4] Gest, Margaret (Org.). **The House of Understanding:** Selections from the Writings of Jeremy Taylor. Philadelphia: Univ. of Pennsylvania Press, 1954. p. 106.

[5] Bonhoeffer, Dietrich. **The Way to Freedom**. New York: Harper & Row, 1966. p. 57.

[6] Guyon, op. cit., p. 32.

[7] Kempis, Thomas à. **The Imitation of Christ**. Garden City: Image Books, 1955. p. 85 [**Imitação de Cristo**. Petrópolis: Vozes, 2000].

---

[c] Dois tópicos intimamente relacionados à meditação serão discutidos na disciplina da solitude: o uso criativo do silêncio e o conceito desenvolvido por João da Cruz, ao qual ele dá um nome bem interessante: "a noite escura da alma".

[8] MERTON, Thomas. **Contemplative Prayer**. Garden City: Doubleday, 1969. p. 59.

[9] Em **The Other Side of Silence**, Morton KELSEY faz uma excelente análise das meditações oriental e cristã; v. esp. p. 1, 57, 98 e 121.

[10] MERTON, Thomas. **Spiritual Direction and Meditation**. Collegeville: Liturgical Press, 1960. p. 68.

[11] Idem. **Contemplative Prayer**, p. 39.

[12] PENN, William. In: SELLECK, Ronald (Org.). **No Cross, No Crown**. Richmond: Friends United Press, 1981. p. xii.

[13] MERTON. **Contemplative Prayer**, p. 29.

[14] TOZER, A. W. **The Knowledge of the Holy**. New York: Harper & Brothers, 1961. p. 20.

[15] O'CONNOR, Elizabeth. **Search for Silence**. Waco: Word Books, 1971. p. 95.

[16] MERTON. **Spiritual Direction and Meditation**, p. 98.

[17] Id., ibid., p. 47.

[18] WHYTE, Alexander. **Lord, Teach Us to Pray**. New York: Harper & Brothers, [s.d.]. p. 249.

[19] Apud RADCLIFFE, Lynn J. **Making Prayer Real**. New York: Abington-Cokesbury Press, 1952. p. 214.

[20] FRANCISCO DE SALES. **Introduction to the Devout Life**. Trad. John K. Ryan. New York: Doubleday, 1955. p. 84 [**Introdução à vida devota**. Petrópolis: Vozes, 1999].

[21] Apud MERTON. **Contemplative Prayer**, p. 59.

[22] Id., **Spiritual Direction and Meditation**, p. 75.

[23] BONHOEFFER, op. cit., p. 59.

[24] WHYTE, op. cit., p. 249-250.

[25] Id., ibid., p. 251.

[26] UNDERHILL, Evelyn. **Practical Mysticism**. New York: Dutton, 1943. p. 90.

[27] MERTON. **Spiritual Direction and Meditation**, p. 88-89.

TRÊS

A DISCIPLINA DA ORAÇÃO

E tudo isso repentinamente o Senhor trouxe-me à mente, mostrou-me estas palavras e disse: "Sou o solo de tua súplica; primeiramente, é minha vontade que a tenhas; depois, faço--te querê-la; e depois faço-te suplicá-la e a suplicas. Como, então, não farias tuas súplicas?".

— JULIANA DE NORWICH

A oração impele-nos para a fronteira da vida espiritual. De todas as disciplinas espirituais, a oração é a principal, porque nos conduz a uma comunhão perene com o Pai. A meditação introduz-nos à vida interior; o jejum é um meio que a acompanha; e o estudo transforma a mente, mas é a disciplina da oração que nos leva ao agir mais profundo e elevado do espírito humano. A oração verdadeira cria vida e muda a vida. "A oração — secreta, fervorosa, confiante — está na raiz de toda santidade pessoal",[1] escreve William Carey.

Orar é mudar. A oração é a principal via usada por Deus para nos transformar. Se não estivermos dispostos a mudar, deixaremos a oração de lado, e ela não será uma característica perceptível em nossa vida. Quanto mais próximos chegarmos do coração pulsante de Deus, mais enxergaremos a necessidade de sermos conformados a Cristo e mais desejaremos isso. William Blake afirma que a tarefa da vida é aprendermos a suportar os "fardos de amor" de Deus. Quão frequentemente engendramos disfarces para nos esquivar — abrigos à prova de fardos — daquele que nos ama com amor eterno! Quando oramos, porém, Deus lenta e graciosamente revela-nos os movimentos de esquiva e liberta-nos deles.

"Quando pedem, não recebem, pois pedem por motivos errados, para gastar em seus prazeres" (Tiago 4.3). Pedir "do jeito certo" envolve prazeres transformados. Na oração — a oração de verdade —, começamos a orar segundo os pensamentos de Deus: desejar as coisas que ele deseja, amar as coisas que ele ama, querer as coisas que ele quer. Aprendemos progressivamente a enxergar as coisas do ponto de vista dele.

Todos os que caminharam com Deus consideravam a oração a atividade principal da vida. As palavras do evangelho de Marcos servem de comentário sobre o estilo de vida de Jesus: "De madrugada, quando ainda estava escuro, Jesus levantou-se, saiu de casa e foi para um lugar deserto, onde ficou orando" (Marcos 1.35). O anseio de Davi por Deus rompeu as cadeias prazerosas do sono: "Ó Deus, tu és o meu Deus; de madrugada te buscarei" (Salmos 63.1, *ARC*). Quando foram tentados a investir suas energias em outras tarefas importantes e necessárias, os apóstolos decidiram entregar-se continuamente à oração e à ministração da Palavra (Atos 6.4). Martinho Lutero declarou: "Tenho tanto que fazer que não consigo prosseguir sem gastar três horas diárias em oração". Ele sustentava o lema "Aquele que ora bem estuda bem"[2] como axioma espiritual. John Wesley afirmou: "Deus não faz nada que não seja em resposta à oração",[3] e nutria essa convicção dedicando duas horas diárias ao exercício sagrado. O traço mais marcante na vida de David Brainerd era a oração. Seu diário está repleto de relatos de oração, jejum e meditação. "Gosto muito de ficar sozinho em minha cabana, onde consigo passar bastante tempo em oração. [...] Separei este dia para oração e jejum secretos diante de Deus".[4]

Para esses descobridores da fronteira da fé, a oração não era um hábito menor, anexado à periferia da vida: *era* a vida deles. Era o trabalho mais sério de seus anos mais produtivos. William Penn dá o seguinte testemunho a respeito de George Fox: "Acima de tudo, sua baliza foi a oração [...]. O referencial mais impressionante, vivo e venerável que já senti ou contemplei, devo dizer que era seu referencial de oração".[5] Adoniran Judson procurava isolar-se dos negócios e da empresa sete vezes por dia, a fim de engajar-se na tarefa sagrada da oração. Ele começava de madrugada; depois mantinha um tempo de oração reservada às 9 da manhã, ao meio-dia, às 3 e às 6 da tarde, às 9 da noite e à meia-noite. John Hyde, da Índia, fez da oração uma característica tão predominante de sua vida que foi apelidado de "O homem que orava". Para esses homens e para todos os que desbravaram as profundezas da vida interior, orar era respirar.

Entretanto, muitos ficam desanimados, e não desafiados, com exemplos assim. As experiências dos "gigantes da fé" parecem tão superiores que somos tentados a entrar em desespero. Antes, porém, de nos flagelarmos por nossa óbvia incapacidade, devemos lembrar-nos de que Deus sempre nos encontra onde estamos e lentamente nos leva a regiões mais profundas. Corredores eventuais não passam repentinamente a competir em maratonas. Eles se preparam, treinando durante certo tempo, e devemos fazer o mesmo. Seguindo essa progressão, será muito razoável a expectativa de, daqui a um ano, orarmos com mais autoridade e êxito espiritual do que no presente.

Nos esforços que envidamos para orar, é fácil sermos derrotados logo no início, porque aprendemos que tudo no Universo já está estabelecido e que por isso as coisas não podem ser alteradas.

E, se nada pode ser mudado, então por que orar? Podemos alimentar esse melancólico sentimento, mas não é o que a Bíblia ensina. Nas Escrituras, os que oravam faziam-no como se as orações pudessem mudar as coisas de maneira objetiva. O apóstolo Paulo, com alegria, proclama que somos "cooperadores de Deus", ou seja, trabalhamos com ele para determinar o resultado dos eventos (1Coríntios 3.9). É o estoicismo que prega a ideia de um Universo fechado, não a Bíblia.

Os que enfatizam a submissão e a resignação com o estado das coisas como "vontade de Deus" estão, na verdade, mais próximos de Epíteto que de Cristo. Moisés orava com ousadia porque acreditava que suas orações podiam mudar as coisas, até mesmo as ideias de Deus. De fato, a Bíblia enfatiza com tanto vigor que o Universo está em aberto que, num antropomorfismo doloroso aos ouvidos modernos, faz menção a Deus mudando constantemente de ideia, de acordo com seu amor imutável (v. Êxodo 32.14; Jonas 3.10).

Esse fato surge como libertação genuína para muitos de nós, mas também nos impõe tremenda responsabilidade. Estamos trabalhando com Deus para determinar o futuro! Certas mudanças irão acontecer na História se orarmos como convém. Devemos mudar o mundo por meio da oração. De que outra motivação precisamos para aprender a mais grandiosa das práticas humanas?

A oração é um tema tão vasto e multifacetado que logo reconhecemos a impossibilidade de abordar todos os aspectos num único capítulo, ainda que superficialmente. Há uma enormidade de questões filosóficas importantes. Por que a oração é necessária? Como a oração funciona? Ou seja, como um ser humano finito pode entrar em diálogo com o Criador do Universo, um ser infinito? Como uma realidade imaterial semelhante à oração pode afetar o mundo material? E há muitas outras perguntas. Há também diversas formas de oração, que vêm sustentando os cristãos ao longo dos séculos. Existe a oração discursiva, a oração mental e a oração convergente. Existe também a oração silenciosa, a oração de renúncia e a oração por direcionamento. E muitas outras.

Há muitos livros notáveis a respeito da oração. Um dos melhores é o clássico escrito por Andrew Murray, *With Christ in the School of Prayer* [Com Cristo na escola da oração]. Faríamos bem em ampliar nosso universo de leitura e busca da experiência, se desejamos conhecer os caminhos da oração. Uma vez que a contenção costuma aumentar a clareza, este capítulo ficará restrito à oração de intercessão, ou seja, como orar com eficácia a favor de alguém. Há hoje homens e mulheres precisando tão desesperadamente de nossa ajuda que nossas melhores energias deveriam ser empregadas nessa tarefa.

Aprendendo a orar

A oração verdadeira é algo que se aprende. Os discípulos pediram a Jesus: "Senhor, ensina-nos a orar" (Lucas 11.1). Eles haviam orado a vida toda, mas algo na qualidade e na quantidade das orações de Jesus os fez perceber que sabiam muito pouco a respeito dessa prática. Se a oração podia fazer diferença no cenário humano, então havia coisas que eles precisavam aprender.

Para mim, compreender que a oração envolvia um processo de aprendizagem foi libertador. Fiquei livre para questionar, experimentar e até mesmo falhar, pois sabia que estava aprendendo. Durante anos, havia orado por muitas coisas e com grande intensidade, mas o sucesso fora apenas superficial. Depois desconfiei de que algo podia estar errado e que poderia aprender a orar de outra maneira. Peguei os Evangelhos e retirei todas as referências à oração, colando-as em folhas de papel. Assim, pude ler de uma vez tudo que Jesus ensinou sobre a oração e fiquei chocado: ou as desculpas e racionalizações para orações não respondidas até então aprendidas estavam erradas, ou Cristo se equivocara. Prontifiquei-me a aprender como orar, a fim de que minha experiência se moldasse às palavras de Jesus, em vez de tentar fazer as palavras dele se conformarem à minha minguada experiência.

Talvez a característica mais surpreendente da oração de Jesus é que ele nunca terminava a oração com a frase "se for da tua vontade" quando orava por alguém. Os apóstolos e profetas também não faziam isso quando oravam por alguma pessoa. Obviamente, eles acreditavam saber qual era a vontade de Deus antes de fazer a oração de fé. Estavam tão imersos na esfera de influência do Espírito Santo que sabiam exatamente o que fazer diante de qualquer situação. A oração deles era tão positiva que na maioria das vezes assumia a forma de uma ordem direta, cheia de autoridade: "Ande!"; "Recupere-se!"; "Levante-se!". Descobri que no momento de orar por alguém evidentemente não havia espaço para orações indecisas, vacilantes, sem firmeza, do tipo "se for da tua vontade".

Certamente que há lugar e hora adequados para orar "se for da tua vontade". Na oração por direcionamento, o grande anseio do coração é conhecer a vontade de Deus: "Qual é a tua vontade?"; "O que te agradaria mais?"; "O que fará teu Reino avançar neste mundo?". Essa é a oração de busca que deve permear toda a nossa experiência de vida. E então, na oração de renúncia, nos comprometemos em deixar nossa vontade de lado sempre que ela estiver em conflito com a vontade de Deus e seu caminho. Fica claro que o objetivo sempre é aprender a pensar de acordo com os pensamentos de Deus, mas há momentos em que permitimos aos desejos humanos pôr obstáculos no caminho. Nessas horas, precisamos seguir o exemplo do Mestre, que no jardim orou: "Contudo, não seja feita a minha vontade, mas a tua" (Lucas 22.42).

Enquanto aprendia, procurei pessoas que demonstravam experimentar muito mais poder e eficácia que eu na oração e pedi--lhes que me ensinassem tudo que sabiam. Além disso, busquei a sabedoria e a experiência dos mestres da oração que viveram no passado, agarrando-me e lendo todos os bons livros que encontrava sobre o assunto. Comecei a estudar os homens de oração do Antigo Testamento — Moisés, Elias, Ana e Daniel — com interesse renovado.

Ao mesmo tempo, comecei a orar por outros na expectativa de que a mudança deveria e iria ocorrer. Fico feliz de não ter esperado até ser perfeito ou estar com a vida inteiramente em ordem para começar a orar pelas pessoas, do contrário nem teria começado. P. T. Forsythe declara: "A oração representa para a religião aquilo que a pesquisa representa para a ciência".[6] Senti-me numa "verdadeira pesquisa" na escola do Espírito. Foi sensacional, não dá para descrever. Cada fracasso aparente conduzia a um novo processo de aprendizagem. Cristo era meu Mestre onipresente, de forma que meus progressos na experiência confirmaram suas palavras: "Se vocês permanecerem em mim, e as minhas palavras permanecerem em vocês, pedirão o que quiserem, e lhes será concedido" (João 15.7).

Entender que a prática da oração envolve um processo de aprendizagem poupa-nos de descartá-la como falsa ou irreal. Se ligarmos o televisor e ele não funcionar, não declaramos a inexistência das frequências eletrônicas que percorrem o ar ou o cabo. Presumimos logo que alguma coisa está errada, algo que podemos identificar e corrigir. Verificamos a tomada, o botão de ligar e as conexões até descobrir o que está impedindo o fluxo dessa energia misteriosa que transmite imagens. Sabemos se o problema foi solucionado ou não ao verificar o funcionamento do aparelho. Assim acontece com a oração. Se os pedidos são atendidos, então é porque estamos orando corretamente. Caso contrário, devemos procurar o "entrave". Talvez estejamos fazendo a oração errada; talvez algo dentro de nós necessite de mudança; talvez outros princípios de oração devam ser aprendidos; talvez seja preciso mais paciência e persistência. Feitos os ajustes necessários, tentamos mais uma vez. Poderemos saber se as orações estão sendo atendidas com a mesma facilidade com que constatamos se o aparelho de TV está funcionando.

Um dos aspectos cruciais desse aprendizado é entrar em contato com Deus, de forma que a vida e o poder divino possam fluir através de nós em benefício de outras pessoas. Não é incomum supormos que estamos em contato com ele quando de fato não estamos. Por exemplo, dezenas de sinais de rádio e TV atravessaram o lugar onde você se encontra enquanto lê estas palavras, mas você não consegue captá-los por não estar sintonizado nas frequências corretas. Muitos oram com toda a fé do mundo, mas nada acontece. Logicamente, não estão sintonizados com Deus. Devemos começar a oração intercessora aquietando a atividade física e ouvindo o trovejar silencioso do Senhor dos Exércitos. Entrar em sintonia com as aspirações divinas é um trabalho espiritual, mas sem ele nossa oração não passa de repetição vazia. Ouvir o Senhor é a primeira, a segunda e a terceira coisa necessária à intercessão bem-sucedida. Søren Kierkegaard certa vez observou: "Um homem orava e, no início, pensou que a oração equivalia a falar. Contudo, à medida que foi ficando cada vez mais quieto, percebeu que a oração é ouvir".[7]

Ouvir Deus é o prelúdio necessário à intercessão. O trabalho da intercessão, às vezes chamado "oração de fé", pressupõe que a oração por direcionamento está subindo constantemente ao Pai. É preciso ouvir, conhecer e obedecer a vontade de Deus antes de harmonizá-la, em oração, com a vida de alguém. A oração por direcionamento precede e envolve continuamente a oração de fé.

Assim, o ponto de partida para aprender a orar pelos outros é ouvir, atentando para a orientação divina. No início, é sensato deixar de lado a artrite da tia, pela qual você ora há vinte anos. Nas questões físicas, temos sempre a tendência de orar primeiro pelas situações mais difíceis, como câncer em estágio terminal ou esclerose múltipla. Se, porém, soubermos ouvir, aprenderemos a importância de iniciar com problemas menores, como resfriado ou dor de ouvido. O sucesso nos pequenos aspectos da vida dão-nos autoridade nas questões maiores. Se nos aquietarmos, não somente aprenderemos quem é Deus, mas também como seu poder age.

Em certos momentos, tememos não ter fé suficiente para orar por esta criança ou por aquele casamento. Contudo, nossos medos devem ser postos de lado, pois a Bíblia afirma que milagres formidáveis são possíveis, se houver fé do tamanho de uma minúscula semente de mostarda. A coragem de orar por alguém indica, em geral, a existência de fé suficiente. Quase sempre, o que temos é falta de compaixão, não de fé. Parece que a empatia genuína entre quem ora e quem recebe a oração costuma fazer diferença. Somos informados de que Jesus era "cheio de compaixão" pelo povo, a qual é um traço evidente em cada cura registrada no Novo Testamento. Não oramos pelas pessoas como se fossem "coisas", mas como "gente" que amamos. Se recebermos de Deus a compaixão e a preocupação para com o próximo, nossa fé se desenvolverá e ganhará vigor à medida que orarmos. De fato, se verdadeiramente amarmos as pessoas, desejaremos para elas bem mais do que podemos dar, e isso nos levará à oração.

O sentimento de compaixão que procede do Senhor é uma das indicações mais claras de que *isto* é um projeto de oração para você. Na hora da meditação, talvez seu coração se eleve, ou surja uma compulsão por interceder, uma garantia de justiça ou um derramamento do Espírito. O "sim" interno é a autorização divina para que você ore por alguém ou determinada situação. Se a ideia for acompanhada de um sentimento apreensivo, então é melhor deixar a questão de lado. Deus levará outra pessoa a orar pelo assunto.

O SOPÉ DA ORAÇÃO

Jamais devemos complicar a oração. Tendemos a fazer isso logo que a entendemos como algo que se deva aprender. Também é fácil ceder a essa tentação porque, quanto mais complicada tornarmos a oração, mais as pessoas ficam dependentes de nós para aprender a orar. Jesus, no entanto, ensinou que devemos nos aproximar dele como a criança que procura o pai. Sinceridade, honestidade e confiança são as marcas da comunicação entre pai e filho. O motivo de Deus atender às orações é que seus filhos fazem pedidos. Além disso, há intimidade entre pai e filho, o que dá margem tanto para a seriedade quanto para a descontração. Meister Eckhart observa que "a alma dará à luz a pessoa se Deus sorrir para ela e se ela retribuir o sorriso".[8]

Jesus ensinou-nos a orar pelo pão de cada dia. Já notou que as crianças pedem almoço porque confiam plenamente que serão atendidas? Elas não têm necessidade de esconder os sanduíches de hoje com medo de não haver outros amanhã. Até onde podem afirmar, há um suprimento infindável de sanduíches. Elas não acham difícil nem complicado falar com os pais nem se sentem constrangidas de levar ao conhecimento deles suas necessidades mais simples. Da mesma forma, não devemos hesitar em apresentar com confiança os pedidos mais simples ao Pai.

As crianças também nos ensinam o valor da imaginação. Assim como ocorre na meditação, ela é uma ferramenta poderosa na oração. Podemos mostrar reservas em orar com a imaginação, achando que se trata de algo inferior. As crianças não apresentam essa relutância. Teresa de Ávila também não: "Este era meu método de oração: já que não conseguia refletir usando meu entendimento, passei a criar imagens de Cristo dentro mim [...]. Fiz muitas coisas simples desse tipo [...]. Creio que minha alma teve proveito dessa maneira, pois comecei a praticar a oração sem saber o que ela era".[9] Na peça *Santa Joana*, escrita por Bernard Shaw, Joana D'Arc insiste em que ouve vozes vindas de Deus. Os céticos a informam de que as vozes vêm de sua imaginação. Sem se abalar, ela responde: "Eu sei. É assim que Deus fala comigo".

A imaginação costuma abrir as portas para a fé. Se Deus mostra que um casamento despedaçado está recomposto ou que um doente está bem, isso ajuda a acreditar que tais coisas irão se suceder. As crianças entendem instantaneamente essas coisas e reagem bem à oração que usa a imaginação. Certa vez, fui chamado para orar por uma garotinha acometida por grave doença. O irmão de 4 anos de idade estava no quarto, e eu lhe disse que precisava da ajuda dele para orar pela irmã caçula. Ele ficou encantado, e eu também, pois sei que as crianças conseguem orar com eficácia incomum. Ele subiu na cadeira ao meu lado. "Vamos fazer um joguinho", disse eu. "Já sabemos que Jesus está sempre com a gente, por isso vamos imaginar que ele está sentado na cadeira à nossa frente. Ele está esperando pacientemente que voltemos a atenção para ele. Depois que conseguirmos enxergá-lo, vamos pensar mais em seu amor que na gravidade da doença de Julia. Ele vai sorrir, levantar-se e depois virá para perto de nós. Então vamos colocar as mãos sobre Julia, e, quando fizermos isso, Jesus porá a mão dele em cima das nossas. Vamos prestar atenção na luz que fluirá para dentro de sua irmãzinha e deixá-la bem. Vamos prestar atenção no poder restaurador de Cristo lutando contra os germes ruins até que eles tenham desaparecido. Tudo bem?" Muito sério, o menino concordou, assentindo com a cabeça. Juntos, fizemos uma oração infantil e depois agradecemos ao Senhor por acontecer aquilo que havíamos dito ao orar. Bem, não sei exatamente o que aconteceu, nem como, mas sei que na manhã seguinte Julia estava sã.

Permita-me acrescentar uma palavra de cautela a esta altura. Não estamos tentando invocar algo de nossa imaginação que não seja verdadeiro nem estamos tentando manipular Deus, dizendo-lhe o que fazer. Bem ao contrário, estamos pedindo a ele que nos diga o que fazer. Deus é a base da súplica que fazemos, como entende Juliana de Norwich, e somos inteiramente dependentes dele. A oração deve ser como uma ação reflexa quando Deus toma a iniciativa de agir no coração, o que antecede o ato de orar. As ideias, imagens e palavras não têm nenhum proveito, a menos que tenham origem no Espírito Santo, o qual, como sabemos, intercede por nós com "gemidos inexprimíveis" (Romanos 8.26).

Crianças que enfrentam dificuldades na sala de aula costumam reagir prontamente à oração. Tenho um amigo que dá aula para crianças com distúrbios emocionais; certo dia, ele chegou à conclusão de que Deus queria que ele orasse por elas. Evidentemente, não revelou às crianças o que estava fazendo: apenas orava. Quando um garoto engatinhava para debaixo da carteira, assumindo a posição fetal, aquele professor pegava a criança nos braços e orava silenciosamente para que o Cristo ressurreto curasse as feridas e o ódio que o menino sentia por si mesmo. Para não constrangê-lo, andava pela sala, dando continuidade aos seus deveres comuns enquanto orava. Depois de algum tempo, a criança relaxava e logo estava de volta à carteira. Às vezes, esse meu amigo perguntava ao garoto se este se lembrava de como era ganhar uma corrida. Se dissesse sim, meu amigo encorajava-o a imaginar-se cruzando a linha de chegada, com todos os colegas torcendo por ele, demonstrando amor. Dessa forma, a criança era capaz de cooperar no projeto de oração, sendo, ao mesmo tempo, encorajada na aceitação de si mesma. (Não é irônico que as pessoas fiquem profundamente preocupadas com a questão da oração nas escolas públicas, mas raramente utilizem a oportunidade de orar pelas crianças da escola, coisa contra a qual não pode existir nenhuma lei?) Ao final do ano letivo, todas as crianças, com exceção de duas, puderam reingressar numa turma normal. Coincidência? Talvez. No entanto, como observa o arcebispo William Temple, as coincidências são bem mais frequentes quando oramos.

Deus quer que os casamentos sejam saudáveis, plenos e duradouros. Talvez você saiba de casamentos que enfrentem sérias dificuldades e precisem de sua ajuda. Talvez o marido esteja tendo um caso com outra mulher. Pergunte a Deus se orar por isso é tarefa sua. Caso afirmativo, considere o compromisso de orar por esse casamento uma vez por dia, durante trinta dias. Imagine o marido se encontrando com a outra mulher, sentindo-se consternado, chocado por um dia haver pensado em se envolver com ela. Observe enquanto a ideia de um envolvimento ilícito se torna repugnante para ele. Imagine-o voltando para casa, vendo a esposa e sendo dominado por uma sensação de amor por ela. Visualize-os andando juntos, apaixonando-se, como em outros tempos. Veja-os cada vez mais capazes de se abrir, de conversar e de se interessar um pelo outro. Peça a Deus que erga um grande muro entre o marido e a amante. Construa uma casa para o marido e para a esposa, não feita de tijolos e cimento, mas de amor e consideração. Preencha-a com a paz de Cristo.

O pastor e os cultos de adoração precisam estar envolvidos em oração. Paulo orava por seu povo e pedia que o povo orasse por ele. Charles Spurgeon atribuía seu sucesso às orações de sua igreja. Frank Laubach dizia a seus ouvintes: "Tenho muita sensibilidade e sei se vocês estão orando por mim. Se um de vocês me desampara, eu percebo. Quando vocês oram por mim, sinto um poder que me é estranho. Quando *todos* os membros de uma congregação oram fervorosamente enquanto o pastor prega, um milagre acontece".[10] Preencha completamente os cultos de adoração com suas orações. Veja o Senhor "alto e exaltado" enchendo o santuário com sua presença.

Podemos orar pelos desvios sexuais com toda a certeza de que uma mudança real e duradoura poderá ocorrer. O sexo é como um rio — é uma bênção positiva e maravilhosa, quando mantido nos limites de seu leito. O rio que transborda torna-se um perigo, o que também acontece com os impulsos sexuais corrompidos. Quais são as margens estabelecidas por Deus para o sexo? Um homem e uma mulher, casados a vida toda. Quando oramos por alguém com problemas sexuais, será fascinante conceber a imagem de um rio que transbordou e convidar o Senhor a trazê-lo de volta ao seu leito natural.

Seus filhos podem e devem mudar mediante as orações que você faz. Ore por eles de dia, com a participação deles. Ore por eles de noite, quando estiverem dormindo. Um hábito muito prazeroso é ir até o quarto e colocar suavemente as mãos sobre a criança adormecida. Peça a Cristo que flua por meio de suas mãos, curando cada trauma emocional e mágoa pelos quais seu filho tenha passado durante o dia. Encha-o com a paz e a alegria do Senhor.

Como sacerdote de Cristo, você pode prestar um serviço maravilhoso ao tomar crianças nos braços e abençoá-las. Na Bíblia, os pais traziam seus filhos a Jesus não para que brincasse com eles nem para que os ensinasse, mas para que lhes impusesse as mãos e os abençoasse (Marcos 10.13-16). Ele concedeu a você a mesma capacidade. Bendita é a criança abençoada por adultos que sabem abençoar!

As "orações-relâmpago" são uma ideia excelente desenvolvida por Frank Laubach nos diversos livros que escreveu sobre oração. Ele se propôs viver de um jeito que "*ver* alguém será o mesmo que orar; *ouvir* qualquer pessoa, como estas crianças conversando, aquele menino chorando, poderá ser uma oração!".[11] Lançar orações firmes e diretas às pessoas é algo tremendo, que pode trazer resultados interessantes. Tenho pedido, em orações silenciosas, que a alegria do Senhor e uma consciência mais profunda de sua presença surjam dentro de cada pessoa com quem me encontro. Há quem não demonstre nenhuma reação, mas outros se viram e sorriem, como se eu tivesse falado com elas. Num ônibus ou avião, podemos convidar Jesus a andar pelos corredores, tocando os passageiros no ombro e dizendo: "Amo você. Meu maior deleite seria perdoá-lo e dar-lhe minhas bênçãos. Você possui belas virtudes, ainda embrionárias, que posso desenvolver, basta dizer sim. Gostaria muito de governar sua vida, se você permitisse". Frank Laubach acredita que, se milhares de cristãos experimentassem "orações expressas" com todos os que encontrassem e depois compartilhassem os resultados, nós poderíamos aprender muito sobre interceder pelas pessoas. Podemos mudar toda a atmosfera espiritual de um país se, aos milhares, lançássemos um manto de oração em torno de todos os que estão em nossa esfera de influência. "Unidades de oração em conjunto, como gotas de água, formam um oceano que desafia a resistência".[12]

Precisamos aprender a orar contra a maldade. Os escritores antigos insistem em que lutemos a guerra espiritual contra "o mundo, a carne e o Diabo". Não podemos esquecer-nos de que o inimigo de nossa alma nos espreita "como leão, rugindo e procurando a quem possa devorar" (1Pedro 5.8). Na oração, lutamos contra os principados e as potestades. Precisamos fazer orações de proteção, ser envoltos pela vida de Cristo, cobrindo a nós mesmos com o sangue dele e selando-nos com sua cruz.

Não devemos esperar a *vontade* de orar antes de orar por alguém. A oração é como um trabalho qualquer: pode ser que não tenhamos vontade de trabalhar, mas, depois de algum tempo, ela aparece. Talvez não sintamos desejo de praticar piano, mas, depois que tocamos um pouco, sentimos vontade de praticar. De igual modo, os músculos da oração precisam ser alongados. Quando o fluxo sanguíneo da intercessão começa, descobrimos que estamos com vontade de orar.

Não precisamos nos preocupar se a tarefa irá despender tempo demais, pois "não leva tempo algum, mas ocupa todo o tempo que temos".[13] Não é oração adicionada ao trabalho, mas oração simultânea ao trabalho. O trabalho é precedido, envolvido e conduzido pela oração. Oração e ação unem-se. Thomas Kelly dá seu testemunho: "Há um modo de ordenar a vida mental com mais de um nível simultâneo. Num primeiro nível, podemos pensar, discutir, ver, calcular, satisfazer todas as exigências dos assuntos externos. Contudo, bem dentro de nós, nos bastidores, num nível mais profundo, também podemos estar em oração e em adoração, cantando e louvando, suavemente receptivos aos sopros divinos".[14]

Temos tanto o que aprender, tantos lugares distantes a alcançar! Com certeza, é o arcebispo Tait quem define melhor o desejo ardente de nosso coração, ao afirmar: "Quero uma vida de oração mais grandiosa, mais profunda, mais verdadeira".[15]

Notas

[1] Apud BOUNDS, E. M. **Power Through Prayer**. Chicago: Moody Press, [s.d.]. p. 23 [**Poder através da oração**. São Paulo: Batista Regular, 1998].
[2] Id., ibid., p. 38.
[3] Id., p. 38,77.
[4] Id., p. 41,54.
[5] Id., p. 13.
[6] Apud MERTON, Thomas. **Contemplative Prayer**. Garden City: Doubleday, 1969. p. 11.
[7] KIERKEGAARD, Søren. **Christian Discourses**. Trad. Walter Lowie. Oxford: Oxford University Press, 1940. p. 324.
[8] **Meister Eckhart**. Trad. C. de B. Evans. London: John M. Watkins, 1956. v. 1, p. 59.
[9] Apud RADCLIFFE, Lynn J. **Making Prayer Real**. New York: Abington-Cokesbury Press, 1952. p. 214.
[10] **Prayer the Mightiest Force in the World**. New York: Fleming H. Revell, 1946. p. 31.
[11] **Learning the Vocabulary of God**. Nashville: Upper Room, 1956. p. 33.
[12] BOUNDS, op. cit., p. 83.
[13] **A Testament of Devotion**. New York: Harper & Brothers, 1941. p. 124.
[14] Ibid., p. 35.
[15] BOUNDS, op. cit., p. 35.

QUATRO

A DISCIPLINA DO JEJUM

Alguns têm exaltado o jejum religioso acima de toda a Escritura e da razão; outros o têm negligenciado totalmente.

— JOHN WESLEY

Numa cultura em que a paisagem está salpicada com os santuários dos Arcos Dourados e diversas opções do Templo da Pizza, o jejum parece fora de contexto, um mero anacronismo. De fato, há muitos anos o jejum caiu em descrédito de forma generalizada, dentro e fora da Igreja. Por exemplo, na pesquisa que fiz não encontrei um único livro sobre o tema "jejum cristão" publicado entre 1861 e 1954, um período de quase cem anos! Em tempos mais recentes, percebe-se um interesse renovado no jejum, mas temos de caminhar muito ainda para recobrar o equilíbrio bíblico.

O que explicaria a negligência quase total a essa prática mencionada tão frequentemente nas Escrituras e seguida com tanto ardor pelos cristãos ao longo dos séculos? Duas coisas. Em primeiro lugar, o jejum adquiriu má reputação em consequência das práticas ascéticas exageradas da Idade Média. Com o declínio da realidade interna da fé cristã, acentuou-se a tendência crescente de enfatizar o que restou: a forma externa. Sempre que houver uma forma destituída de poder espiritual, a lei tomará as rédeas, porque traz consigo uma sensação de segurança e de poder manipulador. Assim, o jejum ficou submetido a rígidas regulamentações. Sua prática também foi vinculada à mortificação pessoal e a sofrimentos físicos extremos. A cultura moderna rejeita com veemência esses excessos e tende a confundir jejum com mortificação.

Em segundo lugar, a propaganda com a qual somos alimentados continuamente convence-nos de que, se não tivermos três refeições fartas todos os dias, com diversos petiscos nos intervalos, ficaremos à beira da inanição. Somando-se a isso a crença popular de que é uma virtude satisfazer cada um dos apetites humanos, o jejum tornou-se obsoleto. Qualquer um que leve a sério a tentativa de jejuar é logo bombardeado com objeções: "Acho que o jejum será danoso à sua saúde". "Isso irá minar suas energias, e você não conseguirá trabalhar". "Será que os tecidos saudáveis de seu corpo não ficarão comprometidos?". Tais questionamentos, evidentemente, constituem um absurdo completo, baseado no preconceito. Embora o corpo humano consiga sobreviver apenas um curto período de tempo sem ar ou água, ele consegue manter-se vários dias antes que o processo de inanição tenha início. Sem necessariamente concordar com as afirmações extremadas de alguns grupos, não é exagero afirmar que o jejum, feito de maneira correta, chega a ser benéfico para o corpo.

As Escrituras têm muito a dizer sobre o jejum, e faríamos bem em examinar mais uma vez essa antiga disciplina. A lista de personagens bíblicas que jejuavam parece o "quem é quem" das Escrituras: Moisés, o legislador; o rei Davi; o profeta Elias; a rainha Ester; Daniel, o profeta vidente; a profetisa Ana; o apóstolo Paulo; Jesus Cristo, o Filho encarnado. Muitos dos cristãos notáveis da história da Igreja jejuavam e davam testemunho de seu valor. Entres eles, estão Martinho Lutero, João Calvino, John Knox, John Wesley, Jonathan Edwards, David Brainerd, Charles Finney e o pastor Hsi, da China.

É evidente que o jejum não é uma disciplina exclusivamente cristã: todas as religiões importantes reconhecem seu mérito. Zoroastro praticava o jejum, assim como Confúcio e os iogues da Índia. Platão, Sócrates e Aristóteles também jejuavam. Até mesmo Hipócrates, o pai da medicina moderna, acreditava no jejum. O fato de todas essas pessoas, dentro e fora das Escrituras, terem o jejum em alta estima não o torna necessariamente correto nem desejável. Isso, no entanto, deveria levar-nos a reavaliar seriamente as crendices de nossa época em relação à disciplina do jejum.

O JEJUM NA BÍBLIA

Nas Escrituras, o jejum sempre se refere à abstenção de comida por motivos espirituais. É distinto da greve de fome, cujo propósito é obter poder político ou chamar a atenção para uma causa considerada justa. Também se distingue da dieta por motivo de saúde, que enfatiza a abstinência de comida por questões físicas, e não espirituais. Por influência da secularização da sociedade moderna, o "jejum" — se é que alguém o pratica — normalmente tem por motivação a vaidade ou o desejo de poder. Não estou dizendo que essas formas de "jejum" são necessariamente erradas, mas o objetivo delas é diferente do jejum descrito nas Escrituras. O jejum bíblico sempre tem no centro algum propósito espiritual.

Na Bíblia, a maneira normal de jejuar é abster-se de todo tipo de comida, sólida ou líquida, mas não de água. No jejum de quarenta dias que Jesus fez, somos informados de que ele "não comeu nada" e que, perto do final do jejum, "teve fome". Satanás tentou-o a comer, indicando que a abstinência era de comida, mas não de água (Lucas 4.2). Do ponto de vista físico, é isso que em geral constitui o jejum.

Às vezes, descreve-se o que pode ser considerado um jejum parcial, ou seja, a dieta é restrita, mas a abstenção não é completa. Embora o jejum normal pareça ser o costume do profeta Daniel, houve um período de três semanas no qual ele declara: "Não comi nada saboroso; carne e vinho nem provei; e não usei nenhuma essência aromática" (Daniel 10.3). Não sabemos o motivo desse afastamento da prática normal do jejum. Talvez suas tarefas governamentais fossem um obstáculo.[a]

Também há diversos exemplos nas Escrituras do chamado "jejum absoluto", isto é, abstenção completa de comida e de água. Parece ser uma medida desesperada para sanar uma emergência extrema. Ao descobrir que a execução a aguardava, junto com a de seu povo, Ester instruiu Mardoqueu: "Vá reunir todos os judeus que estão em Susã, e jejuem em meu favor. Não comam nem bebam durante três dias e três noites. Eu e minhas criadas jejuaremos como vocês" (Ester 4.16). Paulo fez um jejum absoluto de três dias após um encontro com o Cristo ressurreto (Atos 9.9). Já que o corpo humano não suporta ficar sem água muito mais que três dias, o jejum absoluto de Moisés, bem como o de Elias, pode ser considerado sobrenatural (Deuteronômio 9.9; 1Reis 19.8). É preciso entender que esse tipo de jejum é exceção e não deve ser praticado, a menos que haja uma ordem muito clara da parte de Deus. Nesse caso, não deve ultrapassar três dias.

Na maioria das vezes, o jejum é questão particular entre o indivíduo e Deus. Há, no entanto, ocasiões de jejuns comunitários ou públicos. O único jejum público exigido pela Lei de Moisés era o do Dia da Expiação (Levítico 23.27). Era *o dia* no calendário judaico em que o povo se mostrava pesaroso e aflito por causa de seus pecados. (Com o passar do tempo, outros dias de jejuns foram acrescentados, chegando hoje a mais de vinte!) Convocava-se também um jejum em tempos de emergência nacional ou para algum grupo: "Toquem a trombeta em Sião, decretem jejum santo, convoquem uma assembleia sagrada. Reúnam

---

[a] Também é possível que o mal-estar de Daniel fosse em decorrência da visão que teve sobre uma grande guerra (Daniel 10.1). [N. do T.]

o povo" (Joel 2.15,16). Quando Judá foi invadida, o rei Josafá proclamou um jejum por toda a nação (2Crônicas 20.1-4). Em resposta à pregação de Jonas, toda a cidade de Nínive jejuou, incluindo os animais — que sem dúvida jejuaram involuntariamente. Antes de fazer a viagem de retorno a Jerusalém, Esdras impôs jejum e oração aos repatriados, pedindo uma viagem segura pela estrada infestada de ladrões (Esdras 8.21-23).

O jejum em grupo pode ser uma experiência maravilhosa e poderosa, desde que todos estejam preparados e tenham o mesmo pensamento nessa questão. É possível, por intermédio da oração e do jejum feitos por um grupo unido, resolver problemas graves na igreja ou em outros grupos, além de restabelecer relacionamentos. Quando um número suficiente de pessoas entende corretamente as implicações desse ato, uma convocação nacional à oração e ao jejum também pode produzir resultados benéficos. O rei da Grã-Bretanha convocou, em 1756, um dia solene de oração e jejum, por causa da ameaça de uma invasão francesa. No dia 6 de fevereiro, John Wesley anotou em seu diário: "Aquele dia de jejum foi glorioso, tal como raramente se viu em Londres desde a Restauração.[b] Cada igreja na cidade estava mais que repleta, e uma gravidade solene transparecia em cada rosto. Com certeza, Deus ouve a oração, e nossa tranquilidade ainda será estendida". Em uma nota de rodapé, ele escreveu: "A humildade foi transformada em regozijo nacional, pois a invasão francesa que nos ameaçava foi impedida".[1]

Também se desenvolveu ao longo da História o que podemos chamar "jejuns regulares". Na época de Zacarias, mantinham-se quatro jejuns (Zacarias 8.19). A ostentação dos fariseus na parábola de Jesus evidentemente descreve uma prática comum naqueles

---

[b] A Restauração foi a unificação, no reinado de Charles II, das monarquias da Inglaterra, da Escócia e da Irlanda, depois da Guerra Civil inglesa. [N. do T.]

dias: "Jejuo duas vezes por semana" (Lucas 18.12).[c] A *Didaquê* prescrevia dois jejuns por semana: na quarta e na sexta-feira. O jejum regular tornou-se obrigatório no Segundo Concílio de Orleans, que aconteceu no século VI. John Wesley procurou reavivar o ensino da *Didaquê* e instou com os primeiros metodistas que jejuassem toda quarta e toda sexta-feira. Ele nutria sentimentos tão intensos sobre essa questão que se recusava a ordenar ao ministério o metodista que não jejuasse nesses dias.

O jejum regular semanal causou um impacto tão profundo na vida de alguns cristãos que eles começaram a procurar um mandamento bíblico para justificá-lo, pois assim poderiam constranger todos os cristãos a praticá-lo. A busca foi em vão. Simplesmente não existem leis bíblicas que ordenem o jejum regular. Entretanto, a liberdade que temos no evangelho não significa poder abusar dessa liberdade: significa oportunidade. Já que não existem leis a nos prender, estamos livres para jejuar em qualquer dia. Para o apóstolo Paulo, liberdade significava "muitas vezes fiquei em jejum" (2Coríntios 11.27). Devemos ter sempre em mente o conselho apostólico: "Não usem a liberdade para dar ocasião à vontade da carne" (Gálatas 5.13).

Uma "disciplina" que desfruta certa popularidade hoje assemelha-se ao jejum, mas não é idêntica a ele: as "vigílias", que têm sua origem no emprego que Paulo faz do termo, vinculando-o aos seus sofrimentos pela causa de Cristo (2Coríntios 6.5; 11.27, *ARA*). Refere-se a deixar de dormir e dedicar-se à oração e a outros deveres espirituais, mas não há nenhuma indicação de que tenha alguma ligação vital com o jejum. Do contrário, ficaríamos restringidos a jejuns bem rápidos! Embora as "vigílias" possam ter seu valor e Deus às vezes nos convoque a ficar sem dormir

---

[c] Uma prática comum dos fariseus era jejuar na segunda e na quinta-feira, porque eram os dias de mercado e, assim, havia plateias maiores para ver e admirar a santidade deles.

por alguma necessidade em particular, precisamos ter cautela, a fim de não elevar à categoria das grandes obrigações algo cujos precedentes bíblicos são muito tênues. Devemos ter sempre em mente as advertências de Paulo, pois em qualquer discussão sobre as disciplinas descobriremos coisas que "têm, de fato, aparência de sabedoria, com sua pretensa religiosidade, falsa humildade e severidade com o corpo, mas não têm valor algum para refrear os impulsos da carne" (Colossenses 2.23).

Jejuar é um mandamento?

Uma questão que compreensivelmente preocupa muita gente é se as Escrituras fazem ou não do jejum uma prática obrigatória para todos os cristãos. Já se fizeram numerosas tentativas para responder a essa pergunta, e as conclusões são as mais variadas. Uma das defesas mais brilhantes de sua obrigatoriedade foi escrita em 1580 por Thomas Cartwright, num livro que assumiu contornos de um clássico nessa área: *The Holy Exercise of a True Fast* [O exercício sagrado do jejum verdadeiro].

Embora diversas passagens das Escrituras tratem do assunto, duas se sobressaem pela sua importância. A primeira é o ensino espantoso de Jesus sobre o jejum no Sermão do Monte.[d] Duas circunstâncias estão diretamente ligadas ao tema. Em primeiro lugar, o ensino de Jesus a respeito do jejum está imerso no contexto do ensino sobre esmolas (doações) e oração. É como se existisse uma suposição quase inconsciente de que fazer doações, orar e jejuar fazem parte da devoção cristã. Assim, não só teríamos motivo para excluir o jejum dos ensinamentos de Jesus, como também

---

[d] Não se faz aqui nenhuma tentativa de refutar a heresia do dispensacionalismo, segundo a qual o Sermão do Monte se aplica a uma época posterior, e não à nossa. Para uma discussão desse tema, confira "The Hermeneutics of Dispensationalism" [A hermenêutica do dispensacionalismo], de Daniel P. FULLER (tese de doutorado, Northwestern Baptist Seminary, Chicago).

para suprimir as doações e as orações. Em segundo lugar, Jesus afirma: "Quando jejuarem [...]" (Mateus 6.16). Ele parece pressupor que seus seguidores jejuem; por isso, os está instruindo a fazê-lo corretamente. Martinho Lutero afirma: "Cristo não tinha a intenção de rejeitar nem de desprezar o jejum [...] sua intenção era restaurar o jejum correto".[2]

Dito isso, no entanto, é preciso entender que as palavras de Jesus não constituem uma ordem. Ele está instruindo o povo sobre a maneira apropriada de levar a efeito uma prática comum em seus dias. Ele não pronuncia uma palavra sequer sobre o jejum ser correto ou se deve ser mantido. Por isso, embora Jesus não diga: "Se você jejuar...", ele também não diz: "Você *precisa* jejuar". O que ele diz é simplesmente: "Quando você jejuar...".

A segunda afirmação crucial de Jesus a respeito do jejum surgiu na resposta a uma pergunta feita pelos discípulos de João Batista. Perplexos com o fato de que eles e os fariseus tinham o hábito do jejum, enquanto Jesus e seus discípulos nunca jejuavam, quiseram saber por quê. A resposta de Jesus: "Como podem os convidados do noivo ficar de luto enquanto o noivo está com eles? Virão dias quando o noivo lhes será tirado; então jejuarão" (Mateus 9.15). Talvez essa seja a afirmação mais importante feita no Novo Testamento sobre ser ou não o jejum um dever para os cristãos de hoje.

A vinda de Jesus trouxe consigo um novo amanhecer. O Reino de Deus havia chegado entre eles com poder. O Noivo estava no meio deles — era tempo de festejar, não de jejuar. Contudo, chegaria a hora em que os discípulos jejuariam, mas não de acordo com os preceitos legalistas da antiga ordem.

A interpretação mais natural para os dias em que os discípulos de Jesus iriam jejuar é a era presente da Igreja, especialmente à luz das palavras de Jesus sobre a "vasilha de couro nova" do Reino de Deus, expressão que aparece logo em seguida (Mateus 9.16,17). Arthur Wallis entende que Jesus está se referindo à época atual da Igreja, e não somente ao período de três dias entre sua morte e ressurreição. Ele conclui o argumento:

> Somos forçados a aplicar os dias de sua ausência ao período atual, desde o momento em que ele subiu para o Pai até que retorne, vindo dos céus. Evidentemente, foi assim que os apóstolos compreenderam as palavras de Jesus, pois os relatos de que eles estavam jejuando não surgiram senão após a ascensão dele para o Pai (Atos 13.2,3). [...] Foi a esta época da Igreja que o Mestre se referiu quando disse: "Então jejuarão". A hora é agora![3]

Não há como escapar do poder das palavras de Jesus nessa passagem. Ele deixou claro que sua expectativa era de que os discípulos jejuassem depois de sua partida. Embora suas palavras não expressem uma ordem, isso não passa de uma questão de semântica. No texto citado, fica claro que Cristo sustentava a disciplina do jejum e previa que seus seguidores a praticariam.

Talvez seja melhor evitar o termo "ordem", já que, no rigor da letra, Jesus não ordenou o jejum. Contudo, fica óbvio que ele se baseava no princípio de que os filhos do Reino jejuariam. Para quem anseia andar intimamente com Deus, as afirmações de Jesus são palavras convidativas.

Onde estão aqueles que hoje atenderão ao chamado de Cristo? Será que nos acostumamos tanto com a "graça barata" que instintivamente nos esquivamos de obedecer a exigências maiores? Afinal, "a graça barata é a graça sem discipulado, graça sem a cruz".[4] Por que a contribuição financeira, por exemplo, é reconhecida sem nenhum questionamento como elemento da devoção e o jejum é tão contestado? Sem dúvida, encontramos na Bíblia tantas evidências que apontam para o jejum quantas existem para a contribuição financeira, se não mais. Talvez, em uma sociedade abastada, o jejum envolva sacrifício bem maior do que exige uma doação em dinheiro.

O PROPÓSITO DO JEJUM

O fato de a primeira afirmativa de Jesus a respeito do jejum estar relacionada à motivação chama-nos à realidade (Mateus 6.16-18). Fazer uso das coisas sagradas para benefício próprio é sinal de falsa religião. É forte a tentação de utilizarmos algo como o jejum para conseguir que Deus faça aquilo que desejamos! Às vezes, a ênfase nas bênçãos e nos benefícios do jejum é tanta que ficamos tentados a acreditar que basta um jejum ligeiro para termos o mundo — e o próprio Deus — "comendo em nossa mão".

É preciso que o centro do jejum sempre seja Deus. Ele tem de iniciar em Deus e ser ordenado por Deus. Precisamos ser como a profetisa Ana, que "adorava a Deus jejuando" (Lucas 2.37). Todos os outros propósitos precisam estar submetidos a Deus. A exemplo do que lemos sobre a igreja de Antioquia, "adorar o Senhor" e "jejuar" devem aparecer na mesma frase (Atos 13.2). Charles Spurgeon escreve: "Nossos períodos de jejum e oração no tabernáculo têm realmente sido dias de enlevo espiritual: nunca os portões dos céus se abriram tanto; nunca nosso coração ficou mais próximo do centro da Glória".[5]

Deus questionou o povo nos dias de Zacarias: "Quando vocês jejuaram [...] foi de fato para mim que jejuaram?" (Zacarias 7.5). Se o jejum que fazemos não é para Deus, então fracassamos. Benefícios físicos, sucesso na oração, revestimento de poder, percepções espirituais — essas coisas jamais devem tomar o lugar de Deus como o centro de nosso jejum. John Wesley declara: "Em primeiro lugar, que [o jejum] seja feito para o Senhor, com os olhos fixos unicamente nele. Que a intenção aqui seja esta, e unicamente esta: glorificar o Pai que está nos céus [...]".[6] Essa é a única maneira de nos pouparmos de amar mais as bênçãos que o Abençoador.

Assim que o propósito principal do jejum estiver bem estabelecido no coração, ficamos livres para compreender que também há propósitos secundários no jejum. Mais que qualquer outra disciplina, o jejum revela as coisas que nos controlam. E esse é um benefício maravilhoso para o discípulo verdadeiro que anseia ser transformado à imagem de Jesus Cristo. Acobertamos o que vai dentro de nós com comida e outras coisas boas, mas o jejum traz à tona o que há em nosso interior. Se o orgulho nos controla, isso se revelará quase imediatamente. Davi escreveu: "Eu faço jejum e me humilho" (Salmos 69.10, *NTLH*). Raiva, amargura, inveja, discórdias, medo — tudo que é negativo dentro de nós será trazido à superfície durante o jejum. No começo, iremos racionalizar, alegando que a raiva, por exemplo, se deve à fome. Depois perceberemos que estamos com raiva porque o espírito da raiva está dentro de nós. E poderemos exultar ao nos conscientizarmos disso, pois significa que a cura está disponível mediante o poder de Cristo.

O jejum lembra-nos de que somos sustentados por "toda palavra que procede da boca de Deus" (Mateus 4.4). A comida não nos sustenta; Deus nos sustenta. Em Cristo, "tudo subsiste" (Colossenses 1.17). Portanto, a experiência do jejum é mais um banquete com a palavra de Deus que a abstinência de comida. Jejuar é banquetear-se! Quando os discípulos levaram almoço para Jesus, supondo que estaria faminto, ele declarou: "Tenho algo para comer que vocês não conhecem [...]. A minha comida é fazer a vontade daquele que me enviou e concluir a sua obra" (João 4.32,34). Não temos aqui uma metáfora elegante, mas uma realidade autêntica. Jesus estava, de fato, sendo alimentado e sustentado pelo poder de Deus. Foi essa a motivação de seu conselho acerca do jejum em Mateus 6. Não somos instruídos a agir durante o jejum como se estivéssemos em grande penúria, porque, na realidade, a situação é outra. Estamos sendo alimentados por Deus e, assim como os israelitas foram sustentados no deserto pelo maná miraculoso que descia do céu, somos sustentados agora pela Palavra de Deus.

O jejum ajuda a manter o equilíbrio na vida. Quão facilmente permitimos que coisas dispensáveis tenham prioridade em nossa vida! Quão rapidamente suspiramos por coisas das quais não precisamos, até que elas nos escravizem. Paulo escreve: " 'Tudo me é permitido', mas eu não deixarei que nada me domine" (1Coríntios 6.12). Os anseios e desejos humanos são como rios, que tendem a transbordar. O jejum ajuda a mantê-los no curso adequado. "Esmurro o meu corpo e faço dele meu escravo", afirma Paulo (1Coríntios 9.27). Davi igualmente declara: "Humilhei-me com jejum" (Salmos 35.13). Isso não representa um ascetismo excessivo: é disciplina, e a disciplina traz liberdade. Astério, no século IV, afirmou que o jejum era a garantia de que o estômago não faria o corpo ferver como uma chalcira, obstruindo assim a alma.[7]

Inúmeros cristãos escreveram sobre muitos outros valores do jejum, como aumento da eficácia na oração intercessora, direcionamento nas decisões, maior concentração, libertação, bem-estar físico, revelações, e assim por diante. Nisso, como em tudo o mais, é certo que Deus recompensará todos os que o buscam diligentemente.

A PRÁTICA DO JEJUM

Em larga medida, homens e mulheres nunca receberam instrução sobre os aspectos práticos do jejum. Os que querem jejuar precisam conhecer esses princípios.

Como em todas as disciplinas, deve-se observar uma progressão. É sensato aprender a andar com desenvoltura antes de tentar correr. Comece com um jejum parcial de vinte e quatro horas. Muitos consideram mais apropriado o intervalo entre dois almoços. Isso significa que você deixará de fazer duas refeições. Sucos de frutas frescas são excelentes para beber durante o jejum. Experimente fazer isso uma vez por semana, durante várias semanas. No começo, você ficará fascinado com os aspectos físicos da experiência; mais importante, porém, é acompanhar a atitude do coração. Externamente, você continuará cumprindo as obrigações comuns de cada dia, mas internamente estará orando e louvando, cantando e adorando. Experimente a renovação, executando cada tarefa como se fosse um ministério para o Senhor. Não importa quão terrenas sejam essas atividades, para você elas deverão representar um sacramento. Cultive uma "receptividade dócil aos sopros divinos".[8] Interrompa o jejum com uma refeição leve, à base de frutas frescas, vegetais e uma boa dose de exultação pessoal.

Após duas ou três semanas, você estará preparado para tentar um jejum normal de vinte e quatro horas. Beba apenas água, mas em quantidades salutares. Muitos recomendam a água destilada. Se o gosto da água o incomodar, adicione uma colher de chá de suco de limão. Você provavelmente irá sentir pontadas de fome ou desconforto antes de acabar o tempo, mas isso não é fome de verdade: durante anos, seu estômago foi condicionado a emitir sinais de fome em momentos determinados. De vários aspectos, o estômago é como uma criança mimada, e uma criança mimada não precisa de pronto atendimento, mas de disciplina. Martinho Lutero afirma: "A carne tem como praxe rosnar de um jeito medonho".[9] Você não deve capitular diante desses "rosnados". Ignore os sinais ou até mesmo ordene à sua "criança mimada" que se acalme, e em pouco tempo as pontadas passarão. Caso isso não ocorra, beba água em goles pequenos, e o estômago ficará satisfeito. Você precisa ser o mestre de seu estômago, não escravo dele. Se as obrigações familiares permitirem, dedique o tempo normalmente gasto nas refeições para meditar e orar.

Desnecessário dizer que você deve seguir o conselho de Jesus: procure não chamar a atenção para si. Só devem saber do jejum as pessoas imprescindíveis. Se você chamar atenção para o fato de estar jejuando, os outros ficarão impressionados, mas, como disse Jesus, essa será sua única recompensa. Você, no entanto, está jejuando por recompensas maiores e mais profundas. O que se segue foi escrito por alguém que, como experiência, comprometeu-se a jejuar uma vez por semana durante dois anos. Observe a progressão dos aspectos superficiais do jejum em direção a recompensas mais profundas.

1. Achei ter sido uma bela realização passar um dia inteiro sem comer. Comemorei o fato de achar isso muito fácil [...].
2. Comecei a perceber que dificilmente o item anterior é o alvo do jejum. Ajudou o fato de eu ter começado a sentir fome [...].
3. Comecei a relacionar o jejum de alimentos com outras áreas de minha vida nas quais tenho mais compulsão [...]. Não precisei de um lugar para me sentar no ônibus para me sentir satisfeita, nem de estar refrescada no verão ou aquecida no inverno.
4. Passei a refletir mais sobre o sofrimento de Cristo e dos que passam fome, dos que têm bebês famintos [...].
5. Seis meses depois de começar a disciplina do jejum, comecei a entender por que a sugestão de um período de dois anos. A experiência muda enquanto caminho. A fome nos dias de jejum torna-se aguda, e a tentação de comer é maior. Pela primeira vez, eu estava usando um dia para descobrir a vontade de Deus para a vida. Comecei a pensar a respeito do que significa *render* a própria vida.
6. Agora sei que a oração e o jejum precisam estar intimamente ligados. Não há outro modo; contudo, ambos ainda não se encontraram em mim.[10]

Depois de haver completado vários jejuns com algum sucesso espiritual, passe para o jejum de trinta e seis horas, isto é, abstinência de três refeições. Quando chegar a esse ponto, é o momento de buscar o Senhor para saber se ele deseja que você prossiga com jejuns mais longos. Um bom período de tempo é de três a sete dias, o que provavelmente exercerá um impacto substancial no curso de sua vida.

É bom conhecer o processo ao qual seu corpo é submetido no curso de um jejum mais longo. Os primeiros três dias costumam ser os mais difíceis, por causa do desconforto físico e das dores provocadas pela fome. O corpo está começando a se livrar das toxinas acumuladas ao longo de muitos anos de hábitos alimentares ruins, e o processo não é confortável. Uma camada se forma na língua, e você fica com mau hálito. Não se perturbe com esses sintomas. Em vez disso, fique grato pela melhora de saúde e pelo bem-estar que terá como resultado. Talvez você sinta dores de cabeça, especialmente se bebe muito café ou chá. Contudo, são sintomas moderados de privação que irão passar, embora se mostrem bastante desagradáveis durante certo tempo.

No quarto dia, as dores causadas pela fome começam a amainar, embora você possa sentir fraqueza e tonturas ocasionais. A tontura é apenas temporária, causada por mudanças bruscas de posição. Movimente-se mais lentamente e não terá nenhuma dificuldade. A fraqueza pode chegar ao ponto em que a mais simples tarefa exija grande esforço. O descanso é o melhor remédio. Muitos consideram esse o período mais difícil do jejum.

Por volta do sexto ou do sétimo dia, você começará a se sentir mais forte e mais alerta. As dores provocadas pela fome continuarão diminuindo e, no nono ou décimo dia, não passarão de um incômodo menor. O corpo terá eliminado a maior parte das toxinas, e você se sentirá bem. Sua concentração será aguçada, e você se sentirá como se pudesse continuar jejuando indefinidamente. Em termos físicos, essa é a fase mais agradável do jejum.

Em algum ponto entre o vigésimo primeiro e o quadragésimo dia, dependendo da pessoa, as dores provocadas pela fome reaparecem. É o primeiro estágio da inanição, e a dor sinaliza que o corpo já usou todas as suas reservas e está começando a retirar energia dos tecidos. Nesse momento, o jejum deve ser interrompido.

A perda de peso é bastante variável durante o jejum. O normal é o corpo perder 900 gramas por dia no começo, caindo para a metade disso, à medida que o jejum avança. Você sentirá mais frio, porque o metabolismo corporal não está produzindo a quantidade comum de calor. Se tiver o cuidado de se aquecer, não haverá nenhuma dificuldade. É óbvio que nem todos podem jejuar, por motivos físicos: diabéticos, gestantes, pacientes cardíacos e outros. Se você tem dúvidas quanto às suas condições físicas para o jejum, procure orientação médica.

Antes de iniciar um jejum prolongado, alguns são tentados a comer bastante, com o objetivo de "estocar" energia, mas essa atitude não é nada sensata. Na realidade, refeições ligeiramente mais leves que o normal são as mais recomendadas um ou dois dias antes do jejum. Outro bom conselho é abster-se de café ou de chá três dias antes de iniciar um jejum mais longo. Se a última refeição a cair no estômago for de frutas frescas e vegetais, você não terá dificuldades com prisão de ventre.

O jejum prolongado deve ser interrompido com frutas ou suco de vegetais, inicialmente em pequenas quantidades. Lembre-se de que seu estômago se contraiu consideravelmente e que todo o sistema digestório entrou numa espécie de hibernação. No segundo dia, você pode comer frutas e depois beber leite ou iogurte. Em seguida, coma saladas frescas e vegetais cozidos. Evite todo tipo de tempero, gorduras e amido. Policie-se ao máximo para não comer em excesso. Esse período é o ideal para pensar em sua dieta futura e refletir sobre seus hábitos alimentares, para ver se não há necessidade de mais disciplina e controle sobre o apetite.

Embora os aspectos físicos do jejum nos deixem intrigados, não devemos nos esquecer de que o feito principal do jejum bíblico acontece no âmbito do espírito. O que acontece em termos espirituais é mais importante que os efeitos sobre o corpo. Você estará envolvido numa batalha espiritual, na qual precisará usar todas as armas de Efésios 6. Um dos momentos mais críticos, no aspecto espiritual, é a parte final do jejum, quando a tendência natural é relaxar. Contudo, não quero deixar a impressão de que todo jejum seja uma luta espiritual aguerrida — já descobri que não é assim. Ele também é "justiça, paz e alegria no Espírito Santo" (Romanos 14.17).

O jejum pode romper limites na esfera espiritual, algo que jamais aconteceria por outro caminho. É um meio da graça e da bênção de Deus que não devemos continuar negligenciando. Wesley declara:

> Não foi por mera iluminação da razão [...] que o povo de Deus tem sido, em todas as épocas, orientado a usar o jejum como um meio: [...] mas o povo foi [...] instruído pelo próprio Deus, por revelações claras e notórias de sua vontade [...]. Bem, quaisquer que fossem os motivos para reavivar os antigos, no desempenho zeloso e constante de suas atribuições, eles ainda têm a mesma força para nos reavivar.[11]

Chegou a hora de todos os que ouvem a voz de Cristo obedecer.

NOTAS

[1] The Journal of the Reverend John Wesley. London: Epworth Press, 1938. p. 147.

[2] Apud SMITH, David R. Fasting: A Neglected Discipline. Fort Washington: Christian Literature Crusade, 1969. p. 6.

[3] WALLIS, Arthur. God's Chosen Fast. Fort Washington: Christian Literature Crusade, 1971. p. 25.

[4] BONHOEFFER, Dietrich. The Cost of Discipleship. New York: Macmillan, 1959. p. 47 [Discipulado. São Leopoldo: Sinodal, 2004].

[5] Apud BOUNDS, E. M. Power Through Prayer. Chicago: Moody Press, [s.d.]. p. 25 [Poder através da oração. São Paulo: Batista Regular, 1998].

[6] WESLEY, John. Sermons on Several Occasions. London: Epworth Press, 1971. p. 301 [Sermões. São Paulo: Cedro, 2000].

[7] SMITH, op. cit., p. 39.

[8] KELLY, Thomas R. A Testament of Devotion. New York: Harper & Brothers, 1941. p. 35.

[9] Apud WALLIS, op. cit., p. 66.

[10] O'CONNOR, Elizabeth. Search for Silence. Waco: Word Books, 1971. p. 103-104.

[11] WESLEY, Sermons on Several Occasions, p. 297.

CINCO

A DISCIPLINA DO ESTUDO

Aquele que estuda unicamente os homens obterá um corpo de conhecimentos desprovido de alma; aquele que estuda unicamente os livros obterá a alma sem o corpo. Aqueles que acrescentam a observação ao que veem e reflexão ao que leem estão na estrada certa para o conhecimento, desde que, ao examinar o coração das outras pessoas, não negligenciem o próprio coração.

— CALEB COLTON

O propósito das disciplinas espirituais é a transformação total do ser humano. Ele almeja substituir os antigos e destrutivos hábitos de pensamento por hábitos novos, que geram vida. Em nenhuma outra área, esse propósito é visto mais claramente que na disciplina do estudo. O apóstolo Paulo afirma que somos transformados pela renovação da mente (Romanos 12.2). A mente é renovada quando se dedica às coisas que a transformam: "Irmãos, tudo o que for verdadeiro, tudo o que for nobre, tudo o que for correto, tudo o que for puro, tudo o que for amável, tudo o que for de boa fama, se houver algo de excelente ou digno de louvor, *pensem* nessas coisas" (Filipenses 4.8). A disciplina do estudo é o instrumento principal para nos levar a "*pensar* nessas coisas". Portanto, devemos exultar por não estarmos abandonados aos próprios artifícios e por termos recebido esse meio da graça de Deus para transformar nosso espírito.

Muitos cristãos permanecem escravos dos medos e ansiedades simplesmente porque não se beneficiam da disciplina do estudo. São assíduos aos cultos e dedicados no cumprimento de seus deveres religiosos, mesmo assim não são transformados. Não me refiro aos que apenas seguem as rotinas da religião, mas aos que estão sinceramente tentando adorar e obedecer a Jesus Cristo como Senhor e Mestre. Podem gostar de cantar, oram no Espírito, vivem em obediência e até mesmo recebem visões e revelações divinas, mas, ainda assim, o teor de sua vida permanece inalterado. Por quê? Porque nunca abraçaram um dos principais meios que Deus usa para nos mudar: o estudo. Jesus deixou absolutamente claro que o conhecimento da verdade nos liberta: "Conhecerão a verdade, e a verdade os libertará" (João 8.32). As boas sensações não nos libertarão, tampouco experiências de êxtase. Injetar Jesus "na veia" não nos tornará livres. Sem o conhecimento da verdade, jamais seremos libertos.

Esse princípio é válido para todas as áreas da realização humana. É válido para a biologia e a matemática, bem como para o casamento e outros relacionamentos humanos, mas é especialmente válido para a vida espiritual. Muitos encontram empecilhos e ficam confusos na caminhada espiritual simplesmente por ignorar a verdade. Pior ainda: muitos foram arrastados para um cativeiro mais cruel: o ensino falso. "[Vocês] percorrem terra e mar para fazer um convertido e, quando conseguem, vocês o tornam duas vezes mais filho do inferno do que vocês" (Mateus 23.15).

Portanto, apliquemo-nos à disciplina espiritual do estudo para saber em que ela consiste e para aprender a identificar as ciladas, a praticá-la com alegria e a experimentar a libertação que ela nos traz.

O QUE É ESTUDO?

O estudo é uma experiência específica na qual, por meio de atenção cuidadosa à realidade, a mente é capacitada a mover-se em determinada direção. Lembre-se de que a mente sempre assumirá uma ordem que esteja de acordo com a ordem na qual mantém seu foco. Talvez observemos uma árvore ou leiamos um livro. Vemos, sentimos, tiramos conclusões. E, à medida que o fazemos, o processo mental assume uma ordem de acordo com a ordem existente na árvore ou no livro. Quando isso é feito com concentração, percepção e repetição, formam-se sólidos hábitos de pensamento.

O Antigo Testamento instrui os israelitas a escrever as leis nos portões e no batente da porta e a prendê-las ao pulso: "Amarrem-nas como sinal nas mãos e prendam-nas na testa" (Deuteronômio 11.18). O propósito dessa instrução é direcionar a mente, de forma repetida e regular, para determinados modos de pensamento a respeito de Deus e dos relacionamentos humanos. O rosário e a roda de orações* têm o mesmo objetivo. Evidentemente, o Novo Testamento substitui as leis escritas no batente da porta por leis escritas no coração, que nos conduzem a Jesus, o Mestre sempre presente dentro de nós.

Precisamos mais uma vez enfatizar que os hábitos arraigados de pensamento *irão* se conformar à ordem da coisa a ser estudada. *Aquilo que* estudamos determina os hábitos que serão formados. Por isso, Paulo insiste em que nos concentremos em coisas verdadeiras, nobres, corretas, puras, amáveis e agradáveis.

O processo que ocorre no estudo deve ser distinto da meditação. A meditação é devocional; o estudo é analítico. A meditação saboreia uma palavra; o estudo explica-a. Embora a meditação e o estudo em geral se sobreponham, eles representam experiências

---

* Usada pelos budistas. [N. do T.]

distintas. O estudo proporciona um quadro objetivo de referências, no qual a meditação pode funcionar com sucesso.

No estudo, há dois "livros" a serem estudados: o verbal e o não verbal. Os livros e as palestras, portanto, representam apenas a metade do campo de estudo, talvez menos. O mundo da natureza e, mais destacadamente, a observação cuidadosa dos eventos e das ações são os principais campos não verbais de estudo.

A tarefa principal do estudo é perceber a realidade interna de determinada situação, um encontro, livro etc. É possível atravessar uma grande crise, por exemplo, sem perceber a natureza real da tragédia. Contudo, se observarmos e refletirmos cuidadosamente sobre o ocorrido, poderemos aprender muita coisa.

Quatro passos

O estudo envolve quatro passos. O primeiro é a repetição. Repetir com regularidade canaliza a mente para uma direção específica, possibilitando assim que os hábitos de pensamento criem raízes. Podemos até dar um sorriso condescendente diante da recitação, antigo método de ensino; no entanto, a repetição pura, mesmo sem a compreensão do que está sendo dito, tem o poder de afetar a mente. Hábitos arraigados de pensamento podem ser formados apenas pela prática da repetição, mudando assim nosso comportamento. Esse é um dos motivos pelos quais tantas formas de espiritualidade enfatizam a repetição dos atos de Deus. É também o raciocínio central por trás da psicocibernética que treina o indivíduo para repetir certas afirmações com regularidade (por exemplo, "Eu me amo incondicionalmente"). Nem mesmo é importante que a pessoa acredite no que está repetindo, basta que seja repetido. Assim, a mente é treinada e, cedo ou tarde, reage, modificando o comportamento para se conformar à afirmação. É óbvio que o princípio é conhecido há séculos, mas só recentemente recebeu confirmação científica.

É por isso que o tema da programação televisiva é tão importante. Com incontáveis assassinatos exibidos todas as noites no horário nobre, a repetição por si só treina a mente nos padrões destrutivos de pensamento.

A concentração é o segundo passo no estudo. A aprendizagem amplia-se enormemente se a pessoa, além de praticar a repetição, concentra-se no tema em estudo. A concentração é uma forma de ajustar a mente. A atenção é dirigida para aquilo que está sendo estudado. A mente humana tem uma capacidade incrível de se concentrar. Recebe constantemente milhares de estímulos, e todos ficam guardados nos bancos de memória, enquanto ela se concentra apenas em alguns deles. Essa capacidade natural do cérebro é realçada quando, havendo um propósito único, convergimos a atenção para nosso objeto de estudo.

Vivemos numa cultura que não dá valor à concentração. A distração está na ordem do dia. Por exemplo, muitos executam as tarefas do dia e da noite com o rádio ligado. Outros leem um livro e assistem à televisão ao mesmo tempo. A maioria acha impossível passar um dia inteiro concentrado numa única coisa. A verdade é que nos desvalorizamos ao dissipar dessa maneira nossas energias.

Atingimos um nível mais elevado quando, além de sempre direcionar a mente a um ponto específico, convergindo a atenção para o assunto, também compreendemos o que estamos estudando. Assim, a compreensão é o terceiro passo na disciplina do estudo.

Como você já sabe, Jesus lembra-nos que não é a verdade, mas o *conhecimento* da verdade que nos liberta (João 8.32). A compreensão concentra-se no conhecimento da verdade. Todos nós já tivemos a experiência de ler um texto inúmeras vezes para então, repentinamente, entendermos seu significado. Essa experiência de "heureca" lança-nos a um nível mais elevado de crescimento e liberdade. Conduz-nos à iluminação e ao discernimento e proporciona o fundamento para uma percepção verdadeira da realidade.

Ainda é preciso dar mais um passo: a reflexão. Embora a compreensão defina o que estamos estudando, é a reflexão que estabelece sua importância. Refletir sobre os fatos de nossa época, ruminá-los, leva-nos à realidade interna desses acontecimentos. A reflexão nos permite enxergar as coisas pela perspectiva de Deus. Na reflexão, passamos a entender não apenas o assunto em pauta, mas a nós mesmos. Jesus faz contínuas referências a ouvidos que não ouvem e a olhos que não veem. Quando ponderamos sobre o significado daquilo que estudamos, passamos a ouvir e a ver de uma maneira renovada.

Logo fica óbvio que o estudo exige humildade. Ele simplesmente não acontece enquanto não estivermos dispostos a nos submeter ao assunto em pauta. Precisamos submeter-nos ao sistema. Precisamos agir como alunos, não como professores. O estudo não apenas depende da humildade, mas também a favorece. Em relação ao aprendizado, existe a arrogância e o espírito dócil, e eles são mutuamente excludentes.

Todos conhecemos pessoas que progrediram nos estudos ou obtiveram algum título acadêmico e que exibem de maneira ofensiva as informações que possuem. Devemos sentir-nos profundamente entristecidos por pessoas assim. Elas não entendem a disciplina espiritual do estudo. Confundem acúmulo de informação com conhecimento e põem a verborragia no mesmo patamar do saber. Isso é trágico! O apóstolo João define a vida eterna como o conhecimento de Deus: "Esta é a vida eterna: que te conheçam, o único Deus verdadeiro, e a Jesus Cristo, a quem enviaste" (João 17.3). Até mesmo um vislumbre desse conhecimento experimental é suficiente para criar em nós um profundo senso de humildade.

Bem, já que lançamos os fundamentos, vamos prosseguir e considerar a implementação da disciplina do estudo.

Estudando os livros

Quando pensamos em estudo, é natural pensarmos em livros e outros escritos. Embora seja apenas metade da área, como já afirmei, os livros são os mais óbvios e importantes.

Infelizmente, muitos parecem achar que estudar um livro é tarefa simples. Não há dúvida de que essa atitude frívola explica hábitos estéreis de tantas pessoas. Estudar um livro é extremamente complexo, especialmente para principiantes. Assim como acontece no tênis ou na digitação, quando entramos em contato com uma atividade pela primeira vez, parece haver mil detalhes a dominar, e ficamos a nos perguntar como manter tudo na mente ao mesmo tempo. Depois de alcançada a proficiência, no entanto, o hábito passa a ser automático, e conseguimos nos concentrar no jogo de tênis ou no material a ser digitado.

O mesmo vale para o estudo de um livro. O estudo é uma arte custosa que envolve um labirinto de detalhes. Convencer alguém de que precisa *aprender* a estudar é o principal obstáculo. A maioria das pessoas supõe que sabem estudar apenas porque sabem ler. Essa percepção limitada da natureza do estudo explica por que tantos obtêm tão pouco proveito com a leitura de livros.

Quando lemos um livro, três regras intrínsecas e três extrínsecas governam o estudo.[a] No começo, as três regras intrínsecas podem exigir três leituras separadas, mas com o tempo isso pode ser feito simultaneamente. A primeira leitura é para *entender* o livro: o que o autor está dizendo? A segunda leitura é para *interpretar* o livro:

---

[a] Essas questões são tratadas com detalhes no livro de Mortimer J. ADLER, *How to Read a Book* (New York: Simon & Schuster, 1940). Devo a ele os esclarecimentos sobre a disciplina do estudo.

o que o autor quer dizer? A terceira leitura é para *avaliar* o livro: o autor está certo ou errado? A maioria tende a ir direto para a terceira leitura e comumente ignora as duas primeiras. Costumamos fazer a análise crítica do livro antes de entender o que ele afirma. Julgamos se o livro está certo ou errado antes de interpretá-lo. O sábio autor de Eclesiastes diz que debaixo do céu há tempo para tudo, e o tempo de analisar criticamente um livro vem *depois* de compreendê-lo e interpretá-lo cuidadosamente.

Entretanto, as regras intrínsecas do estudo são, em si, insuficientes. Para obter sucesso na leitura, precisamos do auxílio secundário da *experiência*, de *outros livros* e da *discussão*.

A experiência é a única forma de interpretar o texto e de nos relacionar com o que lemos. Lemos com olhos diferentes um livro que fala de tragédia se nós mesmos já experimentamos grande sofrimento. A experiência que passa pela compreensão e pela reflexão influencia e ilumina o estudo.

Podemos listar como "outros livros" dicionários, comentários e literatura crítica; no entanto, deve-se dar preferência a livros que precedam ou ampliem o tema em estudo. Em geral, os livros só adquirem significado quando sua leitura está vinculada a outros escritos. É extremamente difícil para o leitor entender Romanos ou Hebreus, no Novo Testamento, por exemplo, sem uma base sólida na literatura do Antigo Testamento. É praticamente impossível ler os *Documentos federalistas* sem ler primeiro os *Artigos da Confederação*[b] e a *Constituição dos Estados Unidos da América*. Os escritos notáveis, que se ocupam dos temas centrais da vida, interagem entre si. Não podem ser lidos isoladamente.

---

[b] Os *Documentos federalistas* são 85 ensaios, publicados anonimamente entre 1787 e 1788, que tratam da incapacidade da confederação, naquele momento, de preservar a unificação dos Estados Unidos. Os *Artigos da Confederação* eram uma constituição preliminar dos Estados Unidos, que vigorou entre 1781 e 1789, ano da promulgação da *Constituição*. [N. do T.]

As discussões referem-se à interação comum que ocorre entre seres humanos, enquanto seguem um curso de estudo em particular. Meus alunos e eu costumamos ler de Platão a Agostinho e captamos apenas fragmentos do significado ou da importância daquilo que lemos. Quando nos juntamos para debater, o diálogo socrático se torna claro, o que nunca aconteceria sem esse intercâmbio. Interagimos com o autor e entre nós, e assim nascem ideias novas e criativas.

O primeiro livro a ser estudado — e o mais importante — é a Bíblia. O salmista pergunta: "Como pode o jovem manter pura a sua conduta?". E ele responde à pergunta: "Vivendo de acordo com a tua palavra". E acrescenta: "Guardei no coração a tua palavra para não pecar contra ti" (Salmos 119.9,11). É provável que a "palavra" à qual o salmista se refira seja a *Torá*, mas os cristãos de todos os tempos descobriram que o termo se aplica também quando estudam as Escrituras de uma ponta a outra. "Toda a Escritura é inspirada por Deus e útil para o ensino, para a repreensão, para a correção e para a instrução na justiça, para que o homem de Deus seja apto e plenamente preparado para toda boa obra" (2Timóteo 3.16,17). Observe que o propósito principal não é a pureza doutrinária — embora ela esteja indubitavelmente contemplada —, e sim a transformação interna. Aproximamo-nos das Escrituras para sermos transformados, não para acumular informações.

No entanto, é preciso entender que existe uma diferença enorme entre o estudo das Escrituras e a leitura devocional da Palavra de Deus. No estudo, dá-se alta prioridade à interpretação: "O que isso significa?". Na leitura devocional, a prioridade está na aplicação: "O que isso significa para mim?". É muito comum o leitor partir direto para o estágio da aplicação, contornando o caminho da interpretação. Ele quer conhecer o significado da passagem antes de entender o que ela diz! No estudo, também não estamos em busca de êxtase espiritual. De fato, o êxtase pode ser um impedimento. Quando estudamos um livro da Bíblia, submetemo-nos às intenções do autor. Estamos determinados a ouvir o que ele quer dizer, não o que queremos que ele diga. Queremos a verdade que transforma vidas, não apenas uma sensação agradável. Estamos dispostos a pagar o preço de um dia improdutivo após outro, até que o significado fique claro. Esse processo causa uma revolução em nossa vida.

Para o apóstolo Pedro, alguns trechos das cartas de "nosso amado irmão Paulo" eram "difíceis de entender" (2Pedro 3.15,16). Se Pedro achou difícil, nós também acharemos. Precisaremos trabalhar nisso. A leitura devocional diária por certo é recomendável, mas não é estudo. Quem busca apenas uma "palavrinha de Deus para hoje" não está interessado na disciplina do estudo.

Na média, as aulas da Escola Bíblica Dominical são muito superficiais e devocionais para nos auxiliarem no estudo da Bíblia. (Há exceções, claro, e algumas igrejas oferecem cursos bíblicos sérios.) Talvez você more perto de um seminário ou de uma universidade, onde possa ingressar como ouvinte. Nesse caso, você é um felizardo, especialmente se encontrar um professor que ministre *vida* e informação. No entanto, se esse não for seu caso — e mesmo que seja —, há diversas maneiras de começar a estudar a Bíblia.

Algumas de minhas experiências de estudo mais proveitosas aconteceram quando programei um retiro pessoal de dois ou três dias. Sem dúvida, você irá objetar quanto a isso. Considerando seus horários, não conseguirá separar tanto tempo. Quero que saiba que, para mim, é tão difícil separar tempo quanto para qualquer outra pessoa. Tenho de me esforçar muito para fazer um retiro, agendando-o com muitas semanas de antecedência. Tenho sugerido essa ideia a muitos grupos e descobri que profissionais com agenda cheia, operários com horários rígidos, donas de casa com múltiplas tarefas, entre outros, acabam sempre encontrando tempo para um retiro pessoal de estudo. Descobri também que o problema maior não é encontrar tempo, mas, sim, convencer-me da importância de separar esse tempo.

As Escrituras relatam que, depois da ressurreição maravilhosa de Dorcas, "Pedro ficou em Jope durante algum tempo, com um curtidor de couro chamado Simão" (Atos 9.43). Foi durante sua permanência em Jope que o Espírito Santo conseguiu falar com ele — aliado a visões — a respeito de seus preconceitos culturais e étnicos. O que teria acontecido se, em vez de ficar um período em Jope, Pedro tivesse saído a pregar para dar testemunho da ressurreição de Dorcas? Provavelmente, não teria chegado a esta percepção contundente da parte do Espírito Santo: "Agora percebo verdadeiramente que Deus não trata as pessoas com parcialidade, mas de todas as nações aceita todo aquele que o teme e faz o que é justo" (Atos 10.34,35). Ninguém sabe, mas de uma coisa eu sei: Deus deseja que tenhamos lugares "de reclusão" onde ele nos possa ensinar algo especial.

Para muitos, o fim de semana é um bom momento para uma experiência desse tipo. Outros conseguem um período no meio da semana. Se conseguir separar apenas um dia, o domingo é excelente.

O melhor lugar é praticamente qualquer lugar, desde que seja longe de casa. Sair de casa ou do apartamento não apenas nos livra do telefone e das responsabilidades domésticas, como também ajusta a mente para o modo de aprendizagem. Hotéis e chalés são recomendáveis. Ficar num *camping* é menos desejável, já que você estará obrigado a algumas tarefas durante o dia, gerando distrações. A maioria dos lugares especializados em retiros pode acomodar alguém que procure isolamento. Os núcleos católicos, em particular, têm longa tradição em incentivar retiros individuais e para isso possuem instalações adequadas.

Grupos que se organizam para fazer retiros em geral não levam o estudo a sério. Por isso, é provável que você precise programar um retiro particular. Pelo fato de estar sozinho, você precisará disciplinar-se e usar o tempo com cuidado. Se for novo nisso, tente não se exceder, pois irá desgastar-se em demasia. No entanto, se já tiver experiência, poderá passar de dez a doze horas por dia estudando com proveito.

O que estudar? Isso depende do que você precisa. Não conheço suas necessidades, mas sei que entre os cristãos de hoje é gritante a falta de leitura de porções mais extensas das Escrituras. Boa parte da leitura bíblica dos crentes atuais é fragmentária e esporádica. Já conheci alunos de cursos bíblicos que nunca leram integralmente o livro que estavam estudando. Pense na possibilidade de escolher um livro entre os mais extensos da Bíblia, como Gênesis ou Jeremias, e lê-lo do início ao fim. Preste atenção na estrutura do livro e em como ele flui. Assinale as passagens de difícil compreensão e retorne a elas posteriormente. Anote seus pensamentos e impressões. Às vezes, é sensato combinar o estudo da Bíblia com o estudo de algum clássico devocional. As experiências de retiro podem transformar sua vida.

Outra maneira de estudar a Bíblia é optar por um livro menor, como Efésios ou 1João, e lê-lo na íntegra todos os dias, durante um mês. Mais que qualquer outro esforço isolado, essa prática enfatizará a estrutura do livro em sua mente. Leia sem tentar encaixar o livro em categorias estabelecidas. Tenha a expectativa de ouvir coisas novas, ditas de modo diferente. Faça anotações diárias de suas descobertas. No decorrer do estudo, você obviamente desejará ter os melhores materiais de apoio à disposição.

Além de estudar a Bíblia, não negligencie o estudo de alguns clássicos experientes da literatura cristã.

Comece com *Confissões*, de Agostinho. Depois leia *Imitação de Cristo*, de Thomas à Kempis. Não deixe de lado *A prática da presença de Deus*, do Irmão Lourenço. Para uma leitura agradável, leia *The Little Flowers of St. Francis* [As pequenas flores de São

Francisco], do Irmão Ugolino. Talvez você queira ler em seguida algo mais denso, como *Pensamentos*, de Blaise Pascal. Aproveite *Table Talks* [Conversas à mesa], de Martinho Lutero, antes de se atracar com as *Institutas da religião cristã*, de João Calvino. Considere ler a obra que deu o tom a todos os que escrevem diários religiosos: *The Journal of George Fox* [O diário de George Fox] ou, talvez, o mais conhecido, *Journal of John Wesley* [O diário de John Wesley]. Leia com atenção *A Serious Call to a Devout and Holy Life* [Um sério chamado à vida religiosa e santa], de William Law, pois suas palavras têm marcas do mundo contemporâneo. Do século XX, leia *A Testament of Devotion* [Um testamento de devoção], de Thomas Kelly; *Discipulado*, de Dietrich Bonhoeffer; *Cristianismo puro e simples*, de C. S. Lewis.

Obviamente, isso é apenas uma amostra. Deixei de mencionar *Revelations of Divine Love* [Revelações do amor divino], de Juliana de Norwich; *Introduction to the Devout Life* [Introdução à vida religiosa], de Francisco de Sales; *The Journal of John Woolman* [O diário de John Woolman] e muitos outros. Também não nos devemos esquecer do grandioso acervo literário produzido por homens e mulheres que andaram por caminhos de vida marcadamente diferentes. Muitos desses pensadores possuíam uma percepção incomum das dificuldades em que se encontram os humanos. Escritores como Lao-tsé, da China, e Zaratustra, da Pérsia, Shakespeare e Milton, Cervantes e Dante, Tolstoi e Dostoievski e, em nossa época, Dag Hammarskjöld.

Cabe aqui uma advertência. Não se sinta acuado nem desencorajado por causa de todos os livros que você não leu. Você provavelmente não irá ler todos os livros que listei e, sem dúvida, lerá outros que não foram mencionados. Menciono estes para ajudá-lo a ver a impressionante quantidade de literatura que temos à disposição e que pode guiar-nos na caminhada espiritual. Muitos outros percorreram a mesma trilha e deixaram marcas. Lembre-se de que a chave para a disciplina do estudo não é ler diversos livros, e sim ter alguma experiência com aqueles que realmente lemos.

Estudo de "livros" não verbais

Chegamos agora ao campo do estudo menos reconhecido, mas talvez o mais importante: observação da realidade em coisas, acontecimentos e atos. O lugar mais fácil para começar é na natureza. Não é difícil perceber que a ordem criada tem muito a nos ensinar.

Isaías declara que "os montes e colinas irromperão em canto diante de vocês, e todas as árvores do campo baterão palmas" (Isaías 55.12). Os feitos da mão do Criador podem falar conosco e nos ensinar, se dermos ouvidos a eles. Martin Buber conta a história do rabino que todos os dias se dirigia a uma lagoa, ao alvorecer, para aprender "a canção com a qual os sapos louvam a Deus".[1]

Começamos o estudo da natureza pela observação. *Vemos* flores e pássaros, observando-os atentamente e em atitude de oração. André Gide descreve o momento em que observou uma borboleta renascer da crisálida durante palestra numa sala de aula. Ele ficou maravilhado, cheio de admiração e de alegria ao testemunhar aquela metamorfose, aquela ressurreição. Cheio de entusiasmo, mostrou-a ao professor, que respondeu em tom de censura: "O quê?! Você não sabia que a crisálida é o invólucro da borboleta? Toda borboleta que se vê saiu de uma crisálida. É perfeitamente natural". Desiludido, Gide escreve: "Sim, de fato, eu também tinha meus conhecimentos de história *natural*, talvez mais que ele [...]. Contudo, será que ele não enxergava que aquilo era maravilhoso pelo fato de ser natural? Pobre criatura! Daquele dia em diante, passei a desgostá-lo e peguei aversão às suas aulas".[2] Quem não reagiria assim? O professor de Gide apenas acumulara informações: não havia estudado. Por isso, o primeiro passo no estudo da natureza é a observação reverente. Uma folha pode expressar ordem e variedade, complexidade e simetria. Evelyn Underhill escreve:

> Recomponha-se, tal como os exercícios de revisão o ensinaram a fazer. Depois [...] estenda-se, por um ato distinto de vontade amorosa, em direção às incontáveis manifestações da vida que o cercam [...]. Pouco importa qual seja seu objeto de contemplação. Dos Alpes a um inseto, qualquer coisa serve, desde que sua atitude seja correta.[3]

O passo seguinte é tornar-se amigo das flores, das árvores e das pequenas criaturas que rastejam sobre a terra. Assim como na lenda do Dr. Doolittle, converse com os animais. É claro que vocês não conseguem conversar... ou conseguem? Certamente existe uma comunicação que ultrapassa as palavras, e parece que os animais correspondem à nossa amizade e compaixão. Sei disso porque já fiz experiências — bem como alguns cientistas de primeira linha — e descobri que isso é verdade. Talvez as histórias de Francisco de Assis domando o lobo de Gúbio e pregando para os pássaros não sejam tão irreais. De uma coisa podemos ter certeza: se amarmos a criação, aprenderemos com ela. Dostoievski aconselha:

> Ame toda a criação de Deus, cada grão de areia que nela há. Ame cada folha, cada raio da luz de Deus. Ame os animais, ame as plantas, ame tudo. Se você amar todas as coisas, perceberá nas coisas o mistério divino. Uma vez que o perceber, começará a compreendê-lo melhor a cada dia.[4]

Evidentemente, existem muitos outros "livros" que devemos estudar além da natureza. Se observarmos os relacionamentos entre seres humanos, aprenderemos o equivalente a uma pós-graduação. Observe, por exemplo, quanto do que falamos tem como objetivo justificar nossas ações. Achamos quase impossível agir e permitir que o ato fale por si mesmo. Precisamos explicá-lo, justificá-lo, demonstrar que é justo. Por que sentimos essa compulsão de eliminar qualquer dúvida? Por causa do orgulho e do medo; porque nossa reputação está em jogo!

Essa compulsão é particularmente fácil de observar entre profissionais de vendas, escritores, ministros, professores — todos os que ganham a vida porque são bons com as palavras. Se, no entanto, fizermos de nós mesmos um tema de estudo, ficaremos libertos do espírito altivo. Com o tempo, perderemos o hábito de orar como o fariseu: "Deus, eu te agradeço porque não sou como os outros homens [...]" (Lucas 18.11).

É bom prestar atenção aos relacionamentos comuns com os quais deparamos ao longo do dia: em casa, no trabalho, na escola. Reparemos nas coisas que controlam as pessoas. Lembre-se de que não estamos tentando condenar nem julgar ninguém: queremos apenas aprender. Se surgir dentro de nós um espírito de julgamento, observemos isso também e aprendamos.

Como já mencionei, um dos objetos principais de nosso estudo deve ser nós mesmos. Devemos tomar conhecimento das coisas que *nos* controlam. Observemos nossos sentimentos e oscilações de humor. O que controla nosso estado de ânimo? Por que gostamos de certas pessoas, enquanto outras nos desagradam? O que essas coisas ensinam a respeito de nós mesmos?[c]

Ao fazer isso, não tentemos nos comportar como psicólogos ou sociólogos amadores nem estejamos obcecados com excessos de introspecção. Estudemos essas questões com espírito de humildade,

---

[c] Esse conselho é para pessoas razoavelmente maduras e bem ajustadas. Não serve para portadores de depressão clínica nem para os que se encurvam debaixo dos fardos da vida. Para esses, os exercícios são deprimentes demais, levando a pessoa a causar a própria derrota. Se achar que sua situação está difícil demais para esse tipo de estudo, não tente fazê-lo. Há, todavia, esperança e algo que você pode fazer. Confira os capítulos que tratam da confissão e da orientação.

na dependência de uma alta dose da graça. Desejemos apenas seguir o lema de Sócrates: "Conhece-te a ti mesmo". E, por meio do bendito Espírito Santo, permaneçamos na expectativa de Jesus ser nosso Mestre vivo e sempre presente.

Faremos bem em estudar as instituições, as culturas e as forças que lhes dão forma. Também devemos refletir sobre os fatos de nossa época, observando em primeiro lugar, com espírito de discernimento, as coisas que nossa cultura enaltece como "grandes acontecimentos". Olhemos para os valores da cultura — não para o que as pessoas dizem deles, mas para o que de fato são.

Aprendamos a fazer perguntas. Quais os recursos e as deficiências da sociedade tecnológica? O que a indústria *fast-food* causou à tradição da família que se reúne para o jantar? Por que achamos difícil nesta cultura encontrar tempo para desenvolver relacionamentos? O individualismo ocidental é benéfico ou destrutivo? O que em nossa cultura se harmoniza com o evangelho, e o que se opõe a ele? Uma das funções mais importantes dos profetas cristãos de nossa época é a capacidade de enxergar as consequências das diversas forças de nossa cultura e fazer juízos de valor a respeito delas.

O estudo produz alegria. Como para qualquer novato, o trabalho parecerá difícil no começo. Contudo, quanto maior for a proficiência, maior será a alegria. Alexander Pope afirma: "Não há nenhum estudo que seja incapaz de nos deleitar depois que nos aplicamos um pouco a ele".[5] O estudo vale todo o nosso esforço.

NOTAS

[1] BUBER, Martin. **Tales of the Hasidim:** Early Masters. New York: Schocken Books, 1948. p. 111.

[2] GIDE, André. **If It Dies**. Trad. Dorothy Bussey. New York: Random House, 1935. p. 83 [**Se o grão não morre**. Rio de Janeiro: Nova Fronteira, 1983; do original francês].

[3] UNDERHILL, Evelyn. **Practical Mysticism**. New York: World, Meridian Books, 1955. p. 93-94.

[4] DOSTOIEVSKI, Fyodor. **The Brothers Karamazov**. Chicago: Encyclopaedia Britannica, Great Books, 1952. p. 167 [**Os irmãos Karamazov**. Rio de Janeiro: Ediouro, 2001].

[5] DOUGLAS, Charles Noel (Org.). **Forty Thousand Quotations**. Garden City: Halcyon House, 1940. p. 1.680.

Parte II
As disciplinas exteriores

SEIS

A DISCIPLINA DA SIMPLICIDADE

Quando verdadeiramente estamos nessa simplicidade interior, nosso semblante apresenta um conjunto mais sincero, mais natural. Essa simplicidade verdadeira [...] dá-nos a consciência de certa receptividade, bondade, inocência, jovialidade e serenidade, que é encantadora quando a vemos de perto, continuadamente, com olhos puros. Ah, quão afável é essa simplicidade! Quem irá concedê-la a mim? Abandonaria tudo por ela. É a Pérola do Evangelho.

— François Fénelon

Simplicidade é liberdade. Duplicidade é cativeiro. A simplicidade gera alegria e equilíbrio. A duplicidade gera ansiedade e medo. O Pregador, de Eclesiastes, observa que "Deus nos fez simples e direitos, mas nós complicamos tudo" (Eclesiastes 7.29, *NTLH*). Pelo fato de muitos de nós estarem experimentando a libertação que Deus dá por meio da simplicidade, voltamos a cantar um hino antigo dos *shakers*:*

---

* Sociedade milenarista, originária de um encontro de avivamento quacre ocorrido em 1747. Os *shakers* destacavam-se por tremer durante os cultos e eram conhecidos por sua austeridade, pela arquitetura e mobília utilitárias

É a dádiva de ser simples,
   É a dádiva de livre estar,
É a dádiva de descer até onde se deve ficar,
   E quando nos descobrirmos no exato lugar,
   Será num vale, lugar de amar e de se deleitar.

Quando se adquire a verdadeira simplicidade,
   Curvar e dobrar não é vergonha ou indignidade.
Nosso deleite será virar e virar,
   Até que, ao virar, virando vamos a consciência recobrar.

A disciplina cristã da simplicidade é uma realidade *interna* cujas consequências são *externas*, refletidas no estilo de vida. Tanto o aspecto interno quanto o externo da simplicidade são essenciais. Enganamo-nos se acreditamos na possibilidade de possuir a realidade interna sem que isso afete profundamente nossa maneira de viver. Na ausência da realidade interna, a tentativa de pôr em ordem o aspecto exterior de um estilo de vida simples conduz a um legalismo mortal.

A simplicidade começa na unidade e no foco internos. Significa viver com base naquilo que Thomas Kelly denomina "o centro divino". Kierkegaard apreendeu bem o cerne da simplicidade cristã no título de seu livro, *Purity of Heart Is to Will One Thing* [Pureza de coração é querer uma coisa].

Experimentar a realidade interior liberta-nos externamente. A fala torna-se confiável e honesta. A avidez por *status* e posição desaparece, pois não precisamos mais de *status* nem de posição. Paramos com as extravagâncias da ostentação — não por sermos incapazes de arcar com o custo, mas por uma questão de princípio.

---

e pela vida comunitária. Também eram conhecidos como Sociedade Unida dos Crentes na Segunda Aparição de Cristo [Hexam, Irving. **Dicionário de religiões e crenças modernas**. São Paulo: Vida, 2003. p. 148]. [N. do E.]

Os bens que temos ficam à disposição de quem precisa. Unimo-nos à experiência que Richard E. Byrd, depois de meses sozinho no Ártico, registrou em seu diário: "Estou aprendendo [...] que um homem consegue viver profundamente sem uma enormidade de coisas".[1]

Falta à cultura contemporânea tanto a realidade interior da simplicidade quanto seu estilo de vida exterior. Temos de viver no mundo moderno e somos afetados pelo estado de ruptura e fragmentação em que se encontra. Estamos presos a um labirinto de vínculos que competem entre si. Em determinado momento, tomamos decisões usando o equilíbrio racional e no momento seguinte somos motivados apenas pelo receio daquilo que alguém pode pensar de nós. Não temos uma base sólida e coerente segundo a qual orientar a vida.

Por nos faltar um Centro divino, a necessidade de segurança levou-nos a um apego insano às coisas materiais. Precisamos entender que é psicótica essa avidez que a sociedade moderna tem pela opulência. É psicótica porque perdeu completamente o contato com a realidade. Ansiamos possuir coisas das quais não precisamos e jamais desfrutaremos. Até "compramos coisas que não queremos para impressionar pessoas das quais não gostamos".[2] Quando a obsolescência planejada é interrompida, a obsolescência psicológica assume o comando. Faz-nos sentir vergonha de usar roupas ou dirigir carros até que se gastem completamente. Os meios de comunicação de massa convenceram-nos de que não andar na moda é perder o chão da realidade. É hora de desper-tarmos para o fato de que se conformar a uma sociedade doentia é adoecer. Enquanto não enxergarmos quanto nossa cultura está desequilibrada nessa questão, não conseguiremos lidar com o espírito de Mamom que vive dentro de nós nem desejaremos a simplicidade cristã.

Essa psicose permeia até mesmo a mitologia. O herói moderno é o garoto pobre que por esforço próprio se torna rico, em vez de ser o garoto rico que voluntariamente se torna pobre. (Ainda achamos difícil imaginar uma garota fazendo isso!) À cobiça, damos o nome de "ambição". Chamamos "prudência" ao ato de guardar valores às escondidas. À ganância, denominamos "diligência".

Além disso, é importante entender que a contracultura moderna dificilmente representa um avanço. É uma mudança superficial no estilo de vida que não lida seriamente com os problemas fundamentais de uma sociedade consumista. Pelo fato de sempre haver faltado à contracultura um centro positivo, ela inevitavelmente degenerou em trivialidades. Arthur Gish afirma:

> Boa parte da contracultura é um espelho das piores características da velha e doente sociedade. A revolução não é droga gratuita, sexo livre e abortos sob demanda [...]. O erotismo pseudolibertário, elementos de sadomasoquismo e anúncios sexistas em boa parte da imprensa *underground* fazem parte da perversão da antiga ordem e são uma expressão da morte.[3]

Precisamos articular corajosamente maneiras novas e mais humanas de viver. Devemos ser exceção à psicose moderna que define o ser humano pelo que ele consegue produzir ou por aquilo que consegue ganhar. Devemos fazer experiências com alternativas novas e ousadas contra o atual sistema, que produz morte. A disciplina espiritual da simplicidade não é um sonho perdido, mas uma visão recorrente ao longo da História. E pode ser retomada hoje. Tem de ser.

A BÍBLIA E A SIMPLICIDADE

Antes de moldar uma visão cristã para a simplicidade, é necessário destruir o conceito predominante de que a Bíblia é ambígua quanto a questões financeiras. Em geral, cremos que nossa reação diante da riqueza é uma questão individual. Diz-se que o ensino bíblico nessa área é rigorosamente uma questão de interpretação pessoal. Esforçamo-nos para acreditar que Jesus não se pronunciou sobre o assunto do ponto de vista prático.

Nenhuma leitura séria das Escrituras pode dar respaldo a tal posição. As prescrições bíblicas contra a exploração do pobre e a acumulação de riquezas são claras e diretas. A Bíblia questiona quase todos os valores econômicos da sociedade contemporânea. Por exemplo, o Antigo Testamento protesta contra o conceito popular de direito absoluto à propriedade privada. A terra pertence a Deus, dizem as Escrituras, e, portanto, não pode ser vendida de maneira definitiva (Levítico 25.23). A legislação do Antigo Testamento estipulava que toda terra deveria retornar a seu proprietário original no ano do Jubileu. De fato, a Bíblia declara que as riquezas pertencem a Deus, e um dos propósitos do ano do Jubileu era proporcionar a redistribuição periódica da riqueza. Uma visão radical de economia como essa contrapõe-se a quase todas as convicções e práticas contemporâneas. Se Israel tivesse observado fielmente o Jubileu, teria desferido um golpe mortal no problema perene de o rico ficar mais rico e de o pobre ficar mais pobre.

A Bíblia trata de forma constante e resoluta do espírito de escravidão gerado pelo apego idólatra à riqueza. "Se as suas riquezas aumentam, não ponham nelas o coração", aconselha o salmista (Salmos 62.10). O décimo mandamento opõe-se à cobiça, à avidez por bens, que leva ao roubo e à opressão. O antigo sábio compreendeu que "quem confia em suas riquezas certamente cairá" (Provérbios 11.28).

Jesus declarou guerra ao materialismo de sua época. (E creio que também declara guerra ao materialismo de nossos dias.) O termo em aramaico para riquezas é "Mamom", e Jesus o condena por ser um deus rival: "Nenhum servo pode servir a dois senhores, porque ou há de aborrecer a um e amar ao outro ou se há de chegar a um e desprezar ao outro. Não podeis servir a Deus e a Mamom" (Lucas 16.13, *ARC*). Ele trata sobre finanças com frequência e sem ambiguidade: "Bem-aventurados vocês, os pobres, pois a vocês pertence o Reino de Deus" e: "Mas ai de vocês, os ricos, pois já receberam sua consolação" (Lucas 6.20,24). Aqui está uma vívida imagem da dificuldade que tem o rico para entrar no Reino de Deus: um camelo tentando passar pelo fundo de uma agulha. Evidentemente, todas as coisas são possíveis para Deus, mas Jesus compreendia com clareza essa dificuldade. Ele sabia que a riqueza costuma fincar suas garras na pessoa e que "onde estiver o seu tesouro aí também estará o seu coração" (Mateus 6.21). Foi precisamente por isso que ele ordenou a seus seguidores: "Não acumulem para vocês tesouros na terra" (Mateus 6.19). Ele não está dizendo que o coração poderá ou não estar onde estiver o tesouro. Ele está afirmando o fato óbvio de que você *encontrará* seu coração onde quer que encontre seu tesouro.

Ele exortou o jovem rico não somente a adotar uma atitude de desapego em relação aos bens materiais, mas literalmente a livrar-se deles, se quisesse entrar no Reino de Deus (Mateus 19.16-22). Ele diz: "Cuidado! Fiquem de sobreaviso contra todo tipo de ganância; a vida de um homem não consiste na quantidade dos seus bens" (Lucas 12.15). Ele aconselhou o povo a buscar Deus: "Vendam o que têm e deem esmolas. Façam para vocês bolsas que não se gastem com o tempo, um tesouro nos céus que não se acabe [...]" (Lucas 12.33). Ele contou ainda a parábola do fazendeiro rico cuja maior preocupação na vida era estocar sua produção em armazéns. Nós diríamos que ele era prudente; para Jesus, era um "insensato" (Lucas 12.16-21). Jesus afirma que, se de fato desejamos o Reino de Deus, precisamos ter a disposição de vender tudo para obtê-lo, como fez o negociante que buscava a pérola de grande valor. Ele conclama todos os seus seguidores a uma vida alegre, despreocupada quanto às riquezas: "Dê a todo aquele que lhe pedir, e se alguém tirar o que pertence a você, não lhe exija que o devolva" (Lucas 6.30).

Jesus fala sobre finanças mais que sobre qualquer outra questão social. Se em uma sociedade relativamente simples o Senhor enfatizou de modo tão intenso os perigos espirituais das riquezas, quanto mais nós, que vivemos numa cultura opulenta ao extremo!

As Epístolas refletem a mesma preocupação. Paulo afirma: "Os que querem ficar ricos caem em tentação, em armadilhas e em muitos desejos descontrolados e nocivos, que levam os homens a mergulharem na ruína e na destruição" (1Timóteo 6.9). O bispo não deve ser "apegado ao dinheiro" (1Timóteo 3.3). O diácono não deve ser "amigo [...] de lucros desonestos" (1Timóteo 3.8). O autor da carta aos Hebreus aconselha: "Conservem-se livres do amor ao dinheiro e contentem-se com o que vocês têm, porque Deus mesmo disse: 'Nunca o deixarei, nunca o abandonarei'" (Hebreus 13.5). Tiago põe a culpa das contendas e das guerras na avidez por riquezas: "Vocês querem muitas coisas; mas, como não podem tê-las, estão prontos até para matar a fim de consegui--las. Vocês as desejam ardentemente; mas, como não conseguem possuí-las, brigam e lutam" (Tiago 4.2, *NTLH*). Paulo considera a cobiça uma forma de idolatria e ordena disciplina rigorosa contra qualquer um que seja culpado de ganância (1Coríntios 5.11; Efésios 5.5). Ele menciona a ganância ao lado do adultério e do roubo, declarando que os que vivem dessa maneira não herdarão o Reino de Deus. Paulo aconselha os ricos a não confiarem nas riquezas que possuem, mas em Deus, e que as repartam generosamente com outros (1Timóteo 6.17-19).

Dito isso, apresso-me em acrescentar que a intenção de Deus é que tenhamos provisão material adequada. Hoje, a simples falta de provisões gera a indigência. De igual modo, quem tenta se fazer na vida com base na provisão material vive em constante aflição. A pobreza forçada é maligna e deve ser repudiada. A Bíblia também não tolera o ascetismo extremo. As Escrituras declaram de forma coerente e vigorosa que a criação é boa e deve ser desfrutada. O ascetismo faz uma divisão estranha à Bíblia, considerando o mundo espiritual bom e o mundo material ruim. Por isso, busca a salvação, desconsiderando, tanto quanto possível, os aspectos físicos da existência.

O ascetismo e a simplicidade são mutuamente excludentes. As semelhanças superficiais fortuitas, na prática, jamais devem obscurecer a diferença radical entre ambos. O ascetismo renuncia aos bens materiais. A simplicidade encara-os pela perspectiva correta. O ascetismo não dá espaço algum para uma "terra que mana leite e mel". A simplicidade encontra júbilo na provisão graciosa da mão de Deus. O ascetismo só encontra satisfação no abatimento. A simplicidade experimenta satisfação tanto no abatimento quanto na abundância (Filipenses 4.12).

A simplicidade é a única coisa que nos proporciona reorientação suficiente para que os bens materiais sejam genuinamente desfrutados, sem que nos destruam. Sem a simplicidade, capitularemos diante do espírito de Mamom, predominante nesta era maligna, ou então cairemos num ascetismo legalista, que não é cristão. Ambas as posturas conduzem à idolatria e são espiritualmente letais.

São abundantes nas Escrituras menções à provisão material generosa concedida por Deus a seu povo: "O Senhor, o seu Deus, os está levando a uma boa terra [...] onde não terão falta de nada" (Deuteronômio 8.7-9). Não menos abundantes são as advertências a respeito do perigo dos bens considerados por uma perspectiva incorreta: "Não digam, pois, em seu coração: 'A minha capacidade e a força das minhas mãos ajuntaram para mim toda esta riqueza' " (Deuteronômio 8.17).

A disciplina espiritual da simplicidade proporciona a perspectiva de que necessitamos. A simplicidade liberta-nos para recebermos a provisão de Deus como dádiva, que não serve para ser retida e pode ser repartida com liberalidade. Cientes de que a Bíblia condena o materialista e o asceta com o mesmo rigor, estamos prontos para analisar a concepção cristã de simplicidade.

Um ponto de apoio

Certa vez, Arquimedes declarou: "Deem-me um ponto de apoio, e moverei a terra". Esse ponto de referência é fundamental em todas as disciplinas, mas tem importância muito acentuada na simplicidade. De todas as disciplinas, a simplicidade é a mais visível e, portanto, a mais sujeita à corrupção. A maioria dos cristãos nunca debateu seriamente os problemas da simplicidade, ignorando convenientemente as muitas palavras de Jesus a respeito do tema. O motivo é simples: a simplicidade representa um desafio direto ao nosso interesse pessoal no estilo de vida luxuoso. Contudo, os que levam a sério o ensino bíblico sobre a simplicidade enfrentam tentações severas que pendem para o legalismo. Mesmo na tentativa mais determinada de expressar em termos concretos o ensino de Jesus sobre o uso do dinheiro, é fácil confundir nossa maneira de expressar esse ensino com o ensino em si. Passam a usar um tipo de roupa ou compram determinado modelo de casa e canonizam essas escolhas, acreditando serem elas a vida simples. Por causa desse perigo, torna-se especialmente importante encontrar e articular com clareza um ponto de referência arquimediano para a simplicidade.

Encontramos esse ponto de referência nas palavras de Jesus:

> Eu lhes digo: Não se preocupem com sua própria vida, quanto ao que comer ou beber; nem com seu próprio corpo, quanto ao que vestir. Não é a vida mais importante que a comida, e o corpo

mais importante que a roupa? Observem as aves do céu: não semeiam nem colhem nem armazenam em celeiros; contudo, o Pai celestial as alimenta. Não têm vocês muito mais valor do que elas? Quem de vocês, por mais que se preocupe, pode acrescentar uma hora que seja à sua vida? Por que vocês se preocupam com roupas? Vejam como crescem os lírios do campo. Eles não trabalham nem tecem. Contudo, eu lhes digo que nem Salomão, em todo o seu esplendor, vestiu-se como um deles. Se Deus veste assim a erva do campo, que hoje existe e amanhã é lançada ao fogo, não vestirá muito mais a vocês, homens de pequena fé? Portanto, não se preocupem, dizendo: "Que vamos comer?" ou "Que vamos beber?" ou "Que vamos vestir?" Pois os pagãos é que correm atrás dessas coisas; mas o Pai celestial sabe que vocês precisam delas. *Busquem, pois, em primeiro lugar o Reino de Deus e a sua justiça, e todas essas coisas lhes serão acrescentadas* (Mateus 6.25-33).

O ponto de apoio da disciplina da simplicidade é buscar o Reino de Deus e a justiça dele em primeiro lugar, de modo que tudo que for necessário virá no momento apropriado. É impossível superestimar a importância da revelação de Jesus a respeito dessa questão. Tudo gira em torno de manter as "primeiras" coisas em primeiro lugar. Nada deve ter precedência sobre o Reino de Deus, e isso inclui o desejo por um estilo de vida simples.

A própria simplicidade transforma-se em idolatria quando passa a ter maior importância que a busca pelo Reino. Num comentário especialmente profundo a respeito dessa passagem das Escrituras, Søren Kierkegaard considera o tipo de esforço que se pode fazer para buscar o Reino de Deus. Deveria alguém arrumar um emprego adequado a fim de exercer uma influência virtuosa? Sua resposta: não; devemos buscar *primeiro* o Reino de Deus. Então deveríamos distribuir todo o dinheiro que temos para dar de comer aos pobres? Novamente a resposta é: não; devemos buscar em *primeiro* lugar o Reino de Deus. E quanto a sair por aí pregando essa verdade pelo mundo, isto é, que as pessoas devem buscar primeiro o Reino de Deus? Mais uma vez, a resposta é sonora: não; devemos buscar *primeiro* o Reino de Deus. Kierkegaard conclui que, "em certo sentido, não é nada que devo fazer. Sim, seguramente, em certo sentido a resposta é: nada; tornar-se nada diante de Deus, aprender a permanecer em silêncio. Nesse silêncio, está o início, ou seja, buscar *primeiro* o Reino de Deus".[4]

O foco no Reino produz a realidade interior; sem a realidade interior, seremos corrompidos por trivialidades legalistas. Nenhuma outra coisa pode estar no centro: nem o desejo de sair da correria, nem a redistribuição das riquezas do mundo, nem a preocupação com a ecologia. Buscar primeiro o Reino de Deus e a justiça dele — tanto a pessoal quanto a social — é a única coisa que deve ocupar o centro na disciplina espiritual da simplicidade.

Quem não busca o Reino em primeiro lugar certamente não o está buscando. Não importam quão dignas sejam as outras preocupações, no momento em que *elas* se tornam o foco dos esforços passam a ser idolatria. Concentrar-se nelas inevitavelmente nos aproximará da declaração de que a atividade que realizamos *é* a simplicidade cristã. E, de fato, quando o Reino de Deus está genuinamente em primeiro lugar, as preocupações ecológicas, os pobres, a distribuição igualitária das riquezas e muitas outras coisas recebem a devida atenção.

Como Jesus deixou claro em nosso texto central, estar livre de ansiedades é uma das evidências internas de quem busca o Reino de Deus em primeiro lugar. A realidade interior da simplicidade envolve uma vida de despreocupação alegre em relação a bens. O ganancioso não conhece essa liberdade nem o avarento — o que não depende da abundância ou da falta de bens. Trata-se de ter um espírito de confiança. O simples fato de alguém viver sem possuir bens não garante que esteja vivendo com simplicidade.

Paulo ensina que o amor ao dinheiro é a raiz de todos os males. Tenho constatado que os que têm menos dinheiro são os que o amam mais. É bem possível alguém estar desenvolvendo um estilo exterior de vida simples e ao mesmo tempo estar dominado por preocupações. Inversamente, a riqueza não livra ninguém da ansiedade. Para Kierkegaard, "as riquezas e a abundância aproximam-se hipocritamente em pele de ovelha, fingindo ser a segurança contra as preocupações, e então tornam-se o objeto da ansiedade [...] elas põem em segurança o homem contra suas preocupações tão bem quanto o lobo posto para pastorear as ovelhas as põe em segurança contra ele mesmo".[5]

A liberdade em relação à ansiedade caracteriza-se por três atitudes internas. Se tudo que possuímos é uma dádiva e se o que temos deve ficar aos cuidados de Deus e à disposição dos outros, então estamos livres da ansiedade. *Essa é a realidade interna da simplicidade.* Entretanto, se cremos haver obtido por nós mesmos tudo que possuímos, se acreditamos ser necessário agarrar-nos ao que temos e se o que temos não está à disposição de outros, então viveremos ansiosos. Quem pensa assim jamais conhecerá a simplicidade, independentemente do malabarismo externo que se obrigue a fazer para viver a "vida simples".

Considerar dádiva de Deus tudo que possuímos é a primeira atitude interna da simplicidade. Nós trabalhamos, mas sabemos que não é nosso trabalho que nos dá o que temos. Vivemos pela graça, mesmo quando se trata do "pão de cada dia". Dependemos de Deus para os elementos mais simples da vida: ar, água, sol. O que temos não resulta de esforço nosso, mas do cuidado gracioso de Deus. Somos tentados a pensar no que possuímos como resultado de esforços pessoais, mas basta uma ligeira estiagem ou um pequeno acidente para ficar demonstrado outra vez que somos inteiramente dependentes das coisas.

Saber que é assunto de Deus, e não nosso, cuidar do que temos é a segunda atitude interna da simplicidade. Deus é capaz de proteger o que pôs em nossas mãos. Podemos confiar nele. Será que isso significa que não devemos tirar as chaves do carro nem trancar a porta? É claro que não! Sabemos que a tranca da porta não é o que protege a casa. O bom senso manda-nos tomar as precauções costumeiras, mas, se acreditarmos que a precaução é que protege a nós e aos nossos bens, ficaremos dominados pela ansiedade. Simplesmente não existe essa tal de precaução "à prova de arrombamento". Obviamente, questões como essas não se restringem a posses ou bens, mas incluem coisas como reputação e emprego. Simplicidade significa liberdade para confiar em Deus com relação a essas (e todas) as coisas.

Pôr os bens que temos à disposição de outros é a marca da terceira atitude interna da simplicidade. Se nossos bens não ficarem à disposição da comunidade, quando está claro que isso é correto e bom, então são bens roubados. Temos dificuldade para aceitar essa ideia porque temos medo do futuro. Aferramo-nos aos nossos bens, em vez de reparti-los, porque o amanhã nos deixa ansiosos. Contudo, se verdadeiramente acreditarmos que Deus é quem Jesus diz que é, não precisamos ter medo. Quando passarmos a enxergar Deus como o Criador todo-poderoso *e* como o Pai amoroso, seremos capazes de repartir, porque então saberemos que ele cuidará de nós. Se alguém estiver passando necessidades, estaremos livres para ajudá-lo. Novamente, o bom senso definirá os parâmetros desse compartilhamento e nos poupará da insensatez.

Quando estivermos buscando primeiro o Reino de Deus, essas três atitudes passarão a caracterizar nossa vida. Tomadas em conjunto, elas definem o que Jesus quis dizer com "não andeis ansiosos". Elas compõem a realidade interior da simplicidade cristã. Desse modo, viveremos na convicção de que também serão nossas "todas essas coisas" — tudo que é necessário a uma vida digna.

A EXPRESSÃO EXTERNA DA SIMPLICIDADE

Descrever a simplicidade apenas como uma realidade interna é fazer uma afirmação falsa. A realidade interna não será realidade enquanto não houver uma expressão externa. A experiência com a simplicidade, aliada a seu espírito libertador, *afetará* a forma pela qual vivemos. Como já adverti, toda tentativa de dar uma aplicação específica para a simplicidade corre o risco de descambar para o legalismo. É um risco que precisamos correr, no entanto, pois a recusa em discutir as especificidades baniria a disciplina para o plano teórico. Afinal, os escritores sagrados corriam esse risco constantemente,[a] por isso sigo a indicação deles e sugiro dez princípios reguladores para a expressão da simplicidade. Eles jamais devem ser encarados como leis, mas somente como uma tentativa de detalhar o significado da simplicidade para nossa época.

Em primeiro lugar, compre as coisas pela utilidade que têm, não pelo *status* que conferem. Os carros devem ser comprados pela sua utilidade, não pelo prestígio. Considere a possibilidade de andar de bicicleta. Quando estiver pensando num apartamento, condomínio ou casa, certifique-se de que o local é habitável, em vez de pensar no quanto a propriedade irá impressionar. Não tenha mais espaço de moradia que o razoável. Afinal, por que um casal precisaria de sete quartos?

Pense em suas roupas. A maioria das pessoas não precisa de muitas vestimentas, mas vivem comprando roupas — não porque precisam delas, mas porque querem se manter na moda. Aposente

---

[a] É triste perceber que a tentativa das Escrituras de aplicar o princípio da simplicidade a uma cultura específica tem sido universalizada por gerações sucessivas e transformada em leis mortais para a alma. Observe, por exemplo, as leis contra as mulheres cristãs que trançam os cabelos ou usam anéis, por causa do que Pedro disse ao povo daquela época: "A beleza de vocês não deve estar nos enfeites exteriores, como cabelos trançados e jóias de ouro ou roupas finas" (1Pedro 3.3).

os modismos! Compre apenas aquilo de que precisa. Use as roupas até ficarem gastas. Pare de tentar impressionar as pessoas com suas roupas: deixe-as impressionadas com sua vida. Se a situação permitir, alegre-se confeccionando suas próprias roupas. E, pelo amor de Deus (e digo isso de forma bem literal), tenha roupas práticas e funcionais, não meramente atraentes. John Wesley escreve: "Quanto [...] ao vestuário, compro o que for mais duradouro e, em geral, o menos enfeitado. Não compro nenhuma mobília que não seja necessária e barata".[6]

Em segundo lugar, rejeite qualquer coisa que crie em você alguma dependência. Aprenda a distinguir entre uma necessidade psicológica real, como ambiente agradável, e um vício. Elimine ou reduza o uso de bebidas que viciam e são pouco nutritivas: álcool, café, chá, refrigerantes. O chocolate tornou-se um sério vício para muitas pessoas. Se você está viciado em televisão, não hesite em vendê-la ou doá-la. Livre-se de qualquer mídia sem a qual você acha que não consegue viver: rádio, equipamento de som, revistas, vídeos, jornais, livros. Se seu coração está preso ao dinheiro, distribua parte dele e sinta a libertação interior. A simplicidade é liberdade, não escravidão. Recuse-se a ser escravo de qualquer coisa, a não ser de Deus.

Lembre-se de que o vício, por natureza, é algo que está além de seu controle. Por si só, a vontade resoluta é inútil para vencer um vício real. Não é possível simplesmente decidir ficar livre dele, mas você pode abrir esse espaço de sua vida para a graça perdoadora e para o poder terapêutico de Deus. Você pode tomar a decisão de permitir que amigos amorosos, aqueles que conhecem os caminhos da oração, estejam a seu lado. Você pode decidir viver em simplicidade, um dia por vez, na dependência silenciosa da intervenção divina.

Como se identifica um vício? De forma bem simples, observe se existem compulsões indisciplinadas. Um aluno amigo meu disse-me que, certa manhã, quando saiu para pegar o jornal, descobriu que ele não estava lá. Diante disso, entrou em pânico, perguntando a si mesmo como iria começar o dia sem o jornal. Então viu um jornal da manhã no jardim do vizinho e começou a engendrar uma maneira de se aproximar furtivamente e roubá-lo. Imediatamente, percebeu que estava lidando com um vício legítimo. Entrou em casa correndo, ligou para o atendimento do jornal e pediu para cancelar a assinatura. O atendente, que devia estar preenchendo um formulário, perguntou cortesmente:

— Por que o senhor está cancelando a assinatura do jornal?

Meu amigo respondeu sem pensar:

— Por que estou viciado nele!

Sem se abalar, o atendente indagou:

— O senhor gostaria de cancelar toda a assinatura ou pretende manter a edição de domingo?

A isso, ele exclamou:

— Não, vou acabar com esta história agora mesmo!

Bem, é óbvio que nem todo mundo deve cancelar a assinatura do jornal, mas para esse jovem foi uma decisão importante.

Em terceiro lugar, desenvolva o hábito de dar coisas. Se descobrir que está se apegando a algum bem, pense na possibilidade de doá-lo a alguém que precise dele. Ainda me lembro do Natal em que decidi dar algo que significasse muito para mim, em vez de comprar ou mesmo fazer alguma coisa. Minha motivação era egoísta: queria conhecer a libertação que surge até de um ato simples de pobreza voluntária. O presente era uma bicicleta de dez marchas. Enquanto me dirigia à casa da pessoa para entregar o presente, lembro-me de ter cantado com um senso renovado o coro do hino: "De graça, de graça recebestes; de graça, de graça dai". Quando meu filho Nathan tinha 6 anos de idade, ficou sabendo que um colega de turma precisava de uma lancheira, ele me perguntou se podia dar a própria lancheira para o amigo. Aleluia!

Pare de acumular! Guardamos uma enormidade de coisas desnecessárias, que complicam a vida. Elas precisam ser separadas, guardadas, espanadas, separadas novamente e mais uma vez guardadas, *ad nauseam*. Muitos poderiam livrar-se de metade dos bens que possuem sem nenhum sacrifício real. Seria bom seguir o conselho de Thoreau: "Simplifique, simplifique".

Em quarto lugar, recuse a propaganda feita pelos guardiães da moderna quinquilharia eletrônica. Dispositivos que economizam tempo quase nunca economizam tempo. Cuidado com a promessa: "Autopagável em seis meses". A maioria das quinquilharias eletrônicas é feita para quebrar, desgastar-se e complicar nossa vida, e não para acrescentar algo a ela. Esse problema é uma praga na indústria de brinquedos. As crianças não precisam de bonecas que choram, comem, fazem xixi, suam e engasgam. Uma boneca de pano pode ser mais divertida e durar mais. Em geral, as crianças alegram-se mais brincando com potes e panelas velhas que com a mais nova coleção de brinquedos espaciais. Prefira brinquedos educativos e duráveis. Faça você mesmo alguns deles.

Normalmente, as quinquilharias drenam os recursos energéticos do Planeta — sem compensá-los. Os Estados Unidos representam menos de 6% da população mundial, mas consomem cerca de um terço da energia do mundo. Só os equipamentos de ar condicionado dos Estados Unidos gastam a mesma quantidade de energia consumida em toda a China.[7] Por si só, a responsabilidade ambiental deve impedir-nos de comprar a maioria das quinquilharias produzidas nos dias de hoje.

Os profissionais da propaganda tentam convencer-nos de que, pelo fato de haver na praça um modelo mais moderno ou com uma função (enfeite) adicional, precisamos vender o modelo antigo e comprar o novo. As máquinas de costura dão pontos diferentes, os equipamentos de som têm botões redesenhados, os carros possuem um *design* novo. Esse dogmatismo da mídia precisa ser minuciosamente revisto. As funções "novas" costumam seduzir-nos e levam-nos a adquirir algo de que não precisamos. Nossa geladeira provavelmente irá nos servir muito bem pelo resto da vida, mesmo sem o botão de degelo automático ou o acabamento luxuoso.

Em quinto lugar, aprenda a desfrutar as coisas sem possuí-las. Possuir coisas é uma obsessão em nossa cultura. Se possuímos algo, temos a sensação de que podemos controlar esse algo; se controlamos algo, temos a sensação de que esse algo nos dará mais prazer. Tal ideia é uma ilusão. Muitas coisas na vida podem ser desfrutadas sem as possuirmos ou controlarmos. Reparta as coisas. Desfrute a praia sem a sensação de que você precisa comprar um pedaço dela. Aproveite os parques públicos e as bibliotecas.

Em sexto lugar, desenvolva um apreço profundo pela criação. Crie intimidade com a terra. Caminhe sempre que possível. Ouça os pássaros. Desfrute a textura da grama e das folhas. Sinta o cheiro das flores. Maravilhe-se com a riqueza de cores existente em todos os lugares. Simplicidade significa descobrir mais uma vez que "do Senhor é a terra e tudo o que nela existe" (Salmos 24.1).

Em sétimo lugar, examine com ceticismo saudável todas as propostas "compre agora, pague depois". Elas são uma armadilha e só fazem piorar a escravidão. Tanto o Antigo Testamento quanto o Novo Testamento condenam a usura, por bons motivos. (Na Bíblia, o termo "usura" não é usado no sentido moderno de juros exorbitantes: refere-se a qualquer tipo de juros.) Cobrar juros era visto como exploração da desgraça alheia, estranha à relação entre irmãos e, por isso, um repúdio à comunidade. Jesus denunciou a usura como sinal da vida antiga e exortou seus discípulos: "Emprestem a eles, sem esperar receber nada de volta" (Lucas 6.35).

Essas advertências das Escrituras não devem ser elevadas à categoria de lei universal, obrigatória para todas as culturas em todos os tempos, mas também não devem ser consideradas irrelevantes para a sociedade moderna. Por trás dessas prescrições bíblicas, acumulam-se séculos de sabedoria (e, talvez, algumas experiências amargas!). Por certo, a prudência, assim como a simplicidade, exige que tenhamos cautela extrema antes de contrair uma dívida.

Em oitavo lugar, obedeça às instruções de Jesus sobre falar direta e honestamente: "Seja o seu 'sim', 'sim', e o seu 'não', 'não'; o que passar disso vem do Maligno" (Mateus 5.37). Se concordar em realizar uma tarefa, complete-a. Evite bajulação e meias verdades. Faça da honestidade e da integridade as características que distinguem sua fala. Rejeite os jargões e especulações abstratas, cujos propósitos são obscurecer e impressionar, em vez de iluminar e informar.

Ser direto no falar é difícil, porque muito raramente nos sustentamos no Centro divino e muito raramente correspondemos apenas às orientações celestes. O que frequentemente determina o "sim" ou o "não" é o medo do que os outros podem pensar — ou centenas de outros motivos —, e não a obediência às recomendações divinas. Então, se surgir uma oportunidade mais atraente, rapidamente revertemos a decisão. Se, no entanto, nosso falar tem origem na obediência ao Centro divino, não encontraremos motivo para fazer o "sim" virar "não" nem para fazer o "não" virar "sim". Viveremos em simplicidade no falar porque as palavras terão apenas uma Fonte. Søren Kierkegaard escreve:

> Se fores absolutamente obediente a Deus, então não existirá ambiguidade em ti [...] és mera simplicidade diante de Deus [...]. Existe uma coisa que nem todas as astúcias de Satanás nem todas as ciladas da tentação conseguem pegar de surpresa, e essa coisa é a simplicidade.[8]

Em nono lugar, rejeite qualquer coisa que seja instrumento de opressão. É possível que ninguém tenha incorporado tão plenamente esse princípio quanto John Woolman, alfaiate quacre do século XVIII. Seu famoso *Diário* é redundante com referências ternas a seu desejo de ter uma vida que não oprimisse ninguém:

> Nesse ponto, fui levado a uma averiguação íntima e laboriosa para ver se eu [...] estava limpo de todas as coisas que tendem a incitar guerras ou que a elas estão vinculadas; [...] meu coração ficou profundamente preocupado, indagando se, no futuro, eu conseguiria manter com firmeza a verdade pura, viver e andar na lisura e na simplicidade de um seguidor sincero de Cristo [...]. E nesse ponto o luxo e a cobiça, com as opressões numerosas e outras maldades que a eles se ligam, pareceram-me bastante aflitivas.[9]

Essa é uma das questões mais difíceis de encarar e uma das mais sensíveis, mas precisamos enfrentá-la. Será que bebemos café e comemos bananas à custa da exploração dos trabalhadores no campo? Num mundo de recursos limitados, não estaria nossa avidez por riquezas implicando a pobreza de outros? É justo comprar produtos fabricados por pessoas forçadas a trabalhar em monótonas linhas de montagem? Agradam-nos os relacionamentos hierárquicos das empresas, que mantêm pessoas submissas à nossa vontade? Será que oprimimos os filhos ou o cônjuge por achar determinadas tarefas indignas a nós?

A opressão que exercemos em geral está tingida de racismo, sexismo e nacionalismo. A cor da pele ainda influencia a posição de uma pessoa na empresa. O sexo de um candidato a emprego ainda afeta o salário. O país de origem de alguém ainda influencia o tratamento que lhe damos. Que Deus hoje nos dê profetas que, à semelhança de John Woolman, nos convoquem a sair do "desejo por riquezas" e sejam capazes de "quebrar o jugo da opressão".[10]

Em décimo lugar, afaste-se de qualquer coisa que o distraia de sua busca pelo Reino de Deus. A busca intensa por outras coisas, ainda que legítimas e boas, podem facilmente nos levar a perder o rumo. Emprego, posição, *status*, família, amigos, segurança, — tudo isso pode ocupar, com extrema rapidez, o foco de nossas atenções. George Fox adverte:

Você está sujeito ao perigo e à tentação de arrastar a mente para os negócios e entupi-la com eles. Assim, dificilmente conseguirá fazer algo para Deus [...] e a mente estará nas coisas, não acima delas [...]. Então, se o Senhor Deus cruzar com você e pará-lo no mar e na terra, tomar seus bens e direitos, que sua mente não tenha embaraços; pois a mente que tem embaraços irá afligir-se, estando fora do poder de Deus.[11]

Que Deus conceda a você — e a mim — coragem, sabedoria e força para sempre manter o Reino de Deus como prioridade número um da vida. Fazer isso é viver em simplicidade.[b]

Notas

[1] Byrd, Richard E. **Alone**. New York: Putnam, 1938. p. 19.
[2] Gish, Arthur G. **Beyond the Rat Race**. New Canaan: Keats, 1973. p. 21.
[3] Id., ibid., p. 20.
[4] Kierkegaard, Søren. **Christian Discourses**. Trad. Walter Lowie, Oxford: Oxford University Press, 1940. p. 322.
[5] Id., ibid., p. 27.
[6] Wesley, John. **The Journal of the Reverend John Wesley**. London: Epworth Press, 1938. nov. 1767.
[7] Sider, Ronald J. **Rich Christians in an Age of Hunger**. Downers Grove: InterVarsity Press, 1977. p. 18 [**Cristãos ricos em tempos de fome**. São Leopoldo: Sinodal, 1984].
[8] Kierkegaard, op. cit., p. 344.
[9] Woolman, John. **The Journal of John Woolman**. Secaucus: Citadel Press, 1972. p. 144,145.
[10] Id., ibid., p. 168.
[11] Fox, George. **Works**, Philadelphia, v. 8, p. 126, epístola 131, 1831.

---

[b] Para os que desejam um estudo mais amplo sobre a simplicidade cristã, confira meu livro **Freedom of Simplicity** (San Francisco: Harper & Row, 1981) [**A liberdade da simplicidade: encontrando harmonia num mundo complexo. São Paulo: Vida, 2008**].

SETE

A DISCIPLINA DA SOLITUDE

Acomode-se na solitude e você defrontará com Ele dentro de si mesmo.

— Teresa de Ávila

Jesus convida-nos a sair da solidão e a entrar na solitude. O medo do abandono paralisa o ser humano. Uma criança recém-chegada a um bairro soluça para a mãe: "Ninguém quer brincar comigo!". O calouro na faculdade sente saudades dos dias de colégio, quando era o centro das atenções: "Agora não sou ninguém". O empresário senta-se abatido em seu escritório — poderoso, mas solitário. A senhora idosa espera no asilo a hora de ir para "casa".

O medo de ficar sozinho impele-nos na direção do barulho e das aglomerações. Mantemos um fluxo constante de palavras, mesmo que fúteis. Compramos rádios de amarrar no pulso ou de prender ao ouvido, de forma que, se não houver ninguém por perto, pelo menos não ficamos condenados ao silêncio. T. S. Eliot analisa muito bem nossa cultura quando escreve: "Onde o mundo achado será, onde a palavra ressoará? Não aqui: não há silêncio suficiente".[1]

Contudo, a solidão e a algazarra não são as únicas alternativas que temos. Podemos cultivar a solitude e o silêncio interiores, que nos libertam da solidão e do temor. A solidão é o vazio do lado de dentro. A solitude é o interior preenchido.

Mais que um lugar, a solitude é uma condição mental, um estado do coração. Existe uma solitude do coração que pode ser mantida em todos os momentos. As aglomerações, ou a ausência delas, pouco influenciam essa condição interna. É bem possível ser um eremita no deserto sem jamais experimentar a solitude. Se, porém, possuímos a solitude interna, não recearemos ficar sozinhos, pois temos consciência de que não estaremos sós nem temeremos a convivência com outras pessoas, pois elas não nos podem controlar. Em meio ao ruído e à confusão, permanecemos sossegados nos limites de um profundo silêncio interior. Quer sozinhos quer no meio da multidão, estaremos sempre carregando um santuário móvel, alojado no coração.

O aspecto interno da solitude tem sua expressão no lado externo. Existe a liberdade de ficar sozinho, não para se afastar das pessoas, mas para ouvir melhor o Sussurro divino. Jesus viveu em "solitude de coração". Ele também experimentou com frequência a solitude externa. Inaugurou seu ministério passando quarenta dias no deserto, sozinho (Mateus 4.1-11). Antes de escolher os Doze, passou uma noite inteira sozinho nos montes do deserto (Lucas 6.12). Quando recebeu a notícia de que João Batista estava morto, "retirou-se de barco, em particular, para um lugar deserto" (Mateus 14.13). Depois do milagre da multiplicação dos pães, que alimentou 5 mil homens, "subiu sozinho a um monte" (Mateus 14.23). Depois de uma longa noite de trabalho, "de madrugada, quando ainda estava escuro, Jesus levantou-se, saiu de casa e foi para um lugar deserto [...]" (Marcos 1.35). Quando os Doze voltaram da missão de pregar e curar, Jesus convidou-os: "Venham comigo para um lugar deserto" (Marcos 6.31). Depois de curar um leproso, Jesus retirou-se para um lugar solitário e orou (Lucas 5.16). Na companhia de três discípulos, buscou o silêncio de uma montanha deserta, como estágio para a transfiguração (Mateus 17.1-9). Enquanto se preparava para seu feito mais sublime e sagrado, procurou a solitude do jardim do Getsêmani (Mateus 26.36-46). Eu poderia prosseguir, mas talvez esses exemplos sejam o bastante para demonstrar que, na vida de Jesus, procurar lugares desertos era uma prática frequente. Por isso, também deve ser para nós.

Dietrich Bonhoeffer, no livro *Vida em comunhão*, dá a um dos capítulos o título "O dia acompanhado", e ao capítulo seguinte, o título "O dia desacompanhado". Ambos são essenciais para o sucesso espiritual. Ele escreve:

> Àquele que não consegue ficar sozinho, que tome cuidado com a comunidade [...]. Àquele que não está na comunidade, que tome cuidado ao ficar sozinho [...]. Cada situação apresenta ciladas e riscos profundos. Aquele que deseja comunhão sem solitude mergulha num vazio de palavras e sentimentos, e aquele que procura a solitude sem a comunhão perece no abismo da vaidade, do narcisismo e do desespero.[2]

Portanto, precisamos buscar diligentemente a quietude recriadora da solitude se quisermos que nossa presença na comunidade seja significativa. Precisamos buscar a comunhão com as pessoas e prestar contas a elas, se quisermos segurança quando estivermos sozinhos. Precisamos cultivar ambas as coisas, se quisermos viver em obediência.

Solitude e silêncio

Sem o silêncio, não há solitude. O silêncio só às vezes implica ausência de fala, mas sempre implica o ato de ouvir. Abster-se de falar, sem ouvir Deus com o coração, não é silêncio.

Um dia cheio de ruídos e de vozes pode ser um dia de silêncio, se os ruídos se tornarem para nós o eco da presença de Deus e se as vozes forem para nós mensagens e apelos vindos de Deus. Quando falamos apenas de nós mesmos e estamos repletos de nós mesmos, é porque abandonamos o silêncio. Quando, no entanto, repetimos as palavras que Deus nos disse na intimidade, as que ele deixou dentro de nós, nosso silêncio permanece inalterado.[3]

Precisamos compreender a ligação que existe entre a solitude interna e o silêncio interno: são inseparáveis. Todos os mestres da vida interior referem-se a ambos concomitantemente. Por exemplo, *Imitação de Cristo*, que se mantém há quinhentos anos como a obra-prima incontestável da literatura devocional, tem uma seção intitulada "Do amor à solidão [solitude] e ao silêncio". Dietrich Bonhoeffer faz de ambos um todo inseparável em *Vida em comunhão*. Thomas Merton faz o mesmo em *Na liberdade da solidão*. Eu mesmo lutei durante algum tempo, tentando decidir se dava a este capítulo o título "Disciplina da solitude" ou "Disciplina do silêncio", tal a estreiteza do vínculo que os une na literatura devocional de peso. Portanto, temos de necessariamente chegar à compreensão do poder transformador do silêncio e também experimentá-lo, se quisermos conhecer a solitude.

Sobre esse assunto, diz um antigo provérbio: "Todos os que abrem a boca, fecham os olhos!". O propósito do silêncio e da solitude é ter a capacidade de ver e ouvir. É o controle, e não a ausência de ruído, a chave para o silêncio. Tiago não teve dificuldades para perceber que é perfeita a pessoa capaz de controlar a língua (Tiago 3.1-12). Na disciplina do silêncio e da solitude, aprendemos quando falar e quando nos abster de falar. Quem enxerga as disciplinas como leis sempre transformará o silêncio em algo absurdo: "Não vou falar nada pelos próximos quarenta dias!". Essa é sempre uma tentação presente em qualquer disciplina verdadeira, caso queiramos viver em silêncio e solitude. Thomas à

Kempis escreve: "Mais folgarás de ter guardado silêncio do que de ter falado muito".[4] O sensato Pregador diz que há "tempo de calar e tempo de falar" (Eclesiastes 3.7). A chave é o controle.

A analogia das rédeas e do leme, utilizadas por Tiago, sugerem que a língua guia e também controla. A língua orienta o curso da vida de diversas maneiras. Se contarmos uma mentira, somos levados a contar mais mentiras para acobertar a primeira. Em seguida, somos obrigados a nos comportar de determinada maneira, a fim de dar credibilidade à mentira. Não é de admirar a declaração de Tiago: "A língua é um fogo" (Tiago 3.6).

A pessoa disciplinada é aquela que consegue fazer o que precisa ser feito na hora em que precisa ser feito. A marca de um time de basquete que disputa campeonatos é conseguir marcar pontos quando eles são necessários. A maioria de nós consegue uma vez ou outra jogar a bola na cesta, mas não conseguimos fazer isso quando necessário. De igual modo, a pessoa que está submetida à disciplina do silêncio pode dizer o que precisa ser dito quando é necessário dizer. "A palavra proferida no tempo certo é como frutas de ouro incrustadas numa escultura de prata" (Provérbios 25.11). Se nos calamos no momento em que devemos falar, não estamos de acordo com a disciplina do silêncio. Se falamos na hora de ficar em silêncio, novamente erramos o alvo.

Tolos que oferecem sacrifício

Lemos em Eclesiastes: "Quem se aproxima para ouvir é melhor do que os tolos que oferecem sacrifício" (Eclesiastes 5.1). O sacrifício de tolos é tratar uma questão religiosa da perspectiva humana. O pregador continua: "Não seja precipitado de lábios, nem apressado de coração para fazer promessas diante de Deus. Deus está nos céus, e você está na terra, por isso, fale pouco" (Eclesiastes 5.2).

Quando Jesus levou Pedro, Tiago e João até o cume da montanha e foi transfigurado diante deles, Moisés e Elias apareceram e conversaram com Jesus. O texto grego diz: "Então Pedro, *tomando a palavra* [...] Se queres, levantarei aqui três tendas [...]" (Mateus 17.4, *BJ*). Isso é bastante elucidativo. Ninguém estava se dirigindo a Pedro. Ele agiu como um tolo oferecendo sacrifícios.

O diário de John Woolman contém um relato comovente no que diz respeito ao controle da língua. As palavras são de um realismo tão intenso que é melhor citá-las na íntegra:

> Compareci às reuniões com um estado mental reverente e empenhei-me para ficar internamente familiarizado com a linguagem do verdadeiro Pastor. Certo dia, estando sob exercício vigoroso do espírito, levantei-me e disse algumas palavras numa das reuniões, mas, por não haver permanecido nos limites do espaço divinamente iluminado, falei mais do que de mim era requerido. Tendo logo tomado consciência de meu erro, fiquei mentalmente aflito durante semanas, sem nenhuma luz nem conforto, chegando a ponto de não conseguir ter satisfação em nada mais. Lembrava de Deus e ficava aflito, até que nas profundezas de meu infortúnio ele teve piedade de mim e me enviou o Consolador. Senti, então, que obtivera o perdão para minha afronta. Minha mente recuperou a tranquilidade, e fiquei verdadeiramente agradecido a meu Redentor gracioso por suas misericórdias. Cerca de seis semanas depois, sentindo a nascente do amor divino se abrir e uma inquietação para falar, proferi poucas palavras em outra reunião, nas quais encontrei paz. Humilhado e disciplinado, assim, sob a cruz, minha compreensão foi fortalecida para distinguir o espírito puro que se move no coração e que me ensinou a esperar em silêncio, às vezes durante semanas, até sentir a presteza que prepara a criatura para se posicionar como uma trombeta, por meio da qual o Senhor fala a seu rebanho.[5]

Que descrição do processo de aprendizagem pelo qual passamos na disciplina do silêncio! A experiência foi de importância fundamental para ensinar Woolman a "distinguir o espírito puro que se move no coração".

Um dos motivos pelos quais dificilmente permanecemos em silêncio é que ele nos faz sentir desamparados. Estamos acostumados a confiar nas palavras como meio de administrar e controlar os outros. Se ficarmos em silêncio, quem assumirá o controle? Na verdade, Deus assumirá o controle; contudo, jamais permitiremos que ele assuma o comando enquanto não confiarmos nele. O silêncio está intimamente relacionado à confiança.

A língua é a arma de manipulação mais poderosa que possuímos. Todo esse fluxo frenético de palavras emana de nós porque vivemos um processo contínuo de ajustar nossa imagem pública. Temos tanto medo daquilo que pensamos que as outras pessoas pensam de nós que nos vemos obrigados a falar para corrigir a concepção delas. Se fiz algo errado — ou mesmo correto, mas que na minha opinião pode ser mal interpretado — e descubro que você sabe disso, serei tentado a ajudá-lo a compreender minha atitude! O silêncio é uma das disciplinas mais profundas do Espírito, simplesmente porque põe um freio em todas as nossas justificativas.

Um dos frutos do silêncio é a liberdade de permitir que Deus nos justifique. Não precisamos endireitar as pessoas. Conta-se que um monge medieval estava sendo injustamente acusado de transgressões. Certo dia, enquanto olhava pela janela, viu um cachorro mordendo e rasgando um tapete pequeno que fora pendurado para secar. Enquanto observava, o Senhor disse a ele: "É isso que está acontecendo com sua reputação. Se, porém, você confiar em mim, vou cuidar disso para você — da reputação e de tudo o mais". Talvez o silêncio, mais que qualquer outra coisa, nos leve a acreditar que Deus pode cuidar disso para nós — "da reputação e de tudo o mais".

George Fox costumava mencionar o "espírito de escravidão", bem como o fato de que o mundo jaz nesse espírito. Em seus escritos, ele equipara o espírito de escravidão ao espírito de subserviência a outros seres humanos e insiste em "tirar a pessoa de dentro do ser humano", afastá-la do espírito de escravidão à lei por intermédio de outros seres humanos. E o silêncio é uma maneira de conduzir à libertação.

A língua é um termômetro: informa nossa temperatura espiritual. É também um termostato: regula nossa temperatura espiritual. Controlar a língua pode significar tudo. Já estamos libertos a ponto de conseguir domá-la? Bonhoeffer escreve: "O silêncio real, a quietude real e segurar de fato a língua são coisas que surgem apenas como consequência sóbria da quietude espiritual".[6] Relata-se que Domingo de Guzmán visitou Francisco de Assis e que, no transcorrer de todo o encontro, nenhum dos dois falou uma palavra sequer. Somente depois de aprender a ficar verdadeiramente quietos é que seremos capazes de falar ao mundo o que é necessário *no momento* em que for preciso.

Catherine de Haeck Doherty escreve: "Tudo em mim está silencioso [...] estou imersa no silêncio de Deus".[7] É na solitude que passamos a experimentar o "silêncio de Deus" para, assim, receber o silêncio interior que nosso coração deseja ardentemente.

A NOITE ESCURA DA ALMA

Levar a sério a disciplina da solitude significa que, em algum momento durante a peregrinação, ou em vários deles, entraremos naquilo que João da Cruz descreve como a "noite escura da alma". A "noite escura" para a qual ele nos chama não é algo ruim nem destrutivo. Pelo contrário: é uma experiência a ser bem recebida, como faz o enfermo em dar boas-vindas à cirurgia que lhe promete saúde e bem-estar. O propósito da escuridão não é punir nem afligir, e sim libertar. É um encontro divino, uma oportunidade privilegiada de aproximação do Centro divino. João da Cruz chama a isso "pura graça" e acrescenta:[a]

> Ó noite que guiaste!
> Ó noite amável mais que a alvorada!
> Ó noite que juntaste
> Amado com amada,
> Amada neste Amado transformada![8]

Que elementos estão envolvidos na noite escura da alma? Podemos experimentar uma sensação de aridez, de solidão e até mesmo de perda. Qualquer dependência exagerada da vida emocional é extirpada. O conceito comum de que tais experiências devem ser evitadas e que devemos sempre viver em paz, conforto, alegria e celebração só revela o fato de que boa parte da experiência contemporânea é pieguice, mera superficialidade. A noite escura da alma é um meio de Deus nos levar à quietude, a fim de que possa trabalhar na transformação de nosso interior.

Como a noite escura se expressa no cotidiano? Quando buscamos a solitude com seriedade, normalmente surge um sucesso inicial e, em seguida, uma queda inevitável — e com ela um desejo de abandonar completamente a busca. Os sentimentos esvaem-se, e fica a sensação de que não estamos entrando em contato com Deus. João da Cruz descreve o quadro desta maneira:

> A escuridão da alma mencionada aqui [...] põe os apetites sensoriais e espirituais para dormir [...]. Amarra a imaginação e a impede de realizar qualquer tarefa linguística adequadamente. Faz a memória cessar, deixa o intelecto obscurecido e incapaz de

---

[a] Tradução de Jorge de Sena. [N. do T.]

entender qualquer coisa, e assim também a vontade torna-se árida e restrita, e todas as faculdades tornam-se esvaziadas e inúteis. E sobre tudo isso paira uma nuvem densa e deprimente que aflige a alma e a mantém afastada de Deus.[9]

Por duas vezes, no poema *Canções da alma*, João da Cruz usa a expressão "estando minha casa sossegada".[10] Nesse verso imagético, ele indica a importância de permitir que todos os sentidos — físicos, emocionais, psicológicos e até mesmo espirituais — sejam silenciados. É preciso que toda distração do corpo, da mente e do espírito seja suspensa antes que possa acontecer na alma essa profunda ação divina. É como uma operação, na qual o anestésico precisa fazer efeito antes da realização da cirurgia. Surgem dentro de nós, então, o silêncio, a paz e a quietude. Nada consegue nos comover nem nos deixar agitados durante esse período: nem a leitura da Bíblia, nem os sermões, nem o debate intelectual.

Quando Deus amorosamente nos atrai para a noite escura da alma, existe sempre a tentação de se desincumbir dela e de culpar tudo e todos pelo embotamento interno que experimentamos. O pregador é entediante. O cântico dos hinos é por demais acanhado. O culto de adoração é insípido. Talvez comecemos a olhar em volta, procurando outra igreja ou uma experiência nova, que nos dê "arrepios espirituais". É um erro grave. Reconheça a noite escura por aquilo que ela é. Seja grato por Deus o afastar de todas as distrações, para que você consiga enxergar com clareza. Em vez de lutar e se esforçar, fique quieto e espere.

Não me refiro ao embotamento para as coisas espirituais que surgem como consequência do pecado ou da desobediência, mas falo da pessoa que vigorosamente busca Deus e que não abriga no coração nenhum pecado conhecido.

> Quem entre vocês teme o Senhor
> e obedece à palavra de seu servo?

> *Que aquele que anda no escuro,*
> *que não tem luz alguma,*
> confie no nome do SENHOR
> e se apoie em seu Deus (Isaías 50.10).

A questão apontada nessa passagem bíblica é a possibilidade clara de temer e obedecer a Deus, confiar e se apoiar no Senhor, e ainda assim ser como "aquele que anda no escuro, que não tem luz alguma" — estamos vivendo em obediência, mas adentramos a noite escura da alma.

João da Cruz mostra que, durante essa experiência, existe uma proteção graciosa contra os vícios e um maravilhoso progresso nas coisas do Reino de Deus:

> A pessoa no momento dessa escuridão [...] verá com clareza quão pouco os apetites e faculdades se distraem com coisas inúteis e danosas e quão protegida ela está da vanglória, do orgulho e da presunção, de uma alegria vazia e falsa e de muitos outros males. Ao andar na escuridão, a alma [...] progride rapidamente, porque é assim que adquire as virtudes.[11]

O que devemos fazer durante o período de escuridão interna? Em primeiro lugar, não leve em consideração os conselhos de amigos bem-intencionados para "sair dessa". Eles não entendem o que está acontecendo. Nossa época é tão ignorante a respeito dessas coisas que o aconselho a nem mesmo falar sobre o assunto. Acima de tudo, não tente explicar nem justificar por que você anda meio "fora do ar". É Deus quem justifica você. Deposite seu caso nas mãos dele. Se você de fato puder afastar-se e ficar em "lugar deserto" por uns tempos, faça isso. Caso contrário, ocupe-se das tarefas diárias. Quer no "deserto" quer em casa, mantenha o coração em silêncio interior profundo e disposto a ouvir, permanecendo lá até que a tarefa da solitude seja concluída.

Talvez João da Cruz esteja nos conduzindo a águas mais profundas do que desejaríamos mergulhar. Ele certamente está falando de um domínio que a maioria de nós vê como "um reflexo obscuro, como em espelho"; não precisamos, todavia, censurar-nos pela timidez em escalar os picos nevados da alma. É melhor agir com cautela nessa primeira experiência. Talvez ele tenha despertado em nós o impulso em direção a experiências mais elevadas e profundas, não importa quão leve tenha sido a cutucada. É como abrir a porta de nossa vida para essa realidade, sempre muito vagarosamente. É tudo que Deus pede e é tudo de que precisa.

Para concluir a jornada dentro da noite escura da alma, é oportuno refletir sobre as palavras poderosas desse mentor espiritual:

> Ah, então, alma espiritual, quando virdes os apetites obscurecidos, tuas inclinações ressequidas e restringidas, tuas faculdades incapacitadas para qualquer exercício interior, não se aflija! Pense nisso como graça, já que Deus está te libertando de ti mesma e tirando de ti teus afazeres.[12]

Passos para a solitude

As disciplinas espirituais são coisas que fazemos. Jamais devemos perder de vista este fato. Uma coisa é falar com devoção a respeito da "solitude do coração", mas, se isso de alguma maneira não abrir caminho para nossa experiência, então deixamos escapar o sentido das disciplinas. Estamos lidando com ações, não com meros estados da mente. Não basta dizer: "Bem, eu praticamente já possuo a solitude e o silêncio do mundo interior, não há mais nada que eu precise fazer". Todos os que adentraram os silêncios vivificadores fizeram determinadas coisas e organizaram a vida de um modo peculiar, de forma que recebam a paz "que excede todo o entendimento". Se quisermos ser bem-sucedidos, precisamos ir além da teoria e chegar às situações reais da vida.

Quais são alguns dos passos para a solitude? A primeira coisa que podemos fazer é aproveitar as "pequenas solitudes" que preenchem nosso dia. Considere a solitude dos primeiros momentos da manhã, na cama, antes de a família acordar. Pense na solitude que advém de uma xícara de café, pela manhã, antes de mais um dia de trabalho. Existe a solitude do congestionamento, em primeira marcha, durante o horário de pico nas vias expressas. Podem existir pequenos momentos de pausa e de descanso quando viramos a esquina e deparamos com uma flor ou com uma árvore. Em vez de uma oração em voz alta antes da refeição, considere a ideia de convidar todos a uns poucos momentos de silêncio coletivo. Certa vez, dirigindo um carro lotado de crianças e adultos tagarelando, falei enfaticamente: "Vamos fazer uma brincadeira e ver se todo mundo consegue ficar absolutamente calado até chegarmos ao aeroporto" (em torno de cinco minutos). Foi uma bênção, pois funcionou. Encontre alegria e significado renovados na caminhada entre o metrô ou ônibus e sua casa ou apartamento. Sem ser notado, saia só para apreciar a noite silenciosa, antes de ir para a cama.

É comum perdermos esses bocados de tempo. Que pena! Eles podem e devem ser resgatados. São momentos para quietude interior, para reorientação da vida, como a agulha de uma bússola. São pequenos momentos que nos ajudam a estar genuinamente presentes no lugar em que nos encontramos.

O que mais se pode fazer? Podemos encontrar ou preparar um "lugar silencioso", projetado para o silêncio e a solitude. Casas são construídas o tempo todo. Por que não insistir em que um pequeno santuário interno seja adicionado à planta, um lugar onde qualquer membro da família possa ficar sozinho, em silêncio? O que impede? O dinheiro? Construímos salas de recreação e salas de estar elaboradas e achamos que elas valem o preço que pagamos. Os que já possuem casa podem pensar em separar uma pequena área da garagem ou construir uma edícula no quintal.

Quem mora em apartamento pode apelar para a criatividade e descobrir outras maneiras de abrir espaço para a solitude. Sei de uma família que possui uma cadeira especial: sempre que alguém se senta nela, é como se dissesse: "Por favor, não me incomode. Quero ficar sozinho".

Encontremos lugares fora de casa: um cantinho no parque, o santuário de uma igreja, até mesmo pequenos depósitos por aí. Um núcleo de retiros próximo de nós construiu um adorável cubículo para uma pessoa, destinado à meditação e à solitude individual. É chamado Lugar Silencioso. As igrejas investem milhões de dólares em construções. Que tal construir um lugar onde um indivíduo possa ficar sozinho diversos dias? Catherine de Haeck Doherty foi a pioneira no desenvolvimento de *poustinias* (palavra russa que significa "deserto") na América do Norte. São lugares projetados especificamente para a solitude e o silêncio.[b]

No capítulo sobre estudo, tratei da importância de observarmos a nós mesmos para ver com que frequência nossas palavras são uma tentativa frenética de explicar e justificar nossas ações. Tendo enxergado isso em nós mesmos, experimentemos agir sem dar qualquer explicação. Observemos a sensação de medo de que as pessoas interpretem mal os motivos que nos levaram a fazer o que fizemos. Tentemos permitir que Deus nos justifique.

Vamos nos disciplinar, para que sejam poucas e plenas as palavras que digamos. Sejamos conhecidos como pessoas que têm algo a dizer quando abrem a boca. Optemos por uma fala direta: fazer aquilo que dizemos que será feito. "É melhor não fazer voto do que fazer e não cumprir" (Eclesiastes 5.5). Quando a língua está submetida à nossa autoridade, as palavras de Bonhoeffer passam a fazer sentido para nós: "Muito do que é desnecessário

---

[b] A história da criação desses núcleos é descrita em seu livro ***Poustinia***: Christian Spirituality of the East for Western Man (Notre Dame: Ave Maria Press, 1974) [**Deserto vivo:** *poustinias*. São Paulo: Loyola, 1989].

permanece sem ser dito. Mas a coisa essencial, útil, pode ser dita em poucas palavras".[13]

Dê ainda outro passo. Tente viver um dia inteiro sem dizer palavra alguma, mas não faça disso uma lei, pois trata-se de um experimento. Atente para seu sentimento de desamparo. Observe como é excessiva sua dependência das palavras para a comunicação. Tente encontrar formas novas de se relacionar com as pessoas que não dependam de palavras. Desfrute, saboreie o dia. Aprenda com ele.

Retire-se quatro vezes por ano, durante três ou quatro horas, com o propósito de reorientar seus objetivos na vida. Isso pode ser feito com facilidade numa única noite. Fique até mais tarde no escritório, faça-o em casa ou descubra um cantinho silencioso numa biblioteca pública. Reavalie os propósitos que você tem na vida. O que deseja alcançar daqui a um ano? E daqui a dez anos? Temos a tendência de superestimar o que se pode realizar em um ano e de subestimar o que se pode realizar em dez anos. Estabeleça objetivos realistas, mas permaneça disposto a sonhar, a avançar. (Este livro permaneceu como um sonho em minha mente por vários anos antes de se tornar realidade.) Na quietude dessas poucas horas, ouça o estrondoso silêncio de Deus. Registre num diário o que lhe vier à mente.

A reorientação e o estabelecimento de objetivos não são necessariamente algo frio e calculado, como alguns supõem. Os objetivos são descobertos, não criados. Deus deleita-se em nos mostrar novas e encorajadoras alternativas para o futuro. À medida que você penetra o silêncio com vontade para ouvir, talvez venha à tona a disposição de aprender a tecer ou a trabalhar com cerâmica. Isso lhe parece um objetivo secular demais, pouco espiritual? Deus está interessado nesses assuntos também. E você, também está? Talvez queira aprender e experimentar mais a respeito dos dons espirituais de milagres, de cura e de línguas. Ou queira fazer como um de meus amigos: empregar longas horas no exercício do dom do socorro, aprendendo a ser servo. Talvez no próximo ano você queira ler todas as obras de C. S. Lewis ou de D. Elton Trueblood. Talvez daqui a cinco anos deseje estar qualificado para trabalhar com crianças deficientes. Não seria a escolha desses objetivos equivalente a um jogo de manipulação, como se faz em vendas? É claro que não! Trata-se apenas de estabelecer uma direção para a vida. Você está indo para algum lugar, então é melhor ter uma direção estabelecida na comunhão com o Centro divino.

No capítulo sobre disciplina do estudo, exploramos a ideia de retiros de dois ou três dias para estudar a Bíblia. Tais experiências são intensificadas quando combinadas com a imersão no silêncio de Deus. A exemplo de Jesus, precisamos afastar-nos das pessoas para estarmos verdadeiramente presentes quando estivermos ao lado delas. Faça um retiro uma vez por ano, sem nenhum outro objetivo em mente que não o da solitude.

O fruto da solitude é a ampliação da sensibilidade e a compaixão pelas pessoas. Surge uma liberdade renovada para estar ao lado delas. Há uma atenção renovada para as necessidades delas, uma receptividade nova às suas feridas. Thomas Merton observa:

> É na solitude profunda que encontro a bondade com a qual consigo amar verdadeiramente meus irmãos. Quanto mais solitário fico, mais afeto sinto por eles [...]. A solitude e o silêncio ensinam-me a amar meus irmãos pelo que eles são, não por aquilo que dizem.[14]

Você não sente um puxão no braço, um desejo ardente de mergulhar no silêncio e na solitude de Deus? Não anseia por algo mais? Cada respiro não lhe pede uma exposição mais profunda e completa à divina Presença? É a disciplina da solitude que lhe abrirá a porta. Você é bem-vindo para entrar e "ouvir a fala de Deus em seu silêncio magnífico, terrível, gentil, amoroso e inteiramente envolvente".[15]

NOTAS

[1] Apud O'CONNOR, Elizabeth. **Search for Silence**. Waco: Word Books, 1971. p. 132.

[2] BONHOEFER, Dietrich. **Life Together**. New York: Harper & Row, 1952. p. 77-78 [**Vida em comunhão**. São Leopoldo: Sinodal, 2006].

[3] DOHERTY, Catherine de Haeck. **Poustinia:** Christian Spirituality of the East for Western Man. Notre Dame: Ave Maria Press, 1974. p. 23 [**Deserto vivo:** poustinia. Rio de Janeiro: Loyola, 1989].

[4] KEMPIS, Thomas à. **The Imitation of Christ**. New York: Pyramid, 1967. p. 18 [**Imitação de Cristo**. Petrópolis: Vozes, 2000].

[5] WOOLMAN, John. **The Joumal of John Woolman**. Secaucus: Citadel Press, 1972. p. 11.

[6] BONHOEFFER, op. cit., p. 79.

[7] DOHERTY, op. cit., p. 212.

[8] JOÃO DA CRUZ. **The Collected Works of St. John of the Cross**. Trad. Kieran Kavanaugh e Otilio Rodriguez. Garden City: Doubleday, 1964. p. 296 [**Obras completas**. Petrópolis: Vozes/Carmelo descalço do Brasil, 2000].

[9] Id., ibid., p. 363.

[10] Id., p. 295.

[11] Id., p. 364.

[12] Id., p. 365.

[13] BONHOEFFER, op. cit., p. 80.

[14] MERTON, Thomas. **The Sign of Jonas**. New York: Harcourt, Brace, 1953. p. 261.

[15] DOHERTY, op. cit., p. 216.

OITO

A DISCIPLINA DA SUBMISSÃO

O cristão é um senhor perfeitamente livre de tudo: a ninguém se sujeita. O cristão é um servo perfeitamente zeloso em tudo: sujeita-se a todos.

— MARTINHO LUTERO

De todas as disciplinas espirituais, nenhuma sofreu mais abusos que a disciplina da submissão. Por alguma razão, a espécie humana demonstra uma aptidão extraordinária para empregar o melhor dos ensinamentos nos piores fins. Nada é mais eficaz em aprisionar uma pessoa que a religião, e nada na religião contribuiu mais para manipular e destruir pessoas que os ensinos equivocados a respeito da submissão. Assim, precisamos examinar essa disciplina com muito cuidado e discernimento até encontrar um bom caminho e assim obter a garantia de que estamos ministrando vida, e não morte.

Para cada disciplina, existe uma liberdade correspondente. Se me formei na arte da retórica, fico à vontade para fazer um discurso comovente quando a ocasião exigir. Demóstenes só estava livre para ser orador porque havia passado pela disciplina de falar mais alto que o bramido do oceano com a boca cheia de pedrinhas. O propósito das disciplinas é a liberdade. O objetivo é a liberdade, não a disciplina. No momento em que fizermos da disciplina o alvo principal, nós a transformaremos em lei e perderemos a liberdade que lhe corresponde.

As disciplinas servem ao propósito de realizar um bem maior. Elas não têm nenhum valor em si mesmas. Só possuem valor como meio de nos pôr diante de Deus, para que ele nos conceda a libertação que procuramos. A libertação é o fim; as disciplinas são *meros* instrumentos. Elas não são a resposta, apenas nos levam até a Resposta. Precisamos entender com clareza a limitação das disciplinas, se quisermos evitar a escravidão. Além de entender, precisamos enfatizar essa verdade a nós mesmos, vez após vez, tamanha é a tentação de concentrar tudo nas disciplinas. Façamos que tudo convirja para Cristo e enxerguemos as disciplinas espirituais como forma de ficar mais perto do coração dele.

A LIBERDADE NA SUBMISSÃO

Afirmei que cada disciplina tem uma liberdade correspondente. E que liberdade corresponde à submissão? É a capacidade de tirar das costas o fardo terrível de sempre precisar fazer as coisas do nosso jeito. A obsessão de exigir que tudo funcione conforme desejamos é a pior escravidão que existe hoje na sociedade humana. Há quem passe semanas, meses e até mesmo anos em constante aflição, porque algo não aconteceu como desejado. Ficam alvoroçados e se enfurecem. Chegam a perder a razão por esse motivo. Agem como se a própria vida dependesse disso, e alguns até desenvolvem úlcera por causa do ocorrido.

Na disciplina da submissão, ficamos livres para desprender-nos da questão, para esquecê-la. Sinceramente, a maioria das coisas da vida nem chega perto de ser tão importante quanto achamos que é. A vida não irá terminar se isso ou aquilo não acontecer.

Se atentar para esse fato, você perceberá, por exemplo, que quase todas as brigas e divisões na igreja acontecem porque as pessoas não têm a liberdade de ceder umas às outras. Insisto em afirmar que está em jogo aqui uma questão crucial: estamos lutando por um princípio sagrado. Talvez seja esse o caso. Normalmente não é. Na maioria das vezes, não conseguimos suportar a ideia de ceder, pois isso significa que as coisas não andarão conforme desejamos. Somente pela submissão seremos capazes de levar esse estado da alma ao ponto em que não mais nos controle. Só a submissão pode dar-nos liberdade suficiente para distinguirmos entre assuntos legítimos e a obstinação da vontade própria.

Se tão somente começássemos a entender que a maioria das coisas com que nos importamos não é relevante, poderíamos nos ater menos a elas. Descobrimos que não são "nada demais". Costumamos dizer: "Bem, não me importo", quando o que realmente queremos dizer (e o que transmitimos aos outros) é que nos importamos, e muito. É precisamente nesse ponto que o silêncio se encaixa tão bem com as outras disciplinas. Normalmente, a melhor maneira de tratar da maioria das questões de submissão é não dizer nada. É preciso um espírito de graça que abarque tudo, que vá além da linguagem ou da ação, que liberte as pessoas — e a nós.

O ensino bíblico a respeito da submissão concentra-se no espírito com que vemos o semelhante. As Escrituras não tentam estabelecer relacionamentos hierárquicos, mas comunicam a nós uma atitude interna de subordinação mútua. Pedro, por exemplo, apela aos escravos de sua época para que vivam submissos aos seus senhores (1Pedro 2.18). O conselho parece desnecessário até que percebamos que é bem possível obedecer sem viver em espírito de submissão. Externamente, podemos fazer o que nos pedem e, internamente, estarmos em rebelião contra eles. A preocupação com o sentimento de apreço pelas pessoas permeia todo o Novo

Testamento. A antiga aliança estipulou que não devemos matar. Jesus, no entanto, enfatizou que a questão verdadeira é o espírito assassino com que vemos as pessoas. Na questão da submissão, vale a mesma coisa: o ponto central é o sentimento de apreço e de respeito uns pelos outros.

Na submissão, ficamos livres para valorizar o semelhante. Seus sonhos e planos passam a ser importantes para nós. Desfrutamos uma liberdade renovada, maravilhosa, gloriosa — a liberdade de abrir mão dos próprios direitos pelo bem alheio. Pela primeira vez, conseguimos amar as pessoas incondicionalmente. Abrimos mão do direito de exigir que elas retribuam nosso amor. Não temos mais a sensação de que precisamos ser tratados de determinada maneira. Exultamos com o sucesso delas. Experimentamos um pesar sincero quando fracassam. Não faz muita diferença se nosso plano se frustra, caso o plano delas dê certo. Descobrimos que é bem melhor servir ao próximo que fazer as coisas à nossa maneira.

Você já experimentou a libertação decorrente de abrir mão dos próprios direitos? Significa estar livre da raiva impetuosa e da amargura que sentimos quando alguém não age como achamos que deveria agir. Significa que, finalmente, somos capazes de romper a cruel lei da reciprocidade, que diz: "Uma mão lava a outra"; "Mexa comigo que acabo com você". Significa ficar livre para obedecer à ordem de Jesus: "Amem os seus inimigos e orem por aqueles que os perseguem" (Mateus 5.44). Significa que, pela primeira vez, entenderemos como é possível renunciar ao direito de retaliar: "Se alguém o ferir na face direita, ofereça-lhe também a outra" (Mateus 5.39).

Pedra de toque

Talvez você tenha notado que estou abordando o tema da submissão pela porta dos fundos. Comecei explicando o que ela faz por nós antes de defini-la. Fiz isso com um propósito. A maioria de nós foi exposta a uma forma tão mutilada de submissão que acabou adotando a deformidade ou rejeitando inteiramente a disciplina bíblica. Adotar a forma original de submissão leva à auto-aversão; optar pela forma distorcida leva à glorificação pessoal. Antes que fiquemos presos nas garras desse dilema, consideremos uma terceira alternativa.

A pedra de toque para compreender biblicamente a submissão é a impressionante afirmação de Jesus: "Se alguém quiser acompanhar-me, negue-se a si mesmo, tome a sua cruz e siga-me" (Marcos 8.34). Afastamo-nos dessas palavras como que por instinto. Ficamos muito mais à vontade com expressões como "autossatisfação" e "realização pessoal" que com o pensamento de "negar a si mesmo". (Na realidade, Jesus ensina que a autonegação é a única forma de gerar autossatisfação e autorrealização genuínas.) A autonegação evoca em nossa mente todo tipo de imagens de rebaixamento e de autoaversão. Imaginamos que isso certamente significa rejeitar nossa individualidade e que provavelmente nos conduzirá a formas diversas de mortificação pessoal.

Ao contrário, Jesus convida-nos à autonegação sem a auto-aversão. A autonegação é simplesmente um meio de chegarmos à compreensão de que não precisamos trilhar um caminho próprio. Nossa felicidade não depende de conseguirmos o que queremos.

Autonegação não significa perder a identidade, como supõem alguns. Sem identidade, nem mesmo poderíamos nos sujeitar uns aos outros. Jesus perdeu a identidade quando se pôs na direção do Gólgota? Pedro perdeu a identidade quando atendeu à ordem do Mestre, que implica carregar uma cruz — "Siga-me!" (João 21.19)? Paulo perdeu a identidade quando se entregou àquele que disse: "Mostrarei a ele o quanto deve sofrer pelo meu nome" (Atos 9.16)? É claro que não! Sabemos que a verdade era justamente outra. Eles encontraram a própria identidade no ato de negar a si mesmos.

Autonegação não é o mesmo que desprezo por si mesmo. Este indica que não temos nenhum valor e que, ainda que o tivéssemos, deveríamos rejeitá-lo. A autonegação declara que temos valor infinito e mostra-nos como perceber isso. O automenosprezo nega que a criação seja boa. A autonegação afirma que ela é boa de fato. Jesus fez da capacidade de amar a nós mesmos o pré-requisito para demonstrar cuidado com o semelhante (Mateus 22.39). O amor-próprio e a autonegação não entram em conflito. Em mais de uma oportunidade, Jesus deixou claro que a autonegação é a única forma segura de amarmos a nós mesmos. "Quem acha a sua vida a perderá, e quem perde a sua vida por minha causa a encontrará" (Mateus 10.39).

Precisamos, mais uma vez, salientar que a autonegação significa a liberdade de priorizar o semelhante. Significa manter o interesse dele acima dos nossos. Assim, a autonegação liberta-nos da autopiedade. Quando vivemos à margem da autonegação, exigimos que as coisas funcionem conforme desejamos. Quando isso não acontece, retornamos à autopiedade: "Coitado de mim!". Podemos ser externamente submissos, mas com espírito de martírio — um forte indício de que a disciplina da submissão corrompeu-se. Por esse motivo, a autonegação é o fundamento da submissão: ela nos livra da tendência que temos de satisfazer os próprios desejos.

Mulheres e homens de hoje acham extremamente difícil ler os grandes mestres devocionais porque eles usam em profusão a linguagem da autonegação. Para nós, é difícil permanecer receptivos às palavras de Thomas à Kempis: "Ter-se por nada e pensar sempre bem e favoravelmente dos outros é prova de grande sabedoria e perfeição".[1] Esforçamo-nos para dar ouvidos às palavras de Jesus: "Se alguém quiser acompanhar-me, negue-se a si mesmo, tome a sua cruz e siga-me" (Marcos 8.34). Nossa dificuldade surge principalmente porque não conseguimos entender o ensino de Jesus de que o caminho para a autorrealização passa pela autonegação.

Salvar a vida significa perdê-la; perdê-la por causa de Cristo é salvá-la (Marcos 8.35). George Matheson incluiu num hinário o maravilhoso paradoxo da realização que passa pela autonegação:

> Peço-te, Senhor, de mim um servo fazer,
> E então livre eu serei;
> Força-me a espada devolver,
> E conquistador tornar-me-ei.
> Um mergulho nos sobressaltos da vida faço
> Quando permaneço em solidão;
> Prenda-me com teus braços,
> E vigorosa será minha mão.[2]

Creio haver desobstruído suficientemente a área, de modo que estamos em condições de tratar a autonegação pelo que ela realmente é: libertação. Precisamos estar convencidos disso, pois, como já disse, a autonegação é a pedra de toque da disciplina da submissão.

A SUBORDINAÇÃO REVOLUCIONÁRIA, TAL COMO ENSINADA POR JESUS[a]

O mais radical dos ensinos sociais de Jesus era a inversão completa do conceito de grandeza dominante em sua época. A verdadeira liderança consiste em tornar-se servo de todos. O poder revela-se na submissão. O símbolo mais notável dessa servidão radical é a cruz. "[Jesus] humilhou-se a si mesmo e foi obediente até a morte, e morte de cruz!" (Filipenses 2.8). Observe, porém, o seguinte: Cristo não apenas morreu uma "morte de cruz": ele também viveu uma "vida de cruz". O caminho da cruz, a trilha

---

[a] Devo a John Howard Yoder essa expressão, bem como diversas das ideias que decorrem dela. Seu livro **The Politics of Jesus** (Grand Rapids: Eerdmans, 1972) [**A política de Jesus**. São Leopoldo: Sinodal, 1988] contém um capítulo excelente sobre "subordinação revolucionária".

do Servo sofredor, era essencial a seu ministério. Jesus viveu a vida de cruz em submissão a todos os seres humanos. Foi servo de todos. Foi incisivo ao rejeitar os mecanismos culturais de posição e poder quando afirmou: "Vocês não devem ser chamados 'rabis' [...]. Tampouco vocês devem ser chamados 'chefes' [...]" (Mateus 23.8-10). Jesus pôs por terra os costumes de seus dias, uma vez que sua vida fundamentava-se na cruz, ao valorizar as mulheres e mostrar-se acessível às crianças. Ele viveu uma vida de cruz ao pegar uma toalha e lavar os pés dos discípulos. Jesus poderia facilmente ter convocado uma legião de anjos para socorrê-lo, mas escolheu a morte na cruz do Calvário. A vida de Jesus foi uma vida de cruz, de submissão e de serviço. A morte de Cristo foi a morte de cruz que triunfou mediante o sofrimento.

É impossível exagerar o caráter revolucionário da vida e do ensino de Jesus em relação a esse assunto. Ele aboliu as reivindicações de posição e de *status*, chamando à existência uma ordem inteiramente nova de liderança. Sua vida de cruz aos poucos corroeu todas as ordens sociais baseadas no poder e no interesse próprio.[b]

Como já observei, Jesus chamou seus seguidores à vida de cruz. "Se alguém quiser acompanhar-me, negue-se a si mesmo, tome a sua cruz e siga-me" (Marcos 8.34). Ele foi incisivo com seus discípulos: "Se alguém quiser ser o primeiro, será o último, e servo de todos" (Marcos 9.35). Quando imortalizou o princípio da vida de cruz ao lavar os pés dos discípulos, acrescentou: "Eu lhes

---

[b] A Igreja de hoje fracassou em entender ou, se entendeu, fracassou em obedecer às implicações da vida de cruz para a sociedade humana. Guy Hershberger analisa com coragem algumas dessas implicações no livro **The Way of the Cross in Human Relations** [O caminho da cruz nos relacionamentos humanos] (Scottsdale: Herald Press, 1958). Ele discute o modo pelo qual o caminho do servo deve afetar questões como guerra, capitalismo, sindicatos de operários, materialismo, relações entre patrões e empregados, relações raciais e outros assuntos. Devo a Hershberger a expressão "vida de cruz".

dei o exemplo, para que vocês façam como lhes fiz" (João 13.15). A vida de cruz é de submissão voluntária. A vida de cruz é a vida de quem livremente aceitou ser servo.

A SUBORDINAÇÃO REVOLUCIONÁRIA TAL COMO ENSINADA NAS EPÍSTOLAS

O exemplo e o chamado de Jesus para seguirmos o caminho da cruz em todos os relacionamentos humanos formam a base para o ensino das epístolas a respeito da submissão. O apóstolo Paulo estabelece o imperativo dado à Igreja para que todos "considerem os outros superiores a si mesmos" na submissão e na autonegação do Senhor, para nossa salvação. "[Jesus] esvaziou-se a si mesmo, vindo a ser servo" (Filipenses 2.4-7). O apóstolo Pedro, em meio a instruções sobre a submissão, faz um apelo direto ao exemplo de Jesus como o motivo para ela: "Para isso vocês foram chamados, pois também Cristo sofreu no lugar de vocês, deixando-lhes exemplo, para que sigam os seus passos [...]. Quando insultado, não revidava; quando sofria, não fazia ameaças, mas entregava-se àquele que julga com justiça" (1Pedro 2.21-23). Lemos no prefácio da *Haustafel*[c] de Efésios: "Sujeitem-se uns aos outros, *por temor a Cristo*" (Efésios 5.21). O chamado para que os cristãos vivam a vida de cruz está arraigado à vida de cruz do próprio Cristo.

A disciplina da submissão sofreu distorções terríveis em razão da tentativa fracassada de enquadrá-la num contexto mais amplo. A submissão é um tema ético, que perpassa todo o Novo Testamento. É uma postura obrigatória para *todos* os cristãos: homens e mulheres, pais e filhos, senhores e escravos. Ordena-se

---

[c] Termo cunhado por Martinho Lutero, que significa literalmente "placa caseira" e, por esse motivo, uma placa que continha regras para o relacionamento doméstico cristão. A *Haustafel* passou a ser reconhecida como forma literária específica e pode ser encontrada em Efésios 5.21—6.9, Colossenses 3.18—4.1, Tito 2.4-10 e 1Pe 2.18—3.7.

que vivamos uma vida de submissão porque Jesus viveu uma vida de submissão, não porque estamos num lugar específico ou em alguma fase da vida. A autonegação é uma postura que serve bem aos que seguem o Senhor crucificado. Em qualquer ponto da *Haustafel*, a primeira e única razão que nos constrange à submissão é o exemplo de Jesus.

Essa singular análise racional da submissão é surpreendente quando a comparamos com outros escritos do século I. Neles, existe um apelo constante à submissão, porque era assim que os deuses criavam as coisas: era parte da condição de vida do ser humano. Não existe um único escritor do Novo Testamento que apele à submissão com base nisso. Esse ensino é revolucionário. Eles ignoram por completo todas as práticas que até então definiam superiores e inferiores e conclamam todos a que "considerem os outros superiores a si mesmos" (Filipenses 2.3).

O primeiro chamado das Epístolas à subordinação é para os que, em razão da cultura na qual se encontravam, já eram subordinados: "Mulheres, sujeite-se cada uma a seu marido [...]. Filhos, obedeçam a seus pais [...]. Escravos, obedeçam em tudo a seus senhores terrenos [...]" (Colossences 3.18-22 e passagens paralelas). O revolucionário nesse ensinamento é que essas pessoas, a quem a cultura do século I não propiciou nenhuma escolha, são tratadas como agentes morais livres. Paulo concedeu responsabilidade moral e pessoal aos que não tinham nenhum *status* jurídico nem moral na própria cultura. Transformou pessoas sem o direito de tomar decisões em pessoas que tomam decisões.

É espantoso o fato de Paulo chamá-los à subordinação, uma vez que já estavam subordinados por causa do lugar que ocupavam na cultura do século I. A única razão significativa para tal ordem é o fato de que, por causa da mensagem do evangelho, eles tenham começado a ver-se livres da posição de subordinação que até então ocupavam na sociedade. O evangelho havia desafiado todas as ideias de cidadania de segunda classe, e eles sabiam disso. Paulo insistia em que se subordinassem voluntariamente, não porque fosse a condição de vida deles, mas porque "convém a quem está no Senhor" (Colossences 3.18).

Essa característica — a de se dirigir aos subordinados da cultura com um ensino moral — também contrasta radicalmente com a literatura contemporânea da época. Os estoicos, por exemplo, dirigiam-se *apenas* à pessoa que ocupava uma posição elevada na ordem social, encorajando-a a fazer um bom trabalho na posição que ela já considerava ser seu lugar. Paulo, no entanto, falou primeiramente às pessoas a quem, segundo estabelecia a cultura da época, nem mesmo se deveria dirigir a palavra e convidou-as à vida de cruz de Cristo.

Em seguida, as Epístolas voltam-se para a contraparte culturalmente dominante no relacionamento e também a conclama à vida de cruz de Cristo. O imperativo da subordinação é recíproco: "Maridos, amem cada um a sua mulher [...]. Pais, não irritem seus filhos [...]. Senhores, deem aos seus escravos o que é justo e direito [...]" (Colossences 3.19—4.1 e passagens paralelas). Com toda certeza, alguns irão argumentar que a ordem para a contraparte dominante não utiliza a linguagem da submissão. O que deixamos de perceber é o grau profundo de submissão que essas ordens exigiam da contraparte dominante naquele ambiente cultural. Para o marido, pai ou senhor do século I, obedecer à determinação de Paulo significava uma mudança drástica de comportamento. O filho, escravo ou esposa do século I não precisariam mudar absolutamente nada para seguir a ordem de Paulo. De qualquer maneira, é a contraparte dominante que leva a estocada do ensinamento.[3]

Além disso, precisamos perceber que os imperativos para maridos, pais e senhores constituem outra forma de autonegação. Representam apenas outro conjunto de palavras para transmitir a mesma verdade, a de que podemos nos libertar da necessidade de fazer as coisas funcionarem à nossa maneira. Se um marido amar a esposa, levará em consideração as necessidades dela. Estará disposto a ceder a ela. Terá liberdade para considerá-la mais importante que as próprias necessidades. Será capaz de considerar os filhos mais importantes que suas necessidades (Filipenses 2.3).

Em Efésios, Paulo exorta os escravos a terem um espírito alegre, voluntário e disposto no serviço a seus senhores terrenos. Depois ele exorta os senhores: "Tratem seus escravos da mesma forma" (Efésios 6.9). Pensar dessa forma era inadmissível para a sociedade do século I. Os escravos eram propriedades, não seres humanos. Mesmo assim, Paulo aconselha, com autoridade divina, os senhores a se submeterem às necessidades de seus escravos.

Talvez a ilustração mais perfeita da subordinação revolucionária esteja na diminuta carta de Paulo a Filemom. Onésimo, escravo fugitivo de Filemom, tornara-se cristão e estava retornando voluntariamente para seu senhor, como a atitude que ele entendia ser a mais compatível com um discípulo de Cristo. Paulo insiste em que Filemom dê as boas-vindas a Onésimo, "não mais como escravo, mas, acima de escravo, como irmão amado [...]" (Filemom 16). John Yoder fez o seguinte comentário: "Isso equivale a Paulo instruir Filemom, com o tipo de instrução não coerciva que convém a um irmão em Cristo [...], a dar alforria a Onésimo".[4] Ao retornar, Onésimo deveria subordinar-se a Filemom. Filemom deveria subordinar-se a Onésimo, dando-lhe a liberdade. Os dois deveriam estar mutuamente subordinados, por causa do temor a Cristo (Efésios 5.21).

As Epístolas não consagram a estrutura social hierárquica então existente. Ao determinar a subordinação universal, elas relativizam e cortam essa ordem social pela raiz, convocando os cristãos a viverem como cidadãos de uma nova ordem. A característica mais fundamental dessa nova ordem é a subordinação universal.

Os limites da submissão

Os limites da disciplina da submissão encontram-se nos pontos em que ela se torna destrutiva. Torna-se, então, a negação da lei do amor tal como ensinada por Jesus e representa uma afronta à submissão bíblica genuína (v. Mateus 5—7, esp. 22.37-39).

Pedro convida os cristãos a uma submissão radical ao Estado quando escreve: "Por causa do Senhor, sujeitem-se a toda autoridade constituída entre os homens; seja ao rei, como autoridade suprema, seja aos governantes [...]" (1Pedro 2.13,14). Contudo, quando o governo legitimamente autorizado de seus dias ordenou que a Igreja incipiente deixasse de proclamar Cristo, foi Pedro quem respondeu: "Julguem os senhores mesmos se é justo aos olhos de Deus obedecer aos senhores e não a Deus. Pois não podemos deixar de falar do que vimos e ouvimos" (Atos 4.19,20). Em ocasião semelhante, Pedro simplesmente afirmou: "É preciso obedecer antes a Deus do que aos homens!" (Atos 5.29).

Compreendendo a vida de cruz, Paulo declara: "Todos devem sujeitar-se às autoridades governamentais" (Romanos 13.1). Todavia, quando ele viu que o Estado estava falhando em sua função estabelecida por Deus, a de proporcionar justiça a todos, pediu satisfações e insistiu em que os danos fossem reparados (Atos 16.37).

Estariam esses homens se opondo ao princípio da autonegação e da submissão que defendiam? Não. Eles simplesmente entendiam que a submissão chega ao fim de seu curso quando se torna destrutiva. De fato, eles deram exemplo de subordinação revolucionária recusando-se a cumprir uma ordem destrutiva e dispondo-se a sofrer as consequências. O pensador alemão Johannes Hamel afirma que a subordinação inclui "a possibilidade de uma resistência impulsionada pelo espírito, de um repúdio apropriado e de uma recusa pronta para aceitar o sofrimento aqui ou ali".[5]

Às vezes, os limites da submissão são fáceis de determinar. Pede-se a uma mãe que castigue o filho exageradamente. Pede-se a uma criança que ajude um adulto numa prática ilegal. Pede-se a um cidadão que viole os preceitos das Escrituras e da consciência em favor do Estado. Em cada um desses exemplos, o discípulo recusará a proposta, não de forma arrogante, mas em espírito de mansidão e submissão.

Quase sempre, é extremamente difícil definir os limites da submissão. Que dizer do marido que se sente reprimido, impedido de realizar-se pessoalmente por causa da carreira profissional da esposa ou vice-versa? Essa forma de autonegação é legítima ou destrutiva? E quanto ao professor que dá uma nota injusta a um aluno? Deve o aluno se submeter ou resistir? E quanto ao patrão que promove os funcionários com base no favoritismo e no interesse em vantagens pessoais? O que deve fazer o funcionário que passa por provações, especialmente se precisa do aumento para o bem de sua família?

Essas questões são extremamente complexas, pois as relações humanas são complexas. São perguntas que não se satisfazem com respostas simplistas. Não existe algo como uma lei de submissão que previna todas as situações. Só podemos demonstrar ceticismo diante de uma lei que pretenda gerenciar qualquer circunstância. A ética casuística sempre irá fracassar.

Não é fugir do tema afirmar que, quando se definem os limites da submissão, somos atirados à dependência profunda do Espírito Santo. Afinal, se tivéssemos um livro de regras que abarcassem todas as circunstâncias da vida, não precisaríamos ficar na dependência dele. O Espírito discerne com precisão os pensamentos e as intenções do coração, os meus e os seus. Para nós, ele será o

Mestre e Profeta sempre à nossa disposição, instruindo-nos no que fazer em qualquer circunstância.

OS ATOS DE SUBMISSÃO

Submissão e serviço funcionam simultaneamente. Assim, boa parte da dinâmica da submissão será tratada no capítulo seguinte. No entanto, existem sete atos de submissão que gostaria de mencionar resumidamente.

O primeiro ato de submissão é ao Deus trino. No começo do dia esperamos, nas palavras do autor do hino, "rendidos e aquietados" diante do Pai, do Filho e do Espírito Santo. As primeiras palavras do dia formam a oração de Thomas à Kempis: "Como quiserdes, o que e quando quiserdes".[6] Entregamos aos propósitos dele nosso corpo, nossa mente e nosso espírito. Da mesma forma, o dia é vivido com atos de submissão, entremeado com derramamentos constantes de rendição interna. Assim como as primeiras palavras da manhã expressam submissão, as últimas, à noite, também nos mostram submissos. Rendemos corpo, mente e espírito nas mãos de Deus, para que ele faça conosco conforme lhe agradar pela extensa escuridão.

O segundo ato de submissão é às Escrituras. À medida que nos submetemos à Palavra viva de Deus (Jesus), também nos submetemos à Palavra escrita de Deus (as Escrituras). Em primeiro lugar, nos submetemos para ouvir a Palavra; em segundo lugar, para receber a Palavra; em terceiro lugar, para obedecer à Palavra. Olhamos na direção do Espírito, que inspirou as Escrituras, a fim de interpretá--las e aplicá-las à nossa situação. As palavras das Escrituras, avivadas pelo Espírito Santo, estarão conosco no restante do dia.

O terceiro ato de submissão é à nossa família. O lema da família deve ser: "Cada um cuide, não somente dos seus interesses, mas também dos interesses dos outros" (Filipenses 2.4). Livre e graciosamente, cada membro da família disponha-se a relevar as atitudes dos outros membros. O primeiro ato de submissão é o compromisso de ouvir os outros membros da família. O corolário é a disposição de partilhar, o que em si é um ato de submissão.

O quarto ato de submissão é ao próximo e àqueles com quem nos encontramos durante as atividades cotidianas. A vida de bondade simples é vivida diante deles. Se estiverem passando necessidades, nós os ajudamos. Realizamos pequenos atos de bondade e os atos costumeiros de boa vizinhança: dividir a comida, ajudar a cuidar dos filhos, aparar a grama, fazer visitas diante de um assunto importante (ou assuntos triviais), emprestar ferramentas. Nenhuma tarefa é pequena demais nem insignificante demais, pois cada uma representa a oportunidade de viver em submissão.

O quinto ato de submissão é à comunidade cristã, o corpo de Cristo. Se existem trabalhos a serem feitos e tarefas a serem realizadas, nós as examinamos cuidadosamente para ver se são um convite de Deus à vida de cruz. Não podemos fazer tudo, mas podemos fazer alguma coisa. Às vezes, a questão é de natureza organizacional, mas quase sempre são oportunidades espontâneas para pequenos serviços. Pode também haver o chamado para servir à Igreja universal, e, se tal ministério for confirmado em nosso coração, podemos submeter-nos a essa convocação com segurança e reverência.

O sexto ato de submissão é aos aflitos e desprezados. Em todas as culturas, existem "viúvas e órfãos", ou seja, os desamparados, os desprotegidos (Tiago 1.27). Nossa primeira responsabilidade é estar entre eles. À semelhança de Francisco de Assis, no século XIII, e de Kagawa, no século XX, precisamos descobrir formas de nos identificarmos genuinamente com os oprimidos, os rejeitados. Precisamos viver a vida de cruz ali.

O sétimo ato de submissão é ao mundo físico. Vivemos numa comunidade interdependente, internacional. Não podemos viver em isolamento. Nossa responsabilidade ambiental, ou a falta dela, afeta todas as pessoas espalhadas pelo Planeta e também as gerações que ainda não nasceram. A fome das pessoas afeta-nos.

O ato de submeter-se é uma determinação de viver como membro responsável num mundo cada vez mais irresponsável.

Uma observação final

Em nossos dias, a disciplina da submissão depara com um grande problema, relacionado com a autoridade. O fenômeno que descrevo a seguir é algo que tenho observado repetidamente. Quando alguém começa a se mover no mundo espiritual, percebe que Jesus está ensinando um conceito de autoridade que se opõe ao pensamento dos mecanismos deste mundo. Passa a entender que a autoridade não reside em posições, diplomas, títulos, direitos de posse nem em *qualquer* símbolo externo. O caminho de Cristo segue numa direção completamente diferente — é o caminho da autoridade espiritual, que é determinada e sustentada por Deus. As instituições humanas podem ou não reconhecer essa autoridade, não faz a menor diferença. O cristão que possui autoridade espiritual pode ou não ocupar uma posição visível de autoridade — mais uma vez, isso não faz a menor diferença. A autoridade espiritual é marcada pela compaixão e pelo poder. Quem anda no Espírito pode identificá-la imediatamente. Ele não terá dúvidas de que deve submissão à palavra pronunciada com autoridade espiritual.

Nesse ponto, porém, existe uma dificuldade: e quanto àqueles que ocupam "posições de autoridade" e não possuem autoridade espiritual? Considerando que Jesus deixou claro que a posição não confere autoridade, será que devemos obediência a eles? Não poderíamos desconsiderar toda forma de autoridade humana e nos submetermos unicamente à autoridade espiritual? Essas são questões propostas por pessoas que sinceramente desejam andar no caminho do Espírito. Portanto, são legítimas e merecem uma resposta cuidadosa.

Contudo, a resposta não é simples, mas também não é impossível. *A subordinação revolucionária ordena que vivamos em submissão à autoridade humana enquanto ela não se tornar destrutiva.*[d] Pedro e Paulo exigiram obediência ao Estado pagão, pois compreendiam o bem maior que resulta dessa instituição humana. Descobri que as "autoridades" em geral possuem considerável porção de sabedoria e que negligenciá-las pode pôr-nos em risco.

Acrescento outro motivo pelo qual devemos submeter-nos aos que ocupam posições de autoridade e desconhecem a autoridade espiritual. Devemos fazer isso não por simples cortesia nem por sentir pena dos que se encontram em tal situação. Sinto empatia profunda por tais pessoas, pois já vivi circunstâncias semelhantes, mais de uma vez. Estar em posição de autoridade e saber que suas raízes não estão suficientemente aprofundadas na vida divina para usar a autoridade espiritual é uma aflição frustrante, quase desesperadora. Conheço a sensação angustiante que faz a pessoa se escorar nos outros, bajular e tramar expedientes engenhosos a fim de manipular as pessoas e levá-las à obediência. Alguns acham mais cômodo ridicularizar esses líderes e desconsiderar a "autoridade" deles. Eu não faço isso. Lastimo por eles, pois conheço a dor e o sofrimento que precisam ser suportados para viver tamanha contradição.

Além disso, podemos orar por eles, para que sejam preenchidos com autoridade e poder renovados. Também nos podemos tornar amigos deles e ajudá-los no que for possível. Se vivermos a vida de cruz diante deles, logo constataremos que crescerão em poder espiritual, e nós também.

Notas

[1] KEMPIS, Thomas à. The Imitation of Christ. In: **The Consolation of Philosophy**. New York: Random House, 1943. p. 139.

---

[d] V. a seção "Os limites da submissão".

[2] **Hymns for Worship**. Nappanee: Evangel Press, 1963. p. 248.
[3] YODER, John Howard. **The Politics of Jesus**. Grand Rapids: Eerdmans, 1972. p. 181-182 [**A política de Jesus**. São Leopoldo: Sinodal, 1988]. Devo a Yoder muitas das ideias que se seguem.
[4] Id., ibid., p. 181.
[5] Id., ibid., p. 186.
[6] KEMPIS, op. cit., p. 172.

NOVE

A DISCIPLINA DO SERVIÇO

Aprenda a lição de que, se tiver de fazer o trabalho de um profeta, você não precisa de um cetro, mas de uma enxada.

— BERNARDO DE CLARAVAL

Assim como a cruz é o símbolo da submissão, a toalha é o símbolo do serviço. Quando Jesus reuniu seus discípulos para a ceia do Senhor, eles estavam tentando descobrir quem era o maior, O assunto não era novo para eles: "Começou uma discussão entre os discípulos acerca de qual deles seria o maior" (Lucas 9.46). Sempre que houver preocupação a respeito de quem é o maior, haverá preocupação a respeito de quem é o menor. Para nós, esse é o ponto crucial da questão, certo? Muitos sabem que nunca serão o maior: então que pelo menos não sejam o menor.

Reunidos para a comemoração da Páscoa, os discípulos estavam cientes de que alguém precisaria lavar os pés dos outros. O problema é que a pessoa que lava os pés é o menor. Por isso, eles se sentaram, com os pés cobertos de poeira. Era um assunto tão constrangedor que nem mesmo foi mencionado. Ninguém queria ser considerado o menor. Então Jesus pegou uma toalha e uma bacia e redefiniu a grandeza.

Tendo vivido como servo diante deles, Cristo agora os convoca também para o caminho do serviço: "Pois bem, se eu, sendo Senhor e Mestre de vocês, lavei-lhes os pés, vocês também devem lavar os pés uns dos outros. Eu lhes dei o exemplo, para que vocês façam como lhes fiz" (João 13.14,15). De certa forma, preferiríamos ouvir Jesus nos chamar para rejeitar pai, mãe, casas e terras pela causa do evangelho que ouvir a recomendação de lavar os pés dos outros. A autonegação radical proporciona uma sensação de aventura. Se renunciarmos a tudo, temos até mesmo a chance de um martírio glorioso. No serviço, porém, precisamos experimentar as diversas pequenas mortes que ocorrem quando vamos além de nós mesmos. O serviço deporta-nos para o secular, o comum, o trivial.

Também existe na disciplina do serviço uma liberdade notável. O serviço desobriga-nos de participar dos jogos deste mundo: promoção e autoridade. Elimina a necessidade (e o desejo) que temos de uma "ordem hierárquica". Como essa expressão é vigorosa, reveladora! Como somos parecidos com os frangos! No galinheiro, não existe paz enquanto não ficar claro quem é o maior, quem é menor e quem ocupa as posições intermediárias. Um grupo de pessoas não consegue ficar junto por muito tempo enquanto uma "ordem hierárquica" não for claramente estabelecida. Com grande facilidade, percebemos esse processo. Onde as pessoas se sentam? Como andam umas em relação às outras? Quem cede quando duas pessoas falam ao mesmo tempo? Quem recua e quem dá um passo à frente quando uma tarefa precisa ser executada? (Dependendo da tarefa, pode ser tanto um sinal de domínio quanto de subordinação.) Essas coisas estão estampadas na fronte da sociedade humana.

A questão não é abolir a ideia da liderança e da autoridade. Qualquer sociólogo demonstraria rapidamente a impossibilidade de tal tarefa. Até mesmo entre os discípulos de Jesus, a liderança e a autoridade podem ser facilmente identificadas. Jesus, porém, redefiniu completamente a liderança e reajustou os limites da autoridade.

Jesus nunca ensinou que todos detêm a mesma autoridade. Ele tinha muito que dizer a respeito da autoridade espiritual genuína, mas deixou claro que muitos de fato não a possuem. A autoridade da qual ele falava não implica uma "ordem hierárquica". Precisamos entender com clareza a natureza radical do ensinamento de Jesus nessa questão. Ele não estava invertendo a "ordem hierárquica", como muitos supõem. Ele a estava revogando. A autoridade a que se referia não é aquela usada para manipular e controlar. Trata-se de uma autoridade de função, não de posição.

Jesus declarou: "Os reis dos gentios dominam sobre eles, e os que têm autoridade sobre eles são chamados benfeitores. *Mas não sereis vós assim*" (Lucas 22.25,26, *ARC*). Ele rejeitou totalmente o sistema hierárquico de seus dias. Como, então, seria o relacionamento entre eles? "Quem quiser tornar-se importante entre vocês deverá ser servo [...] como o Filho do homem, que não veio para ser servido, mas para servir" (Mateus 20.25-28). Portanto, a autoridade espiritual de Jesus não se apoia em posição nem em títulos: precisa apenas de uma toalha.

Serviço farisaico *versus* serviço verdadeiro

Para que o serviço verdadeiro seja compreendido e praticado, é preciso mostrar com clareza em que ele difere do "serviço farisaico".

O serviço farisaico passa pelo esforço humano. Despende imensas quantidades de energia no cálculo e no planejamento de como será oferecido. Delineiam-se tabelas sociológicas e planejam-se levantamentos, para que possamos "ajudar esta gente". O serviço verdadeiro origina-se no relacionamento com o Outro divino, no profundo de nosso íntimo. Servimos com base em sugestões sussurradas, em ímpetos divinos. Existe gasto de energia, mas não é a energia frenética da carne. Thomas Kelly escreve: "Descubro que ele nunca nos guia para um alvoroço intolerável de desassossego ofegante".[1]

O serviço farisaico deslumbra-se com as "coisas grandiosas". Preocupa-se em obter uma pontuação expressiva nos placares eclesiásticos. Aprecia servir, especialmente quando a tarefa é de proporções gigantescas. Já no serviço verdadeiro, quase não há distinção entre o modesto e o imponente. Quando a diferença é perceptível, o verdadeiro servo fica atraído pela obra menos suntuosa, não por falsa modéstia, mas porque genuinamente a considera a tarefa mais importante. Ele indiscriminadamente dá boas-vindas a todas as oportunidades de servir.

O serviço farisaico vive a expectativa de recompensas externas. Precisa ter certeza de que o povo está vendo e apreciando o esforço. Busca o aplauso dos homens — com a modéstia religiosa adequada, é claro. O serviço verdadeiro descansa feliz longe dos holofotes. Não teme as luzes nem o fulgor da atenção, mas também não os procura. Já que vive com base num novo Centro de referência, o meneio divino de aprovação é o bastante.

O serviço farisaico tem extrema preocupação com resultados. Espera impacientemente para ver se a pessoa a quem serviu retribuirá na mesma moeda. Fica amargurado quando o retorno é abaixo das expectativas. O serviço verdadeiro está livre da necessidade de calcular os dividendos. Tem deleite apenas no serviço. E pode servir com liberdade tanto aos inimigos quanto aos amigos.

O serviço farisaico escolhe a quem servir. Às vezes, é voltado para os distintos e poderosos, pois isso garantirá determinadas vantagens. Já os humildes e desamparados terão direito ao serviço se isso garantir uma imagem de humildade. O ministério do serviço verdadeiro não faz discriminação. Atende à ordem de Jesus para ser "servo de todos" (Marcos 9.35). Francisco de Assis observa numa carta: "Sendo servo de todos, sou compelido a servir a todos e a administrar as palavras balsâmicas de meu Senhor".[2]

O serviço farisaico é afetado por humores e caprichos. Só pode servir quando há "inclinação" para servir ("movido pelo Espírito", como se diz). A saúde abalada e o sono ruim controlam o desejo de servir. O serviço verdadeiro ministra com simplicidade e de modo fiel, porque existe uma necessidade. Sabe que a "inclinação para servir" quase sempre é um obstáculo ao serviço verdadeiro. O serviço disciplina as inclinações, em vez de permitir que elas o controlem.

O serviço farisaico é temporário. Só opera enquanto o serviço em si é realizado. Concluídos os trabalhos, descansa tranquilo. O serviço verdadeiro é um estilo de vida: seus atos originam-se em padrões de vida arraigados. Ele brota espontaneamente para satisfazer uma necessidade humana.

O serviço farisaico é insensível. Insiste em satisfazer uma necessidade, mesmo quando essa intervenção é destrutiva. Exige oportunidade para ajudar. O serviço verdadeiro pode abster-se da mesma liberdade com que é prestado. Pode ouvir com ternura e paciência antes de agir. Pode esperar em silêncio. "Também servem os que somente assumem uma posição de espera".[3]

O serviço farisaico causa rupturas na comunidade. Em última análise, centraliza-se na glorificação do indivíduo, mesmo quando todas as armadilhas religiosas são removidas. Portanto, deixa pessoas em dívida com ele, tornando-se uma das maneiras mais sutis e destrutivas de manipulação que se conhece. O serviço verdadeiro edifica a comunidade. Ocupa-se silenciosa e despretensiosamente em cuidar das necessidades do povo. Atrai, ajunta, cura, edifica.

SERVIÇO E HUMILDADE

Mais que qualquer outro fator, a graça da humildade penetra nossa vida por meio da disciplina do serviço. Como todos sabem, a humildade é uma das virtudes que nunca é adquirida quando a buscamos. Quanto mais a buscamos, mais distante fica de nós. Pensar que a possuímos é evidência segura de que não a temos. Por esse motivo, a maioria de nós pressupõe que não há nada que se possa fazer para adquirir essa apreciada virtude cristã.

Todavia, *existe* uma coisa que podemos fazer. Não é preciso passar pela vida alimentando a tênue esperança de que um dia a humildade caia em nossa cabeça. Entre todas as disciplinas espirituais clássicas, o serviço é a que mais tende a promover o desenvolvimento da humildade. Ocorre uma mudança em nosso espírito quando nos propomos a seguir um curso de ação escolhido conscientemente, que valorize o aspecto positivo das pessoas e que normalmente é realizado longe dos holofotes.

Nada como o serviço para *disciplinar* os desejos desordenados da carne e nada como servir longe dos holofotes para *transformar* os desejos da carne. Se a carne fica contrariada por causa do serviço, ela protesta aos berros por não chamar atenção. Ela se contorce em busca de honra e maquinará meios sutis — aceitáveis à religião — de obter reconhecimento público pelo serviço prestado. Se nos recusarmos resolutamente a ceder ao desejo ardente da carne, então o estaremos crucificando. Cada vez que crucificamos a carne, crucificamos também o orgulho e a arrogância.

O apóstolo João escreve: "Pois tudo o que há no mundo — a cobiça da carne, a cobiça dos olhos e a ostentação dos bens — não provém do Pai, mas do mundo" (1João 2.16). Temos dificuldades para entender a força dessa passagem porque temos a tendência de relegá-la ao pecado sexual, como se a passagem tratasse exclusivamente desse tema. A "cobiça da carne" refere-se ao fracasso em disciplinar as paixões humanas naturais. C. H. Dodd afirma que a "cobiça dos olhos" diz respeito "à tendência de ficar cativado pela exibição exterior". Dodd define a "ostentação dos bens" como "egoísmo pretensioso".[4] Vê-se em todos os casos a mesma coisa: obsessão pelas habilidades e poderes humanos naturais, sem dependência alguma de Deus. Isso é a carne em ação, e a carne é inimiga mortal da humildade.

É necessária a mais rigorosa disciplina diária para pôr tais paixões em xeque. A carne precisa aprender a dolorosa lição de que não possui nenhum direito que lhe seja próprio. É o serviço realizado longe dos holofotes que completará a dilapidação pessoal.

William Law causou profundo impacto na Inglaterra do século XVIII com o livro *A Serious Call to a Devout and Holy Life*. Nele, o autor insiste em que todos os dias sejam encarados como dias "de humildade". E qual a sugestão dele para fazermos isso? Aprender a servir ao semelhante. Law entendia que a disciplina do serviço traz a humildade para a vida. Este é seu conselho para quem deseja ser humilde:

> Ser condescendente com todas as fraquezas e enfermidades de seus companheiros, cobrir suas fragilidades, encorajar suas virtudes, aliviar as carências, ter júbilo na prosperidade deles, compadecer-se de suas aflições, acolher a amizade deles, relevar suas indelicadezas, perdoar-lhes a malícia, servir aos servos e dignar-se aos ofícios mais humildes da humanidade.[5]

Assim, a consequência dessa disciplina diária da carne será o surgimento da graça da humildade. Disfarçada e inesperadamente, ela se infiltrará em nós. Embora não percebamos sua presença, teremos consciência de um ânimo revigorado e de uma alegria em viver. Ficaremos maravilhados com a nova sensação de confiança que marcará nossas atividades. Embora as demandas da vida continuem tão grandes quanto sempre foram, viveremos com a sensação renovada de uma paz que nunca se afoba. Olharemos com compaixão as pessoas de quem tínhamos inveja, pois não veremos apenas a posição que ocupam, mas também seu sofrimento. "Enxergaremos" as pessoas de quem antes não fazíamos caso e descobriremos que são encantadoras. De alguma maneira — não é possível explicar precisamente como —, sentiremos um novo espírito de identificação com os proscritos, a "escória da terra" (1Coríntios 4.13).

Mais até do que a transformação que está acontecendo dentro de nós, temos uma consciência de alegria e amor mais profundos em Deus. Os dias são entremeados com instantes espontâneos de louvor e adoração. Servir às pessoas alegremente sem reconhecimento é encenar uma oração de ação de graças. Parece que um novo Centro de controle nos direciona — parece e é assim.

Sim, mas...

Uma dúvida natural e compreensível acompanha qualquer discussão séria sobre o serviço. Tal incerteza é sinal de prudência, já que é sensato calcular os custos antes de um mergulho precipitado em qualquer disciplina. Sentimos um medo que tem mais ou menos a seguinte formulação: "Se eu fizer isso, as pessoas irão se aproveitar de mim, pisarão em mim".

É bem nesse ponto que precisamos ver a diferença entre a opção de servir e a opção de ser servo. Quando optamos por servir, ainda estamos no comando. Decidimos a quem e quando serviremos. E, se estivermos no comando, tomaremos extremo cuidado para que ninguém pise em nós, ou seja, que ninguém assuma nosso lugar.

Todavia, quando escolhemos ser servos, abrimos mão do direito de estar no comando. Há grande liberdade nisso. Se escolhermos voluntariamente deixar que as pessoas se aproveitem de nós, então elas não poderão nos manipular. Quando escolhemos ser servos, renunciamos ao direito de decidir quem e quando serviremos. Passamos a ficar disponíveis e vulneráveis.

Pense pela perspectiva de um escravo. Ele enxerga toda a vida do ponto de vista da escravidão. Não se vê como alguém que possui os mesmos direitos que detêm os homens e mulheres livres. Por favor, entenda o que digo: a escravidão involuntária é cruel e degradante.[a] Entretanto, tudo muda quando a escravidão é escolhida livremente. A servidão voluntária é uma grande alegria.

O imaginário da escravidão pode ser difícil para nós, mas não o era para o apóstolo Paulo. Ele sempre ostentava sua escravidão a Cristo, fazendo uso abundante de um conceito do século I: o "escravo por amor" (ou seja, aquele que escolheu livremente permanecer escravo). Esforçamo-nos para suavizar a linguagem de Paulo, traduzindo a palavra "escravo" por "servo". Seja qual for a palavra que decidirmos usar, estejamos certos de que entendemos uma coisa: Paulo afirmou que voluntariamente abriu mão de seus direitos.

Portanto, é justificável o medo de que as pessoas se aproveitem de nós e nos pisem. É exatamente isso que pode acontecer. Contudo quem pode ferir alguém que escolheu livremente ser pisado? Thomas à Kempis recomenda: "Torna-te tão humilde submisso, que todos te possam pisar e calcar aos pés, qual lama da rua".[6]

Em *The little Flowers of St. Francis*, conta-se a história deliciosa de como Francisco ensinou ao Irmão Leonardo o significado da alegria perfeita. Enquanto andavam juntos na chuva e no frio cortante, Francisco lembrou Leonardo de todas as coisas que o mundo — incluindo o mundo religioso — acreditava que gerariam alegria, acrescentando a cada vez a expressão: "A alegria perfeita não está nisso". Finalmente, o Irmão Leonardo, já exasperado, perguntou: "Suplico, em nome de Deus, que me digas onde se encontra a alegria perfeita!". Francisco começou então a enumerar as coisas mais humilhantes e degradantes que pode imaginar, acrescentando a cada uma delas a expressão: "Ah, Irmão Leonardo,

---

[a] Boa parte de minha tese de doutorado tratava da escravidão na América. Tenho uma consciência vívida da natureza horrivelmente demoníaca da servidão involuntária.

observa que alegria perfeita está aí!". Para explicar e concluir a questão, declarou: "Acima de todas as graças e dádivas do Espírito Santo que Cristo concede a seus amigos, está a de conquistar a si mesmo e de suportar voluntariamente sofrimentos, insultos, humilhações e provações por amor a Cristo".[7]

Hoje, temos dificuldades para aceitar essas palavras. (Entenda que também entro em conflito até mesmo para ouvir os mestres devocionais nessa questão). Temos medo de que tal atitude descambe irrevogavelmente para o ascetismo excessivo e nos deixe entorpecidos. Na Igreja, só agora estamos emergindo da "teologia indigente", que desvalorizou terrivelmente as habilidades e o potencial humanos. O serviço regride a esse ponto? Não, certamente que não. Não há dúvidas, de que é um perigo contra o qual scmprc devemos nos proteger. Contudo, também precisamos nos guardar do inimigo que vem na direção oposta. Como diz Bonhoeffer: "Se não existir nenhum elemento de ascetismo em nossa vida, se largarmos as rédeas dos desejos da carne [...], acharemos difícil o treinamento para o serviço a Cristo".[8]

SERVIÇO NA LIDA DIÁRIA

O serviço não é uma lista de coisas que fazemos, embora descubramos nele coisas a fazer. Não é um código de ética, mas um modo de viver. Realizar atos específicos de serviço não é a mesma coisa que vivenciar a disciplina do serviço. Assim como o jogo de basquete é mais rico que os regulamentos, há mais riqueza no serviço que nos atos específicos de serviço. Uma coisa é *agir* como servo; outra, bem diferente, é *ser* um servo. À semelhança de todas as disciplinas, é possível ter domínio dos mecanismos do serviço sem provar a disciplina.

Entretanto, enfatizar que a natureza do serviço é interna não é suficiente. O serviço, para ser serviço, precisa assumir formas e contornos no mundo em que vivemos. Portanto, é preciso discernir qual aspecto o serviço assume na lida diária.

De início, existe o serviço de afastar-se dos holofotes. Até mesmo os líderes podem cultivar atos de serviço que geralmente permanecem desconhecidos. Se todos os serviços prestados são realizados diante do povo, seremos pessoas superficiais. Ouça a orientação espiritual de Jeremy Taylor: "O amor seja encoberto e pouco estimado: contenta-te com a carência de elogios, nunca fiques atribulado quando fores menosprezado [...]".[9] Ficar longe das atenções é uma repreensão à carne e pode desferir um golpe fatal no orgulho.

À primeira vista, pode parecer que o serviço prestado na obscuridade seja apenas a favor daquele que é servido. Não é esse o caso. Ministérios anônimos, longe dos holofotes, afetam até mesmo pessoas que não sabem nada a respeito deles. Elas percebem amor e compaixão mais profundos à sua volta, embora não consigam explicar a sensação. Se um serviço for prestado secretamente a favor delas, ficam inspiradas a uma devoção mais profunda, pois sabem que o poço do serviço é bem mais fundo do que conseguem enxergar. Esse é um ministério no qual todos podem se engajar. Ele envia reverberações de alegria e celebração a todo grupo de pessoas.

Existe o serviço das pequenas coisas. Assim como Dorcas, descobrimos formas de fazer "casacos e outras roupas" (Atos 9.39, *BV*). O que se segue é uma história real. Durante as dores de parto finais e frenéticas de escrever minha tese de doutorado, recebi o telefonema de um amigo. A mulher dele havia levado o carro, e ele queria saber se eu podia levá-lo a alguns lugares. Preso nessa cilada, consenti, maldizendo internamente minha sorte. Quando saí apressado pela porta, agarrei o livro de Bonhoeffer, *Vida em comunhão*, pensando que talvez tivesse uma oportunidade de lê-lo. A cada destino, eu me corroía por dentro, enfurecido com aquela perda de tempo precioso. Finalmente, no supermercado, a parada final, acenei para meu amigo, indicando que ele podia ir sozinho: eu esperaria no carro. Peguei o livro, abri onde estava o marcador e li as seguintes palavras:

> O segundo serviço que se deve prestar a alguém numa comunidade cristã é o de ser útil. Inicialmente, isso significa simplesmente prestar auxílio em tarefas externas, de menor importância. Existe um número sem fim dessas coisas, onde quer que haja um ajuntamento de pessoas. Ninguém é bom demais para o mais desonroso dos serviços. Aquele que se preocupa com a perda de tempo provocada por esses pequenos atos triviais de ajuda normalmente está dando demasiada importância à própria carreira.[10]

Francisco de Sales diz que as grandes virtudes e as pequenas lealdades são como açúcar e sal. O açúcar pode ter um sabor mais refinado, contudo é usado com menos frequência. O sal encontra-se em todos os lugares. As grandes virtudes são uma ocorrência rara; o ministério das coisas pequenas é um serviço diário. As grandes tarefas exigem grande sacrifício por um momento; as coisas pequenas requerem sacrifício constante.

> As oportunidades pequenas [...] repetem-se a todo instante [...]. Se quisermos ser fiéis nessas pequenas coisas, a natureza nunca tem tempo para tomar fôlego, e precisamos morrer para todas as nossas inclinações. Fazer alguns grandes sacrifícios para Deus deve, cem vezes, ser nossa escolha, não importando quão extremos e dolorosos sejam, com a condição de sermos libertos com a liberdade de acompanhar nosso gosto em todos os pequenos detalhes.[11]

Na esfera do espírito, logo descobrimos que as questões verdadeiras encontram-se nos cantos diminutos e insignificantes da vida. Nossa obsessão com as "grandes realizações" nos cegou para esse fato. O serviço das coisas pequenas irá nos pôr em conflito com a indolência e o ócio. Passaremos a enxergar as coisas pequenas como questões importantes. Fénelon escreve: "Não é grandeza de espírito sentir desprezo pelas coisas pequenas. Ao contrário, é por causa dos pontos de vista excessivamente estreitos que consideramos pequenos aquilo que tem consequências de longo alcance".[12]

Existe o serviço de proteger a reputação alheia ou, como Bernardo de Claraval descreve, o serviço da "Caridade". É algo muito necessário, caso queiramos ser poupados da maledicência. O apóstolo Paulo ensina: "Não caluniem ninguém" (Tito 3.2). Podemos revestir a maledicência de toda a respeitabilidade que quisermos, mas ela continuará sendo um veneno mortal. A disciplina de refrear a língua opera maravilhas dentro de nós.

Também não devemos nos juntar às conversas caluniosas. Numa das igrejas em que servi, a equipe pastoral tinha uma regra, que os membros passaram a perceber. Recusávamos deixar qualquer pessoa da congregação falar a um pastor de maneira depreciativa sobre outro ministro. De forma dócil, mas firme, pedíamos que elas se dirigissem diretamente ao alvo da reclamação. Por fim, os crentes entenderam que simplesmente não permitiríamos que ninguém falasse mal de um pastor. Essa regra, seguida por toda a equipe, teve consequências benéficas.

Bernardo adverte-nos que a língua maliciosa "desfere um golpe mortal na caridade e em todos os que ouvem suas palavras e, até onde for possível, destrói raiz e ramos, não somente nos que ouvem em primeira mão, mas também em todos os outros a quem a calúnia, voando de boca em boca, é posteriormente repetida".[13] Proteger a reputação alheia é um serviço profundo e duradouro.

Existe o serviço de ser servido. Quando Jesus começou a lavar os pés daqueles a quem amava, Pedro se recusou. Não podia permitir que seu Mestre se curvasse para prestar a ele um serviço tão humilhante. Embora pareça uma declaração de humildade, na verdade foi um ato de orgulho dissimulado. O serviço de Jesus era uma afronta ao conceito que Pedro tinha de autoridade. Se Pedro fosse o mestre, nunca teria lavado os pés de ninguém!

Permitir que alguém nos sirva é um ato de submissão e de serviço. É o reconhecimento da "autoridade do Reino" exercida sobre nós. Devemos receber com benevolência o serviço prestado, sem nos sentir comprometidos em fazer compensações. Aqueles que, motivados pelo orgulho, se recusam a ser servidos fracassam em submeter-se à liderança concedida divinamente no Reino de Deus.

Existe o serviço da gentileza comum. Tais atos de compaixão depararam com dias difíceis em nossa época; é necessário, porém, que nunca se desprezem os rituais de relacionamento que fazem parte de toda cultura. É um dos poucos meios que sobreviveram na sociedade moderna para uma pessoa reconhecer o valor da outra. Devemos ser "amáveis e [mostrar] sempre verdadeira mansidão para com todos os homens" (Tito 3.2).

Os missionários compreendem o valor da gentileza. Eles não ousariam cometer o grave erro de chegar a um vilarejo exigindo serem ouvidos antes de passar pelos rituais apropriados de apresentação e de familiarização. No entanto, achamo-nos no direito de violar esses rituais se a cultura for a nossa e ainda queremos ser aceitos e ouvidos. Depois nos perguntamos por que ninguém nos dá atenção.

Contudo, queixamo-nos de que "os atos de gentileza são tão inexpressivos, tão hipócritas!". Isso é um mito. Eles são extremamente significativos e nem um pouco hipócritas. Assim que superarmos nossa arrogância egocêntrica quanto ao fato de que as pessoas realmente não querem saber como estamos quando perguntam: "Como vai?", poderemos perceber que é apenas o jeito ocidental de notar nossa presença. Também podemos acenar e reconhecer a presença de pessoas sem sentir a necessidade de informar-lhes o prognóstico da última dor de cabeça que tivemos. Expressões como "obrigado" e "sim, por favor", cartas de agradecimento e respostas aos pedidos de RSVP,* todas representam serviços de gentileza. Os atos específicos irão variar de cultura para cultura, mas o propósito é sempre o mesmo: reconhecer as pessoas e afirmar o valor que elas têm. O serviço da gentileza é extremamente necessário numa sociedade cada vez mais computadorizada e despersonalizada.

Existe o serviço da hospitalidade. Esta é a recomendação insistente de Pedro a nós: "Sejam mutuamente hospitaleiros, sem reclamação" (1Pedro 4.9). Paulo faz o mesmo apelo e até faz desse serviço um pré-requisito para a função de bispo (1Timóteo 3.2; Tito 1.8). Existe hoje uma necessidade desesperadora de cristãos que recebam uns aos outros em casa.

A ideia antiga de ter uma casa de hóspedes ficou obsoleta com a proliferação das modernas pousadas e dos restaurantes, mas podemos questionar seriamente se essa mudança representa um avanço. Tenho andado pelas missões espanholas na Califórnia e fico maravilhado com as instalações aconchegantes e práticas construídas para os visitantes. Talvez sejam as pousadas modernas, luzidias e despersonalizadas que devam se tornar obsoletas.

Conheço um casal que busca fazer do ministério da hospitalidade uma prioridade na vida deles. Em um mês qualquer, o número de visitantes na casa deles pode chegar a 70. Eles acreditam que Deus os chamou para esse serviço. Talvez a maioria de nós não consiga fazer tanto, mas podemos fazer alguma coisa, começar por algum lugar.

---

* Abreviação da expressão francesa *réspondez s'il vous plait*, que significa "responda, por favor", muito usada em convites que requeiram confirmação de presença em eventos. [N. do T.]

Às vezes, limitamos a nós mesmos porque complicamos demais a hospitalidade. Lembro-me de uma ocasião em que nossa anfitriã estava correndo para lá e para cá, dando atenção a isto e aquilo, querendo sinceramente nos deixar à vontade. Um amigo meu surpreendeu-nos (e tranquilizou todos), ao dizer: "Helen, não quero café. Não quero chá. Não quero biscoitos. Não quero guardanapo. Só quero fazer uma visita. Será que você não vai se sentar e conversar com a gente?". Apenas uma oportunidade de ficar junto e de compartilhar — é disso que a hospitalidade é feita.

Existe o serviço de escutar. Diz Bonhoeffer que "o primeiro serviço que se deve aos outros na comunhão consiste em ouvi--los. Assim como o amor a Deus começa quando ouvimos suas palavras, o começo do amor aos irmãos é aprender a ouvi-los".[14] Precisamos desesperadamente do apoio que pode surgir quando ouvimos uns aos outros. Não precisamos ter formação psicanalítica para obter o título de ouvinte. Os requisitos mais importantes são a compaixão e a paciência.

Você não precisa ter todas as respostas para ser um bom ouvinte. De fato, frequentemente as respostas representam um obstáculo à escuta, pois ficamos mais ansiosos para responder que para ouvir. A escuta impaciente, feita pela metade, é uma afronta a quem está falando.

Ouvir as pessoas aquieta e disciplina a mente para ouvir Deus. Realiza uma obra no coração que transforma os afetos e até mesmo as prioridades da vida. Se ficamos entorpecidos no momento de ouvir Deus, faremos bem em começar a ouvir em silêncio as pessoas e tentar descobrir se Deus fala por meio delas. Para Bonhoeffer, "qualquer um que considere seu tempo valioso demais para gastá-lo em silêncio, cedo ou tarde não terá nenhum tempo para Deus nem para seu irmão, mas unicamente para si mesmo e para os próprios desatinos".[15]

Existe o serviço de carregar as cargas uns dos outros. "Levem os fardos pesados uns dos outros e, assim, cumpram a lei de Cristo" (Gálatas 6.2). A "lei de Cristo" é a lei do amor — a "lei do Reino", como Tiago a denomina (Tiago 2.8). O amor cumpre-se com maior perfeição quando carregamos as dores e sofrimentos uns dos outros, chorando com os que choram. Especialmente quando ficamos ao lado dos que enfrentam grande provação, o choro é bem mais proveitoso que as palavras.

Se nos importarmos com nossos irmãos, aprenderemos a carregar os pesares uns dos outros. Digo aprender porque também devemos obter o domínio dessa disciplina. A maioria de nós pressupõe com demasiada facilidade que a decisão de carregar os fardos alheios é o bastante para nos capacitar a isso. Então tentamos durante um tempo, e logo a alegria da vida nos abandona: ficamos oprimidos com a angústia dos outros. Não precisa ser assim. É possível auxiliar alguém com sua carga sem ser esmagado por ela. Jesus, que carregou o fardo do mundo inteiro, pôde dizer: "O meu jugo é suave e o meu fardo é leve" (Mateus 11.30). Será que podemos tomar os pesares e sofrimentos de alguém e pô-los nos braços fortes e ternos de Jesus, para que nosso fardo fique mais leve? É claro que podemos, mas para isso alguma prática se faz necessária. Em vez de sair em disparada para carregar o fardo do mundo inteiro, comecemos de forma mais humilde. Podemos começar em algum canto, em algum lugar, e aprender. Jesus será nosso Mestre.

Por fim, existe o serviço de compartilhar as palavras de vida. As *poustinias* fundadas por Catherine de Haeck Doherty têm uma regra: os que entram nos desertos do silêncio e da solitude fazem isso por causa dos outros. Devem trazer toda palavra que receberam de Deus e compartilhá-la com o grupo. Esse é um serviço gracioso a ser prestado, pois nenhum indivíduo consegue ouvir tudo que Deus tem para dizer. Dependemos uns dos outros para receber integralmente o pleno conselho proveniente de Deus. O menor dos membros pode ter uma palavra para nós. Não ousemos desprezar o serviço.

Evidentemente, proclamar essas palavras uns aos outros é de dar medo. O *fato* de Deus falar conosco não é garantia de que entendemos corretamente a mensagem. Frequentemente, mesclamos nossas palavras com o que Deus nos diz: "Da mesma boca procedem bênção e maldição" (Tiago 3.10). Realidades como essa nos diminuem e lançam-nos numa profunda dependência de Deus. No entanto, não podemos recuar desse serviço, pois é desesperadamente necessário hoje.

O Cristo ressurreto acena para nós com o ministério da toalha. Esse ministério, que brota dos recessos do coração, é vida, alegria e paz. Talvez você queira começar ensaiando uma oração que muitos fazem. Comece o dia orando assim: "Senhor Jesus, da forma que te agradar, envia hoje a mim alguém a quem eu possa servir".

Notas

[1] Kelly, Thomas R. **A Testament of Devotion**. (New York: Harper & Brothers, 1941), p. 124.

[2] Francisco de Assis. **Selections from the Writings of St. Francis of Assisi**. Nashville: Upper Room Press, 1952. p. 25.

[3] Milton, John. **The Complete Works of John Milton**. New York: Crown, 1936. p. 614.

[4] Dodd, C. H. Apud Barclay, William. **The Letters of John and Jude**. Philadelphia: Westminster Press, 1960. p. 68-69.

[5] Law, William. **A Serious Call to a Devout and Holy Life**. Nashville: Upper Room Press, 1952. p. 26.

[6] Kempis, Thomas à. The Imitation of Christ. In: **The Consolation of Philosophy**. New York: Random House, 1943. p. 211.

[7] Irmão Ugolino, op. cit., p. 58-60.

[8] Bonhoeffer, Dietrich. **The Cost of Discipleship**. New York: Macmillan, 1963. p. 188 [**Discipulado**. São Leopoldo: Sinodal, 2004].

[9] TAYLOR, Jeremy. The Rule and Exercises of Holy Living. **Fellowship of the Saints:** An Anthology of Christian Devotional Literature. New York: Abingdon-Cokesbury Press, 1957. p. 353.

[10] BONHOEFFER, Dietrich. **Life Together**. New York: Harper & Row, 1952. p. 99 [**Vida em comunhão**. São Leopoldo: Sinodal, 2006].

[11] FÉNELON, François. **Christian Perfection**. Minneapolis: Bethany Fellowship, 1975. p. 34.

[12] Id., ibid., p. 36.

[13] BERNARDO DE CLARAVAL. **St. Bernard on the Song of Songs**. London: Mowbray, 1952. p. 70.

[14] BONHOEFFER, **Life Together**, p. 97.

[15] Id., ibid., p. 98.

PARTE III
AS DISCIPLINAS COMUNITÁRIAS

DEZ

A DISCIPLINA DA CONFISSÃO

Confessar as más obras é o primeiro passo para as boas obras.

— AGOSTINHO DE HIPONA

O desejo de doar e de perdoar está no coração de Deus. Por causa disso, ele deflagrou todo o processo redentor que culminou na cruz e foi confirmado na ressurreição. O conceito disseminado sobre o que Jesus fez na cruz segue mais ou menos nesta direção: as pessoas eram tão más que deixaram Deus extremamente indignado com elas, a ponto de não poder perdoá-las, a menos que alguém importante fosse condenado em seu lugar.

Nada pode estar mais longe da verdade. Foi o amor, e não a raiva, que levou Cristo à cruz. O Gólgota aconteceu como resultado do grande desejo que Deus tem de perdoar, não de sua relutância. Jesus sabia que, com seu sofrimento vicário, seria capaz de absorver todo o pecado da humanidade e, assim, curá-la, perdoá-la, redimi-la.

Foi por isso que Jesus recusou o anestésico que era habitualmente oferecido. Ele queria estar completamente alerta para a maior das obras de redenção. De uma forma profunda e misteriosa, ele estava se preparando para tomar sobre si o pecado coletivo da raça humana. Considerando que Jesus vive no eterno agora,* seu feito não serviu apenas para seus contemporâneos, mas ele absorveu toda a violência, todo o medo, todo o pecado do passado, do presente e do futuro. Essa foi a obra mais sublime e sagrada de todas, que possibilita a confissão e o perdão.

Parece que, na opinião de alguns, foi um momento de fraqueza quando Jesus clamou em alta voz: "Meu Deus! Meu Deus! Por que me abandonaste?" (Marcos 15.34). Nada disso! *Foi o momento máximo do triunfo.* Jesus, que andara em comunhão constante com o Pai, identificou-se tão inteiramente com a humanidade que passou a ser a própria personificação do pecado. Como Paulo escreveu: "Deus tornou pecado por nós aquele que não tinha pecado" (2Coríntios 5.21). Jesus obteve sucesso em absorver todos os poderes da escuridão da presente era e derrotou cada um deles pela luz de sua presença. Ele alcançou uma identificação tão completa com o pecado da raça que passou pela experiência de ser abandonado por Deus. Só assim, poderia fazer a remissão dos pecados. Realmente, aquele momento foi o ponto alto de seu triunfo.

Tendo realizado o maior de todos os feitos, Jesus descansou. "Está consumado!", exclamou. Isto é, a grandiosa obra da redenção estava completa. Ele podia sentir os últimos fragmentos do tormento da humanidade passando por ele e chegando aos cuidados do Pai. As últimas pontadas de maldade, hostilidade, raiva e medo se esvaíram dele, de modo que pôde se voltar novamente para a luz da presença de Deus. "Está consumado!": a tarefa foi cumprida. Logo depois disso, o Filho estava livre para entregar o espírito ao Pai.

---

* O "eterno agora" é um termo usado por Agostinho para discutir a eternidade de Deus. Para ele, Deus não tem passado nem futuro, apenas um presente sem fim. Esse conceito recebeu influência de Plotino, filósofo oriental do século III. [N. do T.]

De sangue, avermelhou-se para envergonhar nossos pecados;
Para nos mostrar Deus, ele fechou os olhos;
Deve o mundo todo prostrar-se e saber
Que ninguém, senão Deus, para demonstrar tal amor tem poder.

— BERNARDO DE CLARAVAL

O processo redentivo é um grande mistério, oculto no coração de Deus. Contudo, sei que é verdade. Sei disso não somente porque a Bíblia o afirma, mas porque tenho visto os efeitos na vida de muitas pessoas, incluindo na minha. Com base nisso, podemos saber que a confissão e o perdão são realidades que nos transformam. Sem a cruz, a disciplina da confissão seria terapêutica apenas no âmbito psicológico; é, todavia, muito mais que isso. Envolve uma mudança objetiva em nosso relacionamento com Deus, além de uma mudança subjetiva em nós. É um veículo de cura e de transformação do espírito.

Talvez você diga: "Mas sempre achei que Cristo na cruz e a redenção diziam respeito à salvação!". É verdade. No entanto, a salvação descrita na Bíblia é bem mais abrangente: vai muito além de crer em Cristo e ir para o céu. Para a Bíblia, a salvação é um acontecimento e um processo. Aos convertidos, Paulo aconselha: "Ponham em ação a salvação de vocês com temor e tremor" (Filipenses 2.12). No sermão intitulado "O arrependimento dos santos", John Wesley trata da necessidade de os cristãos se apropriarem mais da graça perdoadora de Deus. A disciplina da confissão ajuda o cristão a crescer: "[...] e cheguemos à maturidade, atingindo a medida da plenitude de Cristo" (Efésios 4.13).

"Mas não é a confissão uma graça, e não uma disciplina?", pergunta você. As duas coisas. A menos que Deus conceda a graça, não é possível fazer nenhuma confissão genuína. É também uma disciplina, porque há coisas que precisamos fazer. É um curso de ação escolhido conscientemente que nos deixa à sombra do Todo-poderoso.

"Como pode a confissão fazer parte da lista de disciplinas comunitárias? Pensei que isso fosse uma questão de foro íntimo, entre o indivíduo e Deus", você insiste. Mais uma vez, a resposta não é "uma coisa ou outra", e sim "uma coisa e outra". Somos gratos pelo ensino bíblico, ressaltado na Reforma, de que "há [...] um só mediador entre Deus e os homens: o homem Cristo Jesus" (1Timóteo 2.5). Também somos gratos por outro ensino bíblico, mais valorizado em nossos dias: "Confessem os seus pecados uns aos outros e orem uns pelos outros [...]" (Tiago 5.16). Ambos os aspectos encontram-se nas Escrituras, e um não exclui o outro.

Para nós, a confissão é uma disciplina difícil, pois concebemos a comunidade cristã como uma comunhão de santos antes de a enxergarmos como uma comunhão de pecadores. A sensação é de que todos progrediram tanto na santidade que estamos isolados, solitários com nosso pecado. Não suportamos a ideia de revelar nossos fracassos e deficiências a outros cristãos. Imaginamo-nos como os únicos que colocaram os pés para fora da estrada que conduz ao céu. Assim, preferimos nos esconder, passando a conviver com mentiras veladas e com a hipocrisia.

No entanto, se estivermos cientes, antes de tudo, de que o povo de Deus é uma comunhão de pecadores, ficaremos livres para ouvir o chamado incondicional de Deus para amar e confessar abertamente nossa necessidade diante dos irmãos e irmãs. Sabemos que não estamos sozinhos no pecado. O medo e o orgulho, que se agarram a nós como carrapatos, também fixam suas garras nos outros irmãos. Somos pecadores e temos companhia. Nos atos de confissão mútua, liberamos o poder que cura. Nossa humanidade não mais é negada, e sim transformada.

Autoridade para perdoar

Os seguidores de Jesus Cristo receberam a autoridade para ouvir a confissão de pecados e perdoá-los em seu nome: "Se [vocês] perdoarem os pecados de alguém, estarão perdoados; se não os perdoarem, não estarão perdoados" (João 20.23). Que privilégio fantástico! Por que temos nos esquivado desse ministério que traz tanta vida? Se nós — não por mérito, mas por pura graça — recebemos autoridade para libertar as pessoas, como ousamos reter esse dom grandioso? Dietrich Bonhoeffer diz que "nosso irmão [...] foi-nos dado para nos ajudar. Ele ouve a confissão de nossos pecados no lugar de Cristo e perdoa esses pecados em nome de Cristo. Mantém a confissão em segredo, assim como Deus o faz. Quando procuro meu irmão para me confessar, estou procurando Deus".[1]

De forma alguma tal autoridade ameaça o valor ou a eficácia da confissão individual. É uma verdade maravilhosa a de que o indivíduo pode abrir caminho até uma vida nova na cruz sem a ajuda de qualquer mediador humano. Na época da Reforma, essa realidade adentrou impetuosamente a Igreja, como um sopro de ar fresco. Tornou-se um estrondoso chamado ao livramento da escravidão e da manipulação, que haviam rastejado para dentro do sistema confessional eclesiástico. Contudo, também precisamos lembrar que o próprio Lutero acreditava na confissão mútua, fraternal. No *Catecismo maior*, ele escreve: "Portanto, quando te exorto à confissão, estou te exortando a que sejas cristão".[2] Também não devemos esquecer-nos de que a introdução do sistema confessional na Igreja foi a centelha para o reavivamento da devoção pessoal e da santidade.

Quem experimenta o perdão e libertação de hábitos pecaminosos importunos mediante a confissão individual deve alegrar-se imensamente por essa evidência da misericórdia de Deus. Para alguns de nós, porém, isso não acontece. Deixe-me descrever a situação. Oramos, até mesmo imploramos, pedindo perdão e, embora tenhamos a esperança de havê-lo obtido, não sentimos nenhum alívio. Não temos plena certeza de que fomos perdoados e desanimamos da confissão. Nosso receio é que talvez tenhamos confessado nossos pecados apenas para nós mesmos, mas não para Deus. Os pesares e feridas que assombram nosso passado não foram curados. Tentamos convencer-nos de que Deus perdoa apenas os pecados: não cura a memória. Lá no fundo, sabemos que existe algo mais. Fomos instruídos a nos apropriarmos do perdão pela fé, sem chamarmos Deus de mentiroso. Sem a intenção de chamar Deus de mentiroso, damos o melhor de nós para nos apropriarmos do perdão pela fé. Contudo, pelo fato de a miséria e a amargura na vida permanecerem, entramos novamente em desespero. Por fim, começamos a acreditar que o perdão é passagem só de ida para o céu, que ele não pretende afetar nossa vida hoje ou que não somos dignos da graça perdoadora de Deus.

Os que de alguma forma se identificam com essas palavras podem alegrar-se. Não exaurimos nossos recursos nem a graça de Deus quando tentamos fazer uma confissão individual. No *Livro de oração comum*, dando prosseguimento ao chamado para o autoexame e para o arrependimento, lemos estas palavras animadoras:

> Se qualquer um entre vocês que, por meio disso, não conseguir aquietar a essa altura a própria consciência, mas precisar de consolo ou de conselhos adicionais, que venha a mim ou a algum outro ministro da Palavra de Deus e exponha sua angústia [...].[3]

Deus concedeu-nos irmãos e irmãs que se ponham no lugar de Cristo e tornem reais para nós a presença e o perdão de Deus.

As Escrituras ensinam que todos os cristãos são sacerdotes perante Deus: "Vocês [...] são geração eleita, sacerdócio real"

(1Pedro 2.9). Na época da Reforma, isso era chamado "sacerdócio dos crentes". Uma das funções do sacerdote no Antigo Testamento era obter o perdão dos pecados mediante o sacrifício sagrado. Evidentemente, a carta aos Hebreus deixa claro que Jesus Cristo é o sacrifício definitivo e suficiente. Ele nos outorgou este sacerdócio: o ministério de tornar esse sacrifício real no coração e na vida de outros seres humanos. Por meio da voz de irmãos e irmãs, a palavra de perdão é ouvida e cria raízes em nossa vida. Bonhoeffer escreve:

> O homem que confessa seu pecado na presença de um irmão sabe que já não está sozinho: ele experimenta a presença de Deus na realidade de outra pessoa. Enquanto estiver sozinho na confissão de meus pecados, tudo permanece na escuridão, mas, na presença de um irmão, o pecado precisa ser trazido para a luz.[4]

O formato estilizado dessa via ampla de ajuda é chamado "confessionário" ou "sacramento da penitência". Embora muitos, até mesmo eu, sintam um desconforto intenso com essa forma de confissão, certas vantagens são inegáveis. A primeira é que a apresentação formal da confissão na forma impressa não dá espaço para desculpas nem para circunstâncias atenuantes. É preciso confessar que pecamos por culpa nossa, confessar o fracasso mais angustiante. Os pecados não podem ser considerados erros de julgamento, nem há espaço para pôr a culpa na criação, na família ou nos vizinhos maldosos. É uma *terapia de realidade* do melhor tipo, já que temos tanta inclinação para atribuir pecados a tudo e a todos, em vez de assumir a responsabilidade pessoal por eles.

A segunda vantagem do confessionário é que se espera a palavra do perdão; e na absolvição ela é recebida. Palavras contidas nas Escrituras, ou semelhantes, são pronunciadas em voz alta. "Se confessarmos os nossos pecados, ele é fiel e justo para perdoar os nossos pecados e nos purificar de toda injustiça" (1João 1.9).

Diz-se ao penitente, com palavras inteligíveis e plenas de autoridade, que ele está perdoado e liberto de seu pecado. A garantia do perdão é selada no Espírito quando nosso irmão o profere em nome de Cristo.

A terceira vantagem do confessionário institucionalizado é a penitência. Se ela for entendida como forma de merecer o perdão, de fato se tornará perigosa. Contudo, se for encarada como oportunidade de fazer uma pausa para considerar a gravidade do pecado, então seu mérito é genuíno. Hoje, tratamos as transgressões contra o amor de Deus com extrema suavidade. Se tivéssemos apenas um vislumbre da repugnância que Deus sente pelo pecado, iríamos nos esforçar muito mais por uma vida santa. Deus faz o seguinte apelo: "Não façam essa abominação detestável!" (Jeremias 44.4). O propósito da penitência é ajudar-nos a avançar para uma percepção mais profunda do que seja pecaminosidade.

É evidente que tudo isso pode ser feito sem a formalidade do confessionário. De fato, saber com que estamos lidando representa um progresso enorme na aceitação do ministério da confissão como propriedade comum do povo de Deus. Como fazer isso? Um exemplo vivo talvez nos proporcione mais concretude a esse conceito.

Diário de uma confissão

Embora tivesse lido na Bíblia a respeito do ministério da confissão na irmandade cristã, não tive essa experiência até pastorear minha primeira igreja. Não era por causa de algum fardo íntimo nem da sensação de pecado que eu evitava dar o difícil passo de expor minha vida interior a outra pessoa. A verdade é que eu não via nada de errado nisso — exceto por um detalhe. Eu ansiava por mais poder para realizar a obra de Deus. Sentia-me incapaz de lidar com muitas das necessidades desesperadoras com que deparava. Tinha de haver mais recursos espirituais além daqueles que eu costumava experimentar (e tive todas as experiências com o Espírito Santo que você imagine existir: cite qualquer uma delas: eu a tive!). Eu orava: "Senhor, existe algo mais que queiras trazer para minha vida? Quero ser conquistado por ti, dirigido por ti. Se existe algo impedindo o fluxo de teu poder, revela-o a mim". E ele revelou. Não foi com voz audível nem mesmo com voz humana, mas simplesmente por um sentimento crescente de que talvez algo em meu passado estivesse bloqueando a vida que flui de Deus. Então fiz um diagrama. Dividi minha vida em três períodos: infância, juventude e vida adulta. No primeiro dia, fiquei diante de Deus em oração e meditação, papel e lápis na mão. Esperei em silêncio absoluto cerca de dez minutos, convidando-o a me revelar qualquer coisa de minha infância que precisasse de perdão ou de cura, ou de ambas as coisas. Tomei nota de tudo que emergia da minha consciência. Em momento algum, tentei analisar as informações nem fiz juízo de valor. Minha garantia era que Deus revelaria qualquer coisa que precisasse de seu toque restaurador. Ao terminar, coloquei o lápis e o papel de lado: era o suficiente por aquele dia. No dia seguinte, realizei o mesmo exercício sobre os anos de minha juventude; no terceiro, sobre minha vida de adulto.

Com aquele papel na mão, procurei um querido irmão em Cristo. Havia combinado com ele dia, horário e local uma semana antes, por isso ele sabia o propósito de nosso encontro. Lentamente, às vezes de maneira dolorosa, eu lia o papel, acrescentando os comentários necessários para esclarecer o pecado. Quando terminei, comecei a guardar o papel de volta em minha pasta. Com sabedoria, meu conselheiro/confidente segurou minha mão e pegou a folha de papel. Sem nenhuma palavra, ele pegou um cesto de lixo e, enquanto eu o observava, rasgou o papel em centenas de pedaços e jogou-os ali. Àquela expressão poderosa e não verbal de perdão, seguiu-se uma absolvição total. Soube então que meus pecados estavam tão longe de mim quanto o Oriente está longe do Ocidente.

Em seguida, meu amigo impôs as mãos sobre mim e orou pela cura de todas as mágoas e feridas do meu passado. Até hoje, carrego o poder daquela oração.

Não posso afirmar que esse momento foi carregado de comoção. Não houve isso. De fato, a experiência toda foi um ato de obediência pura, sem a mínima sensação de urgência, mas estou convencido de que isso me libertou de uma maneira que jamais experimentara. A sensação era de que eu fora liberado para explorar regiões novas e ainda não alcançadas do Espírito. Com essa experiência, fui despertado para as diversas disciplinas descritas neste livro, as quais eu nunca havia exercitado. Seria uma ligação causal? Não sei, e, sinceramente, isso não importa. Foi suficiente ter obedecido ao direcionamento vindo do alto.

Houve, sim, um interessante efeito colateral. A exposição de minha humanidade gerou um lampejo de liberdade no interior de meu conselheiro e amigo: logo após orar por mim, ele conseguiu confessar um pecado profundo e perturbador. Tal confissão lhe parecia impossível até aquele momento. Liberdade gera liberdade.

COMO FAZER UMA CONFISSÃO

Não somente é verdade que "nós amamos porque ele nos amou primeiro", como também é verdade que fomos capacitados a confessar especialmente porque ele nos amou primeiro (1João 4.19). As evidências da misericórdia e da graça divinas despertam o coração contrito e permitem que a confissão siga seu curso. Somos atraídos a Deus do modo descrito por Oseias: "Atraí-os com cordas humanas, com laços de amor" (Oseias 11.4, *ARA*). Aproximamo-nos dele com o coração esperançoso, pois ele espera por nós assim como o pai do filho perdido, que, ao avistá-lo quando ele ainda estava bem distante, correu e abraçou-o e deu-lhe as boas-vindas em seu retorno (Lucas 15.20). O maior prazer de Deus é perdoar. Ele convida as reluzentes criaturas que habitam o céu para uma festa sempre que alguém pratica a confissão.

O que fazemos? Afonso de Ligório escreve: "Fazem-se necessárias três coisas para uma boa confissão: examinar a consciência, pesar e determinação para evitar o pecado".[5]

O "exame de consciência",[a] como escreve Douglas Steere, é o momento "em que a alma fica submetida ao olhar atento de Deus, em que, na Presença silenciosa e amorosa, essa alma é penetrada até o âmago e torna-se consciente das coisas que precisam ser perdoadas e endireitadas antes que possa continuar a amar aquele cujo cuidado tem sido tão constante".[6] Estamos convidando Deus a sondar nosso coração e a mostrar-nos as áreas que precisam de seu toque perdoador e restaurador.

Precisamos estar preparados para lidar com pecados específicos quando passamos pela experiência de nos expor ao "olhar atento de Deus". Uma confissão "por atacado" pode poupar-nos da humilhação e da vergonha, mas não inflamará a cura interna. As pessoas que procuravam Jesus dirigiam-se a ele com pecados óbvios, específicos, e cada um deles foi perdoado. É extremamente fácil esquivar-se da culpa real quando se faz uma confissão genérica. Ao confessar, precisamos apresentar pecados concretos. Ao chamá-los "concretos", não me refiro apenas a pecados que podem ser vistos, mas a pecados específicos: pecados do coração (orgulho, mesquinhez, raiva, medo) e também pecados da carne (preguiça, glutonaria, adultério, homicídio). Podemos utilizar o método já descrito. Talvez nos interessemos pelo método empregado por Lutero: ele procurava examinar a si mesmo de acordo com os Dez

---

[a] A antiga ideia cristã de examinar a consciência como preparação para a confissão está a anos-luz da moderna ideia secular de "faça o que sua consciência mandar". A consciência é, em si, corrompida e culturalmente condicionada — portanto, um guia pouquíssimo confiável em questões como ética e crença.

Mandamentos. Talvez sejamos levados a adotar um procedimento bem diversificado.

No entanto, o desejo de ser específico não pode nos expor ao risco oposto, isto é, o de ficarmos indevidamente preocupados em desenterrar todos os detalhes de nossa vida até o presente. Com profundo bom senso, Francisco de Sales aconselha: "Não fique preocupado caso não se lembre de todos os seus pecadilhos, pois, assim como você caiu neles sem perceber, também sairá deles sem perceber".[7]

O "pesar" é necessário à boa confissão. No que se refere a ela, o pesar não é primordialmente uma emoção, embora possa haver emoções envolvidas. É aversão ao pecado cometido; remorso profundo por haver desgostado o coração do Pai. O pesar está mais vinculado à vontade que às emoções. De fato, o pesar das emoções sem o pesar da vontade destrói a verdadeira confissão.

O pesar é uma forma de levar a sério a confissão. É o oposto do sacerdote — e, sem dúvida, do penitente, ridicularizado por Chaucer em *Os contos de Cantuária*:

> Com toda a doçura, ele ouviu a confissão.
> E agradável foi a absolvição.[8]

A "determinação para evitar o pecado" é o terceiro elemento essencial a uma boa confissão. Na disciplina da confissão, pedimos a Deus que nos conceda o desejo ardente por santidade e aversão à impiedade. Certa vez, John Wesley declarou: "Dê-me cem pregadores que não temam nada, exceto o pecado, que não desejem nada, exceto Deus [...], isso bastará para fazer estremecer os portões do inferno e estabelecer o Reino dos céus na terra".[9] É a *vontade* de sermos libertados do pecado que procuramos obter de Deus enquanto nos preparamos para a confissão. É preciso ter o desejo de ser conquistado e comandado por Deus — se não desejamos tal coisa, precisamos ter o desejo de desejá-la. Tal desejo é uma dádiva graciosa, proveniente de Deus. A busca dessa dádiva faz parte dos preparativos para nossa confissão a um irmão ou irmã.

Tudo isso lhe parece complicado? Ainda receia deixar passar algum item e, assim, invalidar tudo? Normalmente, é muito mais complicado na análise que na prática. Lembre-se do coração do Pai: ele é como o pastor que arriscará tudo para encontrar uma única ovelha perdida. Não o precisamos convencer a nos perdoar. É ele quem está trabalhando para que tenhamos vontade de buscar seu perdão.

Uma observação adicional quanto aos preparativos para a confissão: é preciso haver um ponto-final no processo de autoexame. Caso contrário, podemos facilmente cair num ciclo permanente de autocondenação. A confissão começa com pesar, mas termina com alegria. Há celebração no perdão dos pecados, pois isso resulta numa vida genuinamente transformada.

Em seguida, vem a questão prática: a quem devemos nos confessar? É bem certo, em termos teológicos, afirmar que todo cristão pode ouvir a confissão de outro, mas nem todos sentirão empatia ou terão maturidade suficiente. Embora lamentável, é fato da vida que algumas pessoas são incapazes de manter um segredo. Outros cristãos não se qualificam porque ficariam horrorizados diante da revelação de algum pecado mais grave. Outros ainda, sem compreender a natureza e o valor da confissão, menosprezariam sua importância, dizendo: "Não é tão ruim quanto parece". Felizmente, há muitos cristãos idôneos que teriam grande prazer em ministrar dessa forma. Como encontrar esses cristãos? Pedindo que Deus os aponte para nós. Também os identificamos em nossa busca por cristãos que demonstrem sinais de uma fé viva no poder de Deus para perdoar e que evidenciem a alegria do Senhor no coração. As qualidades principais são: maturidade espiritual, sabedoria, compaixão, bom senso afinado, capacidade de guardar segredos e senso de humor sadio. Muitos pastores — embora certamente não todos — podem conduzir essa ministração. Contudo, quase sempre são os crentes comuns, que não detêm nenhum cargo ou título, os melhores candidatos a ouvir nossa confissão.

O que fazer se houver uma transgressão que nos seja impossível revelar? Se nos faltar coragem para expor determinado aspecto de nossa vida? Então tudo que precisamos dizer para o irmão é: "Preciso de sua ajuda. Existe um pecado que não consigo confessar". Então o confidente/amigo "lançará mão de um jeito fácil de arrastar para fora da caverna a besta-fera que o poderá devorar. Tudo que você precisa fazer é responder 'sim' ou 'não' às perguntas. E veja: o inferno temporal e o eterno desaparecem, a graça de Deus é restabelecida e a paz da consciência passa a reinar suprema".[10]

COMO OUVIR UMA CONFISSÃO

Como em qualquer ministério espiritual, é preciso passar por uma preparação para que possamos ouvir adequadamente uma confissão de pecados.

O primeiro passo é aprender a viver em sujeição à cruz. Bonhoeffer escreve:

> Qualquer um que viva em sujeição à cruz, que discerniu na cruz de Jesus a absoluta impiedade de todos os homens e do seu próprio coração, descobrirá que não há pecado que ele já não conheça. Qualquer um que já tenha se horrorizado e se espantado com o próprio pecado que pregou Jesus na cruz não mais ficará horrorizado, nem mesmo com os pecados mais escabrosos de um irmão.[11]

Essa é a única coisa que nos poupará de, em algum momento, ficarmos ofendidos com a confissão de alguém e que nos libertará para sempre de transmitir qualquer atitude de superioridade.

Conhecemos o engano que há em nosso coração e também a graça e a misericórdia do acolhimento divino. Assim que percebemos a malignidade de nosso pecado, ficamos sabendo que, independentemente do que os outros tenham feito, somos os principais pecadores.

Portanto, não há pecado que alguém possa contar que vá nos deixar perturbados. Nenhum. Vivendo sob a cruz, conseguiremos ouvir as piores coisas já imaginadas da boca das melhores pessoas já vistas e nem sequer ergueremos as sobrancelhas. Se vivermos nessa realidade, comunicaremos esse espírito aos irmãos. Eles saberão que é seguro conversar conosco, que podemos ouvir qualquer coisa que venham a revelar. Sabem que nunca seremos condescendentes com eles, mas poderão contar com nossa compreensão.

Quando vivemos nesse espírito, não precisamos convencer ninguém de que informações confidenciais permanecerão confidenciais. Todos saberão que nunca trairemos a confiança deles. Não será preciso dizer-lhes isso. Jamais seremos tentados a trair essa confiança, pois conhecemos o pesar divino que as impulsionou a dar passo tão difícil.

Vivendo em sujeição à cruz, ficamos livres do perigo da dominação espiritual. Já estivemos onde nosso irmão está agora; por isso, desaparece o desejo de usar contra ele sua confissão. Também não sentimos necessidade de controlá-lo ou de endireitá-lo. Tudo que sentimos é aceitação e compreensão.

Na fase preparatória para esse ministério sagrado, é sensato orar com regularidade, pedindo que a luz de Cristo em nós seja ampliada. Assim, quando estivermos com alguém, irradiaremos a vida e a luz de Cristo para o seu interior. Aprenderemos a viver de tal forma que nossa simples presença falará do amor e da graça perdoadora de Deus. Além disso, devemos orar pedindo a intensificação do dom de discernimento. Esse dom é especialmente importante no momento que segue ao da confissão. Precisamos ter a capacidade de discernir a cura de que o espírito realmente necessita.

É fundamental que, ao expor alguém seus pesares, tenhamos a disciplina de permanecer calados. Nessa hora, somos fortemente tentados a aliviar a tensão com algum comentário precipitado. Além de distrair, a interrupção pode destruir a sacralidade do momento. Tampouco devemos tentar arrancar mais detalhes que o necessário. Se percebermos que, por causa de constrangimento ou medo, ele está retendo alguma coisa, o melhor método é esperar em silêncio e oração.

Certa vez, uma mulher estava expressando seu pesar diante de mim e do Senhor. Quando ela terminou, tive a sensação de que deveria esperar em silêncio. Logo ela começou a dividir um profundo pecado interno que nunca conseguira contar a ninguém. Em seguida, contou-me que, enquanto eu esperava, ela olhara para mim e "vira", sobrepostos aos meus olhos, os olhos do Outro, que transmitiram a ela o amor e o acolhimento que lhe permitiram descarregar o peso do coração. Não senti nada nem "vi" nada, mas não ponho em dúvida a experiência dela, pois isso resultou numa cura interior maravilhosa.

Essa história ilustra outro fator importante na hora de ouvir uma confissão. É aconselhável, por meio da oração, dispor a cruz entre você e o penitente. Isso o impedirá de receber meras emoções humanas da sua parte, além de impedir que você receba quaisquer influências danosas da parte dele. Tudo é filtrado por meio da luz de Cristo. Sua compaixão recebe novo alento e é fortalecida pelo amor divino. Sua oração será mediada pelo poder da cruz.

Nem é necessário dizer que, enquanto a pessoa faz a confissão, você deve orar por ela. Interna e imperceptivelmente (seria indelicado deixar transparecer que você está orando), faça orações de amor e de perdão em favor dela. Além disso, você está orando para que ela lhe ofereça a "chave" que revelará qualquer área que necessite do toque restaurador de Cristo.

Por fim, é extremamente importante que você ore a favor da pessoa, em vez de simplesmente lhe dar conselhos. Antes ou durante a oração, devemos anunciar que o perdão existente em Jesus Cristo agora é real e eficaz em sua própria vida. Podemos dizer tais coisas com palavras e com autoridade genuína, pois temos o céu inteiro dando suporte à absolvição (João 20.22,23).[b]

A oração é para curar as feridas internas causadas pelo pecado. O melhor é que a oração seja feita com "imposição de mãos", que é um ensinamento elementar da Bíblia e um meio pelo qual Deus comunica seu poder de gerar vida (Hebreus 6.2). Peça que Deus flua no mais profundo da mente e cure as mágoas do passado. Mentalize uma imagem da cura e agradeça a Deus por ela. Agnes Sanford escreve a respeito desse ministério ligado à oração:

> Cria-se uma harmonia muito profunda com esse tipo de oração. Quem ora sente os sentimentos da pessoa por quem ora, a tal ponto que é comum surgirem lágrimas, de um núcleo profundo de compaixão dentro da alma. No entanto, se houver choro, não será de aflição, mas de alegria, sabendo-se que essas lágrimas não são próprias, mas nascidas no coração compassivo de Cristo que afaga o perdido, e a alegria de Cristo finalmente encontra um condutor por meio do qual pode alcançar a pessoa a quem ele ama.[12]

---

[b] Encontramos nessas palavras de Jesus não somente o ministério de perdoar os pecados, mas também o de não perdoar. "Se perdoarem os pecados de alguém, estarão perdoados; se não os perdoarem, não estarão perdoados". O ministério de reter os pecados é simplesmente a recusa de tentar conduzir a pessoa a algo para o qual não está pronta. Às vezes, ficamos tão ansiosos para trazer alguém para o Reino que tentamos anunciar o perdão antes de ele o procurar ou até mesmo desejar. Infelizmente, essa doença caracteriza boa parte da evangelização moderna.

A disciplina da confissão põe fim à presunção. Deus está chamando à existência uma igreja que pode confessar abertamente sua humanidade débil e conhecer as dádivas do perdão e da graça revitalizante de Cristo. A honestidade leva à confissão, e a confissão leva à mudança. Que Deus conceda à Igreja a graça de recuperar a disciplina da confissão!

Notas

[1] Bonhoeffer, Dietrich. **Life Together**. New York: Harper & Row, 1952. p. 112 [**Vida em comunhão**. São Leopoldo: Sinodal, 2006].

[2] Id., ibid., p. 118.

[3] Apud Sanford, Agnes. **The Healing Gifts of the Spirit**. New York: Holman, 1966. p. 110 [**Os dons de cura do Espírito Santo**. São Paulo: Paulinas, 1990].

[4] Bonhoeffer, op. cit., p. 116.

[5] Ligório, Afonso de. A Good Confession. **To Any Christian**. London: Burns & Oates, 1964. p. 192.

[6] Steere, Douglas. **On Beginning from Within**. New York: Harper & Brothers, 1943. p. 80.

[7] Ligório, op. cit., p. 193.

[8] Chaucer, Geoffrey. **The Canterbury Tales**. Baltimore: Penguin Books, 1959. p. 23 [**Os contos de Cantuária**. São Paulo: T. A. Queiroz, 1988].

[9] Apud Bounds, E. M. **Power Through Prayer**. Chicago: Moody Press, [s.d.], p. 77 [**Poder através da oração**. São Paulo: Batista Regular, 1998].

[10] Ligório, op. cit., p. 195.

[11] Bonhoeffer, op. cit., p. 118. A expressão "viver sob a cruz" é de Bonhoeffer.

[12] Sanford, op. cit., p. 117.

ONZE

A DISCIPLINA DA ADORAÇÃO

Adorar é vivificar a consciência com a santidade de Deus, suprir a mente com a verdade de Deus, purificar a imaginação com a beleza de Deus, abrir o coração ao amor de Deus, consagrar a vontade ao propósito de Deus.

— WILLIAM TEMPLE

    Adorar é experimentar a Realidade, é tocar a Vida. É conhecer, sentir, experimentar o Cristo ressurreto em meio ao ajuntamento da comunidade. É irromper na *Shekinah* de Deus ou, melhor ainda, ser invadido pela *Shekinah* de Deus.[a]

    Deus está procurando adoradores. Jesus declarou: "Os verdadeiros adoradores adorarão o Pai em espírito e em verdade. São estes os adoradores que o Pai *procura*" (João 4.23). É Deus quem procura, atrai, convence. A adoração é a reação humana à iniciativa divina. Em Gênesis, Deus anda pelo jardim, à procura de Adão e Eva. Na crucificação, Jesus atraiu homens e mulheres a si (João 12.32).

---

[a] *Shekinah* significa a glória ou o resplendor de Deus que habita no meio de seu povo. Indica a proximidade da divina Presença, em contraposição a um Deus abstrato ou indiferente.

As Escrituras estão repletas de exemplos do esforço de Deus para iniciar, restaurar e manter a comunhão com seus filhos. Deus é semelhante ao pai do filho perdido que, ao ver seu filho ao longe, disparou em sua direção para dar-lhe as boas-vindas.

A adoração é nossa reação à oferta de amor que se origina no coração do Pai. Sua realidade central expressa-se "em espírito e em verdade". Ela se acende dentro de nós somente quando o Espírito de Deus toca o espírito humano. Formas e ritos não produzem adoração, tampouco produz a descontinuação de formas e rituais. Podemos usar todas as técnicas e métodos adequados, podemos ter a melhor liturgia possível, mas não adoramos o Senhor enquanto o Espírito não tocar o espírito. As palavras do estribilho "Meu espírito vem libertar para que a ti eu possa adorar" revelam o fundamento da adoração. Enquanto Deus não tocar e libertar nosso espírito, não conseguiremos entrar nessa esfera. Cantar, orar, louvar — tudo isso pode levar à adoração, mas a adoração é maior que quaisquer dessas coisas. Nosso espírito precisa ser inflamado pelo fogo divino.

Em consequência disso, não precisamos ficar excessivamente preocupados com a questão da forma correta de adorar. A liturgia sofisticada ou popular, desta ou daquela forma, é um assunto periférico. Somos incentivados a esse raciocínio quando nos damos conta de que nenhuma passagem do Novo Testamento prescreve uma forma específica de adoração. De fato, o que encontramos é uma liberdade inacreditável naqueles que possuem raízes profundas no sistema litúrgico das sinagogas. Eles tinham a realidade. Quando o Espírito toca o espírito, a questão da forma é relegada inteiramente a segundo plano.

Dizer que as formas estão em segundo plano não é afirmar sua irrelevância. Enquanto formos seres humanos finitos, precisaremos das formas. Precisamos ter "odres" que deem corpo à nossa experiência de adoração. Contudo, a forma não deve ser confundida com a adoração: ela só nos conduz à adoração. Em Cristo, temos liberdade para utilizar qualquer forma que intensifique a adoração; se essa forma nos impede de ter experiências com o Cristo vivo, então não é a melhor forma.

O OBJETO DA ADORAÇÃO

Jesus responde de uma vez por todas à pergunta: "A quem devemos adorar?". Ele diz: "Adore o Senhor, o seu Deus, e só a ele preste culto" (Mateus 4.10). O único Deus verdadeiro é o Deus de Abraão, Isaque e Jacó; o Deus que Jesus Cristo revelou. Deus deixou claro sua aversão a qualquer espécie de idolatria ao incluir um mandamento incisivo no início do Decálogo: "Não terás outros deuses além de mim" (Êxodo 20.3). A idolatria não consiste apenas em curvar-se diante de objetos de adoração visíveis. A. W. Tozer declara: "A essência da idolatria é abrigar pensamentos a respeito de Deus que sejam indignos dele".[1] Pensar corretamente a respeito de Deus é, em essência, pôr tudo no lugar. Pensar errado a respeito de Deus é, por sua vez, tirar tudo do lugar.

Precisamos, a todo custo, enxergar quem é Deus: ler a respeito de sua autorrevelação ao antigo povo de Israel, meditar sobre seus atributos, atentar para a revelação de sua natureza em Jesus Cristo. Quando vemos o Senhor dos Exércitos "alto e elevado", ponderamos sobre sua sabedoria e conhecimento infinitos, ficamos maravilhados com sua misericórdia e amor insondáveis e não nos resta outra coisa, a não ser nos precipitar na doxologia.

> Alegre teus atributos confessar,
> Todos eles gloriosos, que não se podem contar.[2]

Enxergar quem o Senhor é conduz-nos à confissão. Quando Isaías teve a visão da glória de Deus, ele gritou: "Ai de mim! Estou perdido! Pois sou um homem de lábios impuros e vivo no meio de um povo de lábios impuros; os meus olhos viram o Rei, o

Senhor dos Exércitos!" (Isaías 6.5). A pecaminosidade penetrante dos seres humanos torna-se evidente quando contrastada com a santidade radiante de Deus. Nossa inconstância torna-se aparente assim que enxergarmos a fidelidade de Deus. Entender sua graça é entender nossa culpa.

Adoramos o Senhor não somente por causa de quem ele é, mas também por causa do que ele tem feito. Acima de tudo, o Deus da Bíblia é o Deus que age. Sua bondade, fidelidade, justiça e misericórdia podem todas ser vistas na forma pela qual ele lida com seu povo. Suas ações graciosas não estão somente gravadas na história antiga, mas também entalhadas em nossa história pessoal. Como o apóstolo Paulo afirma, a única reação plausível é a adoração (Romanos 12.1). Louvamos Deus por quem ele é e agradecemos a ele por aquilo que tem feito.

A PRIORIDADE DA ADORAÇÃO

Se é para o Senhor ser *Senhor*, é necessário que a adoração seja uma prioridade em nossa vida. O *primeiro* mandamento de Jesus é: "Ame o Senhor, o seu Deus, de todo o seu coração, de toda a sua alma, de todo o seu entendimento e de todas as suas forças" (Marcos 12.30). A prioridade divina é a adoração em primeiro lugar e o serviço em segundo. Nossa vida deve estar entremeada com louvor, ação de graças e adoração. O serviço brota da adoração. Quando ele substitui a adoração, é idolatria. A atividade é inimiga da adoração.

A principal função dos sacerdotes levitas era "se aproximar para [ministrar] diante de mim" (Ezequiel 44.15). No sacerdócio do Antigo Testamento, ministrar diante de Deus precedia todos os outros trabalhos. E isso também vale para o sacerdócio dos crentes do Novo Testamento. Uma tentação perigosa que todos enfrentamos é ficar atabalhoados, atendendo a solicitações de serviço sem ministrar ao próprio Deus.

Hoje, Deus está conclamando sua Igreja de volta à adoração Isso pode ser visto nos altos círculos eclesiásticos, nos quais há um interesse renovado na intimidade com Deus. Também pode ser visto nos círculos comuns da Igreja, nos quais há um interesse renovado na liturgia. E pode ser visto em todas as instâncias que ficam entre os dois círculos. É como se Deus estivesse dizendo: "Quero de volta o coração do meu povo!". Se traçarmos o objetivo de ir aonde Deus está indo e fazer o que Deus está fazendo, entraremos numa adoração mais profunda, mais autêntica.

Preparando-se para a adoração

Uma característica marcante da adoração, na Bíblia, é que o povo se reunia tendo algo a que só podemos chamar "expectativa santa". Eles acreditavam que, de fato, ouviriam a *Kol Yahweh*, a voz de Deus. Quando Moisés entrava no tabernáculo, ele sabia que estava na presença de Deus. O mesmo vale para a igreja primitiva. Aqueles que estavam reunidos não se surpreenderam quando o prédio tremeu com o poder de Deus. Isso já havia acontecido (Atos 2.2; 4.31). Quando uns caíram mortos e outros foram levantados dos mortos pela palavra do Senhor, o povo soube que Deus estava entre eles (Atos 5.1-11; 9.36-43; 20.7-10). Quando os cristãos primitivos se ajuntavam, a consciência de que o véu estava partido em dois se aguçava e, à semelhança de Moisés e Arão, entravam no Santo dos Santos. Não era necessário nenhum intermediário. Estavam entrando na presença sublime, gloriosa e graciosa do Deus vivo. Eles se ajuntavam com expectativa, sabendo que Cristo estava presente entre eles, que os ensinaria e os tocaria com seu poder.

Como cultivamos essa expectativa sagrada? Começa em nós, quando entramos na *Shekinah* do coração. Enquanto cuidamos das tarefas do dia a dia, nosso interior transborda em adoração. Trabalhamos, divertimo-nos, comemos e dormimos, mas ainda assim estamos ouvindo, sempre ouvindo nosso Mestre. Os escritos de Frank Laubach estão repletos da sensação de viver debaixo da sombra do Onipotente:

> Entre todos os milagres, o maior é este: saber que te encontro mais intensamente quando trabalho ouvindo [...]. Dou-te graças, também, pelo hábito da conversa constante ficar cada dia mais fácil. Realmente acredito que *todos* os pensamentos podem ser conversas contigo.[3]

O Irmão Lourenço conhecia a mesma realidade. Por haver experimentado a presença de Deus numa cozinha, ele sabia que também encontraria Deus na missa. Ele escreveu: "Não consigo imaginar como pessoas religiosas podem viver satisfeitas sem a prática da presença de Deus".[4] Os que já experimentaram a *Shekinah* de Deus no cotidiano nunca mais conseguem se satisfazer sem a "prática da presença de Deus".

Captando a perspectiva do Irmão Lourenço e de Frank Laubach, dediquei um ano inteiro a aprender como viver constantemente receptivo a Jesus, na qualidade de meu Mestre sempre presente. Determinei-me a aprender seu vocabulário: "Ele está se dirigindo a mim por meio daqueles pássaros que cantam ou por meio daquele rosto triste?". Procurei permitir que ele se manifestasse em cada ação: em meus dedos enquanto escrevia, em minha voz enquanto falava. Meu desejo era entremear cada minuto com sussurros de reverência, louvor e ação de graças. Era comum não conseguir nada durante horas, às vezes durante dias. Eu insistia e tentava de novo. Aquele ano foi de grande proveito para mim, e, em especial, minha expectativa quanto à adoração comunitária foi intensificada. Afinal, se Cristo falava graciosamente comigo em dezenas de oportunidades ao longo da semana, por certo falaria comigo nessa hora também. Além disso, achei cada vez mais fácil distinguir a voz dele no alvoroço da vida cotidiana.

Quando duas, três ou mais pessoas se reúnem para a adoração comunitária com uma expectativa sagrada, a atmosfera do lugar é transformada. Os que entram vazios ou distraídos logo percebem a Presença silenciosa. Mentes e corações ficam enlevados. O ar fica carregado de expectativa.

Eis uma forma prática de implementar essa ideia. Viva a semana inteira como herdeiro do Reino, ouvindo a voz de Cristo, obedecendo à sua palavra. Depois de ouvi-lo durante toda a semana, você não terá dúvida de que ouvirá sua voz também quando se reunir para a adoração comunitária. Chegue para o culto dez minutos mais cedo. Eleve o coração em adoração ao Rei da glória. Contemple sua majestade, glória e ternura, tal como reveladas em Jesus Cristo. Imagine a visão maravilhosa que Isaías teve do Senhor "alto e exaltado" ou a revelação magnífica que João teve de Cristo, com olhos "como chama de fogo" e voz semelhante ao "som de muitas águas" (Isaías 6; Apocalipse 1). Convide a Presença real a tornar-se manifesta.

Em seguida, apresente o pastor e outros líderes de adoração à luz de Cristo. Imagine o resplendor da *Shekinah* de Deus a envolvê-los. Em seu interior, libere-os para falar a verdade com ousadia, no poder do Senhor.

Quando o povo começar a entrar no santuário, olhe à sua volta até identificar alguém que precise de sua intercessão. Talvez alguém com os ombros encurvados ou de semblante triste. Conduza-o até a luz gloriosa e revigorante da Presença divina. Observe o fardo caindo de seus ombros, tal como aconteceu com o Peregrino, na alegoria de Bunyan. Mantenha-o em foco durante todo o culto. Se tão somente uns poucos agirem assim na congregação, a experiência da adoração será mais profunda para todos.

Outra característica vital da comunidade cristã primitiva era o senso de se "ajuntarem" na adoração. Em primeiro lugar, o ajuntamento realmente significava um grupo reunido. Em segundo lugar, eles se ajuntavam em unidade de espírito, transcendendo o individualismo.

Em contraste com as religiões do Oriente, a fé cristã enfatiza com vigor a adoração comunitária. Mesmo em situações de extremo perigo, a comunidade primitiva era orientada a não abandonar os ajuntamentos (Hebreus 10.25). As Epístolas fazem constantes referências à comunidade cristã como o "corpo de Cristo". Assim como a vida é inconcebível sem cabeça, braços e pernas, era igualmente inconcebível para aqueles cristãos viver isolados uns dos outros. Martinho Lutero dá testemunho do fato de que "em casa, em minha casa, não há nenhum aconchego ou vigor em mim, mas na igreja, quando a multidão se ajunta, um fogo se acende em meu coração e extravasa".[5]

Além disso, quando o povo de Deus se reúne, é comum a sensação de estar "ajuntado" numa só mente, vendo as coisas da mesma forma (Filipenses 3.15). Thomas Kelly escreve:

> Somos impregnados de uma Presença revigorante, que derruba certas paredes de privacidade e isolamento em nosso interior, mesclando nosso espírito com a Vida e o Poder que ultrapassam o indivíduo. Uma Presença objetiva e dinâmica nos envolve, nutre nossa alma, exprime consolo alegre e indizível e vivifica áreas profundas de nós que jaziam inertes.[6]

Quando estamos verdadeiramente reunidos na adoração, ocorrem coisas que jamais aconteceriam se estivéssemos sozinhos. É certo que existe a psicologia de grupos, porém nesse caso há muito mais: é interpenetração divina. Acontece aquilo que os autores bíblicos chamam *koinonia*, uma profunda comunhão interna no poder do Espírito.

Essa experiência transcende em muito o *esprit de corps*. Em nada depende de unidades homogêneas, nem mesmo de uma pessoa obter informações a respeito da vida de outra. O que nos isola é dissolvido divinamente. No poder do único Espírito, somos "envolvidos em tal senso de unidade e da Presença que todas as palavras são silenciadas e somos abrigados por uma calmaria e por um entrelaçamento inexprimíveis, no interior de uma vida mais ampla".[7] Essa comunhão na adoração substitui a adoração insípida e maçante.

O LÍDER DA ADORAÇÃO

A adoração genuína tem apenas um Líder: Jesus Cristo. Quando digo que ele é o Líder da adoração, quero dizer, antes de tudo, que Cristo está vivo e presente no meio do seu povo. Sua voz pode ser ouvida no coração de cada um, e sua presença é reconhecida. Não apenas iremos ler a respeito dele nas Escrituras, mas também iremos conhecê-lo por revelação. Ele quer nos ensinar, guiar, repreender e consolar.

Cristo está vivo e presente em todos os seus ofícios. Na adoração, tendemos a enxergar Cristo apenas em seu ofício sacerdotal de Salvador e Redentor, mas ele também está entre nós como Profeta e Rei. Ou seja, ele nos ensinará a respeito da justiça e nos dará poder para fazer o que é correto. George Fox recomenda: "Reúnam-se em nome de Jesus [...] ele é o Profeta de vocês, o Pastor, o Bispo, o Sacerdote no meio de vocês, para recebê-los, santificá-los e nutri-los com a Vida e para vivificá-los com Vida".[8]

Além disso, Cristo está vivo e presente com todo o seu poder. Ele não nos salva somente das consequências do pecado, mas também da dominação do pecado. Qualquer que seja a sua instrução, ele nos dará também a capacidade de obedecer. Se Jesus é nosso Líder, é de esperar que milagres aconteçam durante a adoração. Curas — internas e externas — serão a regra, não a exceção. O livro de Atos não será apenas uma história contada, mas algo que experimentamos.

Por fim, Cristo é o Líder da adoração, pois somente ele decide quais meios humanos serão usados, se é que o serão. Os crentes pregam, profetizam, cantam e oram conforme são inspirados pelo Líder. Assim, não sobra espaço para exaltar reputações individuais. Somente Jesus é honrado. À medida que a Cabeça os inspira, qualquer um ou todos os dons do Espírito são exercidos com liberdade e alegremente recebidos. Talvez seja proferida uma palavra de conhecimento, que revela a intenção do coração, e assim saberemos que o Rei Jesus está no comando. Talvez alguém profetize ou faça uma exortação que nos deixe de cabelo em pé, porque sentimos que a *Kol Yahweh* foi pronunciada. A pregação e o ensino, que brotam porque a Cabeça viva os inspirou, dão fôlego à adoração. A pregação sem unção divina cai como gelo sobre a comunidade adoradora. A mensagem que vem do íntimo inflama o espírito da adoração; a pregação que vem da mente apaga o tição em brasa. Não existe nada mais revitalizante que a pregação inspirada pelo Espírito; não existe nada mais mortífero que a pregação humanamente inspirada.

Após essa exposição vigorosa a respeito da liderança de Cristo na adoração, talvez você acabe pensando que a liderança humana não é importante. Nada pode estar mais longe da verdade. Se Deus não designar líderes inspirados, compassivos e com autoridade para levar o povo a adorar, então a experiência da adoração será quase impossível. É por esse motivo que existem os dons de liderança concedidos pelo Espírito (Efésios 4.11). Os líderes de adoração inspirados por Deus não devem intimidar-se com a responsabilidade da liderança. O povo precisa ser conduzido *à* adoração: desde o pátio externo até o pátio interno e, finalmente, ao Santo dos Santos. Deus unge líderes para que liderem seu povo nessa progressão até que a adoração seja alcançada.

Estradas para a adoração

Um dos motivos pelos quais a adoração deve ser considerada uma disciplina espiritual é por ser uma forma estabelecida de agir e de viver que nos põe diante de Deus para que ele possa nos transformar. Embora estejamos apenas reagindo ao toque libertador do Espírito Santo, existem estradas, divinamente traçadas, para alcançar essa esfera.

A primeira que leva à adoração é o sossego de toda atividade de origem humana. Sossegar a "atividade humana" — expressão criada pelos patriarcas da vida interior — não é coisa confinada aos cultos formais de adoração, mas é um estilo de vida. Ela deve permear o tecido da vida cotidiana. Devemos viver num silêncio perene, interno, pronto para ouvir, a fim de que Deus seja a origem de nossas palavras e ações. Se estivermos acostumados a conduzir os assuntos da vida com força e sabedoria humanas, faremos o mesmo na adoração comunitária. Se, porém, cultivarmos o hábito de permitir que cada conversa ou cada negociação tenha um impulso divino, a mesma sensibilidade fluirá na adoração comunitária. François Fénelon escreve: "Feliz é a alma que, ao renunciar-se com sinceridade, mantém-se nas mãos do Criador, pronta a fazer tudo que ele quer, e que não cessa de dizer a si mesma, cem vezes por dia: 'Senhor, o que farias e que devo fazer?' ".[9]

Isso lhe parece impossível? O único motivo pelo qual acreditamos que essa condição está fora de nosso alcance é não termos compreendido Jesus como nosso Mestre sempre presente. Depois que passamos algum tempo sob sua tutela, vemos que é possível arraigar cada movimento de nossa vida em Deus. Ao acordar de manhã, permaneceremos na cama, louvando e adorando em silêncio o Senhor. Diremos a ele que desejamos viver sob sua liderança e governo. Indo de carro para o trabalho, perguntaremos ao Mestre: "Como estamos indo?". Imediatamente, o Mentor fará surgir em nossa mente, como num *flash*, aquela observação sarcástica que fizemos ao cônjuge no café da manhã, o "dar de ombros" que os filhos receberam a caminho da porta. Perceberemos então que estávamos agindo conforme a carne. Então virá a confissão e a restauração, e a humildade será renovada.

Ao parar no posto de gasolina, sentiremos um impulso divino para nos familiarizarmos com o frentista, vê-lo como pessoa, e não como máquina. Continuaremos dirigindo, exultando com uma percepção nova da atividade que se inicia no Espírito. E assim será ao longo do dia: um ímpeto aqui, uma atração ali, às vezes nos adiantando e às vezes ficando para trás em relação ao nosso Guia. Como a criança que dá seus primeiros passos, aprenderemos por tentativa e erro, certos de que temos um Mestre presente que, por meio do Espírito Santo, nos guiará a toda verdade. Desse modo, passamos a compreender o que Paulo quis dizer quando nos orientou a "não [vivermos] segundo a carne, mas segundo o Espírito" (Romanos 8.4).

Sossegar a atividade da carne para que a atividade do Espírito Santo domine nossa maneira de viver irá afetar e orientar a adoração comunitária. Poderá, em determinados momentos, assumir a forma de silêncio absoluto. Por certo, é mais adequado fazer um silêncio reverente diante do Santo eterno que entrar apressadamente em sua Presença com o coração e a mente distraídos e a língua sem freio. A exortação bíblica é: "O Senhor [...] está em seu santo templo; diante dele fique em silêncio toda a terra" (Habacuque 2.20). Amona, um dos pais do deserto, escreve:

> Olha, meu amado. Eu te mostrei o poder do silêncio, quão completamente ele cura e quão plenamente agradável é para Deus. [...] Foi pelo silêncio que os santos cresceram [...], foi por causa do silêncio que o poder de Deus habitou neles, por causa do silêncio que os mistérios de Deus lhes foram apresentados.[10]

O louvor é outra estrada que leva à adoração. Os salmos representam a literatura de adoração, e sua característica mais marcante é o louvor. "Louvem ao Senhor" é o grito que reverbera de uma ponta a outra do Saltério. Cantar, gritar, dançar, exultar e adorar — todas essas são linguagens do louvor.

As Escrituras insistem em que "ofereçamos continuamente a Deus um sacrifício de louvor, que é fruto de lábios que confessam o seu nome" (Hebreus 13.5). A antiga aliança exigia sacrifício de touro e de bodes. A nova aliança exige o sacrifício de louvor. Pedro diz que, como novo sacerdócio real de Cristo, devemos oferecer "sacrifícios espirituais", ou seja, "anunciar as grandezas daquele que [nos] chamou das trevas para a sua maravilhosa luz" (1Pedro 2.5,9). Pedro e João saíram do Sinédrio com as costas sangrando, mas louvando com os lábios (Atos 5.41). Paulo e Silas encheram a prisão de Filipos com seus cânticos de louvor (Atos 16.25). Em cada um desses casos, eles estavam oferecendo sacrifício de louvor.

O movimento mais poderoso de louvor do século XX foi o movimento carismático. Por meio dele, Deus soprou vida nova e vitalidade em milhões de pessoas. Em nossos dias, a Igreja de Jesus Cristo está cada vez mais consciente da importância do papel que o louvor desempenha para nos conduzir à adoração.

No louvor, percebemos como é elevado o grau em que as emoções precisam ser levadas para o ato de adoração. A adoração exclusivamente cerebral é uma aberração. Os afetos são parte legítima da personalidade humana e devem desempenhar seu papel na adoração. Fazer tal afirmação não significa que a adoração deva cometer violência contra as faculdades racionais, mas que, em si, as faculdades racionais são insuficientes. Paulo aconselha-nos a orar com o espírito, mas também com o entendimento; a cantar com o espírito, mas também com a mente (1Coríntios 14.15). Esse é um dos motivos da existência do dom espiritual de falar em línguas. Ele nos ajuda a ir além da mera adoração racional e alcançar no íntimo a comunhão com o Pai. Pode ser que a mente não saiba o que está sendo dito, mas dentro de nós o espírito compreende. O Espírito toca o espírito.

A intenção do cântico é conduzir-nos ao louvor. Ele cria o ambiente para a expressão das emoções. Por meio da música, expressamos nossa alegria, nossa ação de graças. Nada menos que 41 salmos ordenam que "cantemos ao SENHOR". Se nos concentrarmos no cântico, ele nos dará um foco e iremos convergir para o centro. Mentes e espíritos fragmentados se fundirão num todo unificado e nos inclinaremos para Deus.

Deus pede uma adoração que envolva todo o nosso ser. Corpo, mente, espírito e emoções, tudo deve ser depositado no altar da adoração. É comum esquecermos que a adoração deve incluir o corpo, a mente e o espírito.

A Bíblia descreve a adoração em termos corporais. O significado da raiz da palavra hebraica que traduzimos por "adoração" é "prostrar". O verbo "abençoar" significa literalmente "ajoelhar". "Ação de graças" refere-se a "estender a mão". Por toda a Escritura, encontramos uma variedade de posturas físicas vinculadas à adoração: prostrar-se, ficar em pé, ajoelhar-se, levantar as mãos, bater palmas, levantar a cabeça, abaixar a cabeça, dançar, vestir-se com pano de saco e cobrir-se de cinzas. Portanto, devemos oferecer nosso corpo a Deus, bem como todo o resto de nosso ser. A adoração é essencialmente corporal.

Na adoração, devemos apresentar nosso corpo a Deus numa postura coerente com nosso espírito. Ficar em pé, bater palmas, dançar, levantar as mãos e levantar a cabeça são posturas coesas com o espírito de louvor. Permanecer imóvel, desalentado, simplesmente não é adequado para o louvor. Ajoelhar-se, curvar a cabeça e prostrar-se são posturas adequadas ao espírito de adoração e de humildade.

Somos rápidos em fazer objeções a essa linha de pensamento. "As pessoas têm temperamentos diferentes", argumentamos.

"Talvez isso tenha um apelo para os sanguíneos, mas meu temperamento é quieto, reservado. Não é o tipo de adoração que satisfaz minhas necessidades." O que precisamos enxergar é que, na adoração, a pergunta verdadeira não é: "O que satisfará minhas necessidades?". A pergunta verdadeira é: "Que tipo de adoração Deus está pedindo?". Fica claro que Deus pede uma adoração com todo o entusiasmo. É tão razoável esperar que a adoração convicta seja física quanto esperar que ela seja cerebral.

Normalmente, o "temperamento reservado" não passa de medo daquilo que as pessoas vão pensar ou talvez relutância em se humilhar diante de Deus e das pessoas. É claro que há temperamentos diferentes, mas isso não nos deve impedir de adorar com todo o nosso ser.

Dito isso, devo logo acrescentar que a reação física à adoração nunca, de forma alguma, deve ser manipulada. Devemos dar uns aos outros a liberdade de reagir à ação de Deus no coração. Em muitas das experiências de adoração que tive, num momento qualquer era possível ver pessoas sentadas, em pé, ajoelhadas e prostradas, e o Espírito de Deus repousava sobre todas elas. Algumas dão evidência de emoções profundas, outras não demonstram nenhuma reação externa, mas todas estão sob as asas protetoras do Espírito de Deus. "Foi para a liberdade que Cristo nos libertou. Portanto, permaneçam firmes e não se deixem submeter novamente a um jugo de escravidão" (Gálatas 5.1).

Evidentemente, é possível fazer todas as coisas que descrevi e jamais adorar de verdade, mas elas podem abrir estradas através das quais podemos chegar à presença de Deus, para que nosso espírito seja tocado e liberto.

Os passos para a adoração

A adoração é algo que fazemos. Estudar a teologia da adoração e debater as formas da adoração são coisas positivas, mas insuficientes em si mesmas. Em última análise, é adorando que aprendemos a adorar. Permita-me ensinar-lhe uns passos simples, na esperança de que o auxiliem na experiência da adoração.

Em primeiro lugar, pratique a presença de Deus diariamente. Tente seguir ao pé da letra as palavras de Paulo: "Orai sem cessar" (1Tessalonicenses 5.17, *ARA*). Entremeie cada momento com sussurros interiores de adoração, louvor e ação de graças. Reserve momentos em particular para adoração e confissão silenciosa, estudo bíblico e atenção exclusiva a Cristo, o Mestre sempre presente. Tudo isso acentuará sua expectativa quanto à adoração comunitária, pois a experiência da adoração na congregação será simplesmente a continuação, a intensificação daquilo que você praticou durante toda a semana.

Em segundo lugar, procure viver diversas experiências de adoração. Adore a Deus quando estiver sozinho. Organize grupos que se reúnam nas casas não apenas para estudo bíblico, mas somente para a adoração. Reúna pouca gente, uns dois ou três, e aprenda a oferecer a Deus um sacrifício de louvor. Muitas coisas podem acontecer nessas reuniões que, simplesmente pelo número reduzido de participantes, não acontecem num grupo maior. Essas experiências domésticas de adoração irão multiplicar a energia e causarão impacto nos cultos com toda a congregação aos domingos.

Em terceiro lugar, descubra formas de se preparar para a experiência da adoração comunitária. No sábado à noite, deite-se mais cedo e faça um exame pessoal seguido da confissão. Repasse hinos, cânticos e passagens bíblicas que serão usados no domingo. Assim, você se preparará antes de o culto começar, enchendo o lugar com a presença de Deus e deixando de lado as distrações, de modo que consiga de fato participar.

Em quarto lugar, mantenha a boa disposição de se reunir no poder do Senhor. Isto é, aprenda a deixar de lado tudo que é pessoal: a agenda, as preocupações, o desejo de ser abençoado, o querer ouvir a voz de Deus. A linguagem da comunhão no ajuntamento não é "eu", mas "nós". Há uma submissão aos caminhos de Deus, bem como uma submissão recíproca na comunhão cristã. Há um desejo de que a vida de Deus surja no grupo, não apenas dentro do indivíduo. Se você estiver orando pela manifestação de dons espirituais, eles não precisam necessariamente vir sobre você, mas podem manifestar-se em qualquer um ou no grupo inteiro, se isso for agradável a Deus. Deve haver uma só mente, um mesmo modo de pensar.

Em quinto lugar, cultive uma dependência santa. Dependência santa significa que você é incondicional e inteiramente dependente de Deus diante de qualquer acontecimento importante. Isso demanda um trabalho interno e árduo, para que o mal perca a força e o bem progrida. Então você irá aguardar ansiosamente a ação, o ensino, o convencimento ou a vitória de Deus. Essa obra é de Deus, não sua.

Em sexto lugar, absorva com gratidão as distrações. Se houver barulho ou alguma desordem, aprenda a suportar e a superar a situação, em vez de se aborrecer. Se as crianças estiverem correndo soltas pelo recinto, abençoe-as. Agradeça a Deus por estarem vivas e terem energia. Faça um esforço para relaxar diante das distrações — talvez elas sejam uma mensagem da parte do Senhor. Quando estou pregando, gosto de ver bebês e crianças na congregação, pois às vezes só elas demonstram estar vivas! Simplesmente aprenda a aceitar qualquer coisa que aconteça no ambiente da adoração comunitária, em vez de permitir que as distrações, de alguma forma, o impeçam de adorar Deus.

Em sétimo lugar, aprenda a oferecer um sacrifício de louvor. Em muitas ocasiões, você não estará no "clima" para adorar. Talvez tenha tido tantas experiências decepcionantes que agora não esteja certo se vale a pena. A percepção do poder de Deus é enfraquecida. Poucos estão devidamente preparados, mas você precisa prosseguir assim mesmo. Ofereça a Deus um sacrifício de adoração. Você precisa permanecer com o povo de Deus e dizer: "Esta gente é meu povo. Podemos ser obstinados e pecadores, podemos ter um coração duro, mas juntos nos aproximaremos de Deus". Não é sempre que tenho vontade de adorar. Nessas horas, costumo ajoelhar-me e dizer: "Senhor, não estou com vontade de adorar, mas desejo dedicar-te este tempo. Ele te pertence. Dedico a ti o tempo que vou gastar".

Isaac Pennington diz que, quando a congregação se reúne em adoração genuína, "eles são como um amontoado de brasas vivas e incandescentes, esquentando uns aos outros, e uma corrente de grande força, vivacidade e vigor flui para dentro de todos".[11] Sozinho, um toco de madeira não pode arder por muito tempo, mas quando se juntam muitos deles, mesmo que não sejam maciços, produzem uma bela fogueira. Lembre-se do conselho de Provérbios 27.17: "O ferro afia o ferro". Até mesmo vidas insípidas podem ajudar umas às outras, se estiverem dispostas a tentar.

Por isso, prossiga, mesmo que não esteja com vontade. Prossiga, mesmo que a experiência anterior com a adoração tenha sido árida, desanimadora. Continue orando. Continue na expectativa. Continue buscando Deus, para que ele realize uma obra nova e viva no meio de seu povo.

Os frutos da adoração

A adoração começa com uma expectativa santa e termina em obediência santa. Se a adoração não nos impele a uma obediência mais intensa, então não houve adoração. Ficar diante do Santo eterno é mudar. Os rancores não podem ser sustentados com a mesma tenacidade depois que penetramos sua luz graciosa. Como Jesus afirmou, precisamos deixar a oferta no altar e reconciliar-nos com o irmão (Mateus 5.23,24). Na adoração, o poder amplia-se, abrindo secretamente um caminho para dentro do santuário do coração, e uma grande compaixão cresce dentro da alma. Adorar é mudar.

A obediência santa evita que a adoração se torne ópio, fuga das necessidades prementes da vida moderna. A adoração capacita-nos a ouvir com clareza o chamado para o serviço, para assim respondermos: "Eis-me aqui. Envia-me!" (Isaías 6.8). A adoração autêntica serve de impulso necessário a que nos engajemos na guerra do Cordeiro, que se dá em todos os lugares, contra os poderes demoníacos — nos níveis pessoal, social e institucional. Jesus, o Cordeiro de Deus, é o Comandante supremo. Recebemos as ordens e partimos, "conquistando e para conquistar [...] com a Palavra da verdade [...] pagando o ódio com amor, lutando com Deus contra a inimizade, com orações e lágrimas noite e dia, com jejum, pranto e lamento, com paciência, fidelidade e verdade, com amor não fingido, com longanimidade e com todos os frutos do Espírito, para ver se, de alguma forma, conseguimos vencer o mal com o bem...".[12] Em todas essas coisas e de todas essas maneiras, iremos fazer exatamente o que Cristo ordena, pois teremos uma obediência santa, cultivada ao longo de anos de experiência.

Willard Sperry declara: "A adoração é uma aventura deliberada e disciplinada dentro da realidade".[13] Ela não é recomendada aos tímidos nem aos acomodados. Requer que estejamos abertos para a vida intrépida do Espírito. Torna irrelevante toda a parafernália religiosa de templos, sacerdotes, ritos e cerimoniais. E exige nossa disponibilidade para que "habite ricamente em vocês a palavra de Cristo; ensinem e aconselhem-se uns aos outros com toda a sabedoria, e cantem salmos, hinos e cânticos espirituais com gratidão a Deus em seu coração" (Colossenses 3.16).

Notas

[1] Tozer, A. W. **The Knowledge of the Holy**. New York: Harper & Brothers, 1961. p. 11.
[2] Id., ibid., p. 21.

[3] LAUBACH, Frank C. **Learning the Vocabulary of God**. Nashville: Upper Room, 1956. p. 22-23.

[4] IRMÃO LOURENÇO. **The Practice of the Presence of God**. Nashville: Upper Room, 1950. p. 32 [**A prática da presença de Deus**. Candeia, 1996].

[5] Apud STEERE, Douglas. **Prayer and Worship**. New York: Edward W. Hazen Foundation, 1942. p. 36.

[6] KELLY, Thomas R. **The Eternal Promise**. New York: Harper & Row, 1966. p. 72.

[7] Id., ibid., p. 74.

[8] FOX, George. Epistle 288 (1672). **Quaker Religious Thought**, n. 15, p. 23, inverno 1973-1974.

[9] FÉNELON, François. **Christian Perfection**. Minneapolis: Bethany Fellowship, 1975. p. 4.

[10] Apud MERTON, Thomas. **Contemplative Prayer**. Garden City: Doubleday, 1969. p. 42.

[11] Apud TRUEBLOOD, D. Elton. **The People Called Quakers**. New York: Harper & Row, 1966. p. 91.

[12] NAYLER, James. **A Collection of Syndry Books, Epistles, and Papers, Written by James Nayler, etc.** London, 1716. p. 378.

[13] SPERRY, Willard. Reality in Worship. In: KEPLER, Thomas S. (Org.). **The Fellowship of Saints:** An Anthology of Christian Devotional Literature. New York: Abingdon-Cokesbury Press, 1963. p. 685.

DOZE

A DISCIPLINA DA ORIENTAÇÃO

Permaneça na vida, no amor, no poder e na sabedoria de Deus, em unidade uns com os outros e com Deus; que a paz e a sabedoria de Deus encham o coração de vocês, que nada possa dominá-los que não a vida, que está guardada no Senhor Deus.

— GEORGE FOX

Em nossos dias, céus e terra aguardam ansiosamente a emergência de um povo conduzido pelo Espírito, impregnado do Espírito e capacitado pelo Espírito. Toda a criação observa com expectativa, esperando o despontar de um povo disciplinado, que se reúna livremente, que se disponha a ser mártir e que conheça neste tempo a vida e o poder do Reino de Deus. Isso já aconteceu e pode acontecer outra vez.

De fato, estamos começando a enxergar um transbordamento do Espírito, semelhante ao da igreja apostólica, nos movimentos ao redor do mundo. Muitos estão vivendo experiências profundas com o Emanuel do Espírito, o Deus conosco: a consciência de que, no poder do Espírito, o próprio Cristo veio guiar seu povo — uma experiência com a orientação espiritual tão precisa e imediata quanto uma coluna de nuvem de dia e uma coluna de fogo à noite.

Contudo, conhecer a orientação direta, ativa e imediata do Espírito não é suficiente. O direcionamento individual deve render-se à orientação comunitária. Também é preciso surgir, em união, um conhecimento da orientação direta, ativa e imediata do Espírito. A "orientação comunitária" não tem sentido organizacional, e sim funcional e orgânico. Os concílios da Igreja e os decretos denominacionais simplesmente não fazem parte dessa realidade.

Em nosso século, boa parte do ensino a respeito da orientação divina é notoriamente deficiente no aspecto comunitário. Recebemos informações excelentes a respeito de como Deus nos conduz mediante as Escrituras, a razão, as circunstâncias e aquilo que o Espírito sopra no coração do indivíduo. Também há ensinamentos — bons ensinamentos — a respeito dos meios especiais de orientação: anjos, visões, sonhos, sinais e outros. Todavia, temos ouvido muito pouco acerca da orientação de Deus por meio de seu povo, o corpo de Cristo. Há um profundo silêncio sobre o assunto.

Por essa razão, decidi listar a orientação entre as disciplinas comunitárias e enfatizar seu aspecto público. De fato, Deus guia o indivíduo de maneira proveitosa e profunda, mas também orienta grupos de pessoas e pode instruir o indivíduo por meio da experiência coletiva.[a]

Talvez a preocupação com a orientação espiritual pessoal nas culturas ocidentais seja produto da ênfase que dão ao individualismo, mas nem sempre o povo de Deus foi assim.

Foi *como povo* que Deus tirou os filhos de Israel da escravidão. Todos viram a coluna de nuvem e a coluna de fogo. Não era um agrupamento de indivíduos que, por acaso, estavam

---

[a] Um livro excelente acerca do aspecto pessoal do direcionamento é **In Search of Guidance** [Em busca de orientação], de Dallas WILLARD (Ventura: Regal Books, 1984).

indo na mesma direção, mas um povo submetido a um governo teocrático. A presença confortadora de Deus cobria-os com uma proximidade surpreendente. Entretanto, logo o povo começou a achar que a presença de Deus sem mediação era terrível demais, gloriosa demais, e implorou: "Que Deus não fale conosco, para que não morramos" (Êxodo 20.19). Assim, Moisés tornou-se o mediador deles. Assim também, começou o grandioso ministério de profeta, cuja função era ouvir a mensagem de Deus e transmiti-la ao povo. Embora fosse um passo atrás em relação à orientação comunitária exercida pelo Espírito Santo, manteve-se a percepção de que eles eram um povo unido sob o governo de Deus. Chegou, porém, o dia em que Israel rejeitou até mesmo o profeta e optou por um rei. A partir desse momento, o profeta ficou à margem da sociedade. Tornou-se uma voz solitária a clamar no deserto. Às vezes, era obedecido e, às vezes, assassinado — mas quase sempre ficava à margem.

Deus preparou pacientemente um povo e, na plenitude dos tempos, Jesus veio ao mundo. Então um novo dia despontou. Outra vez, ajuntou-se um povo sob o governo imediato e teocrático do Espírito. Com persistência silenciosa, Cristo mostrou a esse povo o que significa viver em resposta à voz do Pai. Também ensinou a ele que podia ouvir a voz proveniente dos céus e que a ouviria com mais clareza quando estivesse reunido. "Se dois de vocês concordarem na terra em qualquer assunto sobre o qual pedirem, isso lhes será feito por meu Pai que está nos céus. Pois onde se reunirem dois ou três em meu nome, ali eu estou no meio deles" (Mateus 18.19,20).

Com essas palavras, Jesus concedeu segurança e autoridade aos discípulos. Havia a segurança de que, quando um grupo se reunisse com sinceridade e em seu nome, sua vontade poderia ser discernida. O Espírito, na direção de tudo, utilizaria o equilíbrio de forças existentes entre os diferentes cristãos para assegurar que o coração deles, tendo alcançado a unidade, entrasse na mesma cadência do coração pulsante do Pai. Seguros de ter ouvido a voz do Pastor verdadeiro, seriam capazes de orar e agir com autoridade. A vontade do Pai somada à unidade dos filhos equivale a autoridade.

Embora Jesus tivesse sido rejeitado pelo próprio povo a que pertencia, sendo crucificado fora dos portões da cidade, alguns aceitaram seu senhorio e se tornaram um povo que costumava se reunir. "Da multidão dos que creram, uma era a mente e um o coração. Ninguém considerava unicamente sua coisa alguma que possuísse, mas compartilhavam tudo o que tinham. Com grande poder os apóstolos continuavam a testemunhar da ressurreição" (Atos 4.32,33). Eles tornaram-se testemunhas fervorosas, declarando em todos os lugares que a voz de Cristo podia ser ouvida; sua vontade, obedecida.

Talvez a característica mais surpreendente dessa comunhão incendiária fosse o senso comunitário de orientação espiritual. Isso está belamente ilustrado no episódio em que Paulo e Barnabé são escolhidos para viajar por toda a extensão do Império Romano, levando as boas-novas do Reino de Deus (Atos 13.1-3). O chamado deles ocorreu depois que certo número de irmãos se achava reunido havia algum tempo. Eram praticadas ali as disciplinas da oração, do jejum e da adoração. Quando atingiram a condição de povo preparado, o chamado de Deus brotou da adoração comunitária: "Separem-me Barnabé e Saulo para a obra a que os tenho chamado" (Atos 13.2).

Com todos os métodos modernos de recrutamento de missionários, seria de grande benefício se déssemos atenção a esse exemplo de orientação comunitária. Serviria a nós de excelente recomendação para incentivarmos grupos de irmãos a jejuar, orar e adorar juntos até discernirem a mente do Senhor.

Submissa à orientação espiritual comunitária, a igreja primitiva enfrentou e resolveu sua controvérsia mais acirrada (Atos 15). Alguns cristãos independentes viajaram a Antioquia e ali começaram a pregar que todos os convertidos precisavam ser circuncidados. A questão estava longe de ser corriqueira. Paulo imediatamente percebeu que a Igreja corria o risco de ser confinada ao cativeiro cultural judaico.

Os anciãos e apóstolos indicados reuniram-se no poder do Senhor não para obter posições a qualquer preço nem para jogar um lado contra o outro, mas para ouvir o que havia na mente do Espírito. Essa tarefa não tinha nada de pequena. O debate foi intenso. Então, num belo exemplo de como a orientação individual encontra a orientação comunitária, Pedro contou-lhes a experiência que tivera com o centurião italiano Cornélio. Enquanto ele falava, o Espírito de Deus, sempre atento, realizava uma obra maravilhosa. Quando Pedro terminou, toda a assembleia ficou em silêncio (Atos 15.12). Por fim, o grupo reunido chegou ao que podemos chamar compromisso glorioso, enviado do céu e unificado de rejeitar a religião cultural e se apegar ao evangelho eterno de Jesus Cristo. Esta foi a conclusão deles: "Pareceu bem ao Espírito Santo e a nós [...]" (Atos 15.28). Eles haviam enfrentado a polêmica mais difícil de sua época e discernido a voz que vem do alto. Esse é o ponto alto do livro de Atos.

Foi mais que uma vitória num debate: foi uma vitória do método usado para resolver todas as questões. O grupo todo decidiu viver sob o senhorio direto do Espírito. Eles rejeitaram a anarquia e o totalitarismo humanos. Rejeitaram até mesmo a democracia, ou seja, a decisão da maioria. Ousaram viver fundamentados no senhorio do Espírito: nada de "51% dos votos", nada de concessões — somente a unidade direcionada pelo Espírito. E funcionou.

Não há dúvida de que essas experiências de discernimento comunitário a respeito da vontade de Deus contribuíram grandemente para a formação do conceito de Paulo acerca da igreja como corpo de Cristo. Ele entendeu que os dons espirituais foram concedidos pelo Espírito ao corpo, de forma que garantisse a interdependência. Nenhum membro em particular detinha todos eles. Até mesmo o cristão mais maduro precisava da ajuda dos irmãos. Mesmo o mais insignificante tinha algo com que contribuir. Isoladamente, ninguém conseguiria ouvir a totalidade do conselho de Deus.

É triste, mas é preciso observar que, na época em que João recebeu a grandiosa visão apocalíptica, a comunidade dos cristãos estava começando a se acomodar. Nos tempos de Constantino, a Igreja achou-se pronta até para aceitar outro rei humano. No entanto, a visão não morreu: ao longo dos séculos, diversos grupos reuniram-se sob orientação do Espírito Santo. Hoje, estamos começando a ver exatamente esse tipo de ajuntamento e por isso podemos agradecer a Deus.

ALGUNS MODELOS

O grupo dos apóstolos não passou do ponto zero para o auge do senhorio do Espírito num único salto. Nós também não daremos esse salto. Eles davam um passo por vez rumo a essa esfera de atuação: às vezes, davam um pequeno passo à frente e, às vezes, para trás. No advento do Pentecoste, já constituíam um povo preparado.

Uma vez que se compreendam as implicações radicais de ser um povo que se submete à orientação direta do Espírito Santo, uma das atitudes mais destrutivas é dizer: "Parece maravilhoso. A partir de amanhã, vou viver assim!". Esse tipo de fanatismo só consegue desgraçar nossa vida e a dos que estão à nossa volta. Por isso, em vez de arremeter impetuosamente para a conquista do mundo do Espírito, inicie com passos mais modestos. Uma das melhores formas é aprender com os modelos adotados por quem se empenhou em ouvir a voz do alto no ambiente da comunidade.

Um dos exemplos mais encantadores vem do "pobre e pequeno monge de Assis". Parece que Francisco estava "em grande agonia por causa da dúvida": deveria dedicar-se inteiramente à oração e à meditação, que era a prática costumeira naqueles dias, ou deveria também se envolver com missões de pregação? Sabiamente, Francisco procurou conselho: "Pelo fato de sua humildade não permitir que ele confiasse em si mesmo nem nas próprias orações, humildemente procurou ajuda de outras pessoas para saber a vontade de Deus quanto a essa questão".

Ele enviou mensagens a dois dos amigos em quem mais confiava, Irmã Clara e Irmão Silvestre, pedindo que se encontrassem com um de seus "companheiros mais puros e espirituais" e buscassem saber a vontade de Deus naquela questão. Imediatamente, eles se juntaram para orar; tanto Irmã Clara quando Irmão Silvestre obtiveram idêntica resposta.

Quando o mensageiro retornou, antes de qualquer outra coisa, Francisco lavou-lhe os pés e lhe preparou uma refeição. Depois, ajoelhado diante do mensageiro, perguntou: "O que meu Senhor Jesus Cristo me ordena a fazer?". A resposta do mensageiro foi o que Cristo havia revelado: "Ele quer que você vá pelo mundo pregando, pois Deus não o chamou unicamente para si mesmo, mas também para a salvação de outros". Tendo recebido a mensagem como a palavra indiscutível de Cristo, Francisco pôs-se em pé num salto, dizendo: "Então, partamos — no nome do Senhor!". E tratou logo de envolver-se na tarefa. Essa ordem deu ao incipiente movimento franciscano uma combinação incomum de contemplação mística e de fervor evangelístico.[1]

Francisco estava fazendo mais que buscar a orientação de conselheiros sensatos: ele estava procurando um meio de abrir as janelas do céu e descortinar a mente de Cristo, e foi assim que ele entendeu a experiência — para o bem de todos a quem ele ministrou.

Outro modelo de orientação espiritual comunitária pode ser visto naquilo que alguns denominam "encontros de esclarecimento".* Essas reuniões são realizadas especificamente para discernir a mente do Espírito em relação a uma pergunta de alguém. Certa vez, um jovem talentoso pediu meu conselho a respeito de seu futuro. Ele terminara a faculdade e estava se debatendo com a possibilidade de ingressar ou não no ministério pastoral. Após todos os testes vocacionais e cursos de orientação oferecidos, ele ainda estava indeciso. Eu não sabia o que era melhor para ele e sugeri-lhe que convocasse um desses encontros. Então ele reuniu um grupo de irmãos maduros que o conheciam bem e que não teriam receio de ser honestos e diretos com ele. Não houve nenhuma visão que fizesse tremer o chão, e nada semelhante foi direcionado a meu amigo naquela noite. Contudo, enquanto adorava e compartilhava o problema, o grupo tornou-se uma comunidade de apoio. No transcorrer de certo tempo, os dons e o chamado daquele jovem foram confirmados: hoje ele faz parte do ministério pastoral.

Um conceito intimamente ligado a esse foi introduzido pela Igreja do Salvador, em Washington, capital dos Estados Unidos. Quando algum membro sente que Deus o está induzindo a criar um grupo de missões ou a se aventurar numa área especial de serviço, eles "inspecionam o chamado". Isso é feito na conclusão do culto de adoração, quando aquele membro compartilha sua visão. Depois disso, todos os que desejarem se encontrar com aquele irmão e "testar o chamado" são bem-vindos. Juntos, eles investigam a questão, orando, perguntando, sondando. Quando se percebe que a ideia foi produto de entusiasmo humano, ela é imediatamente abandonada; em outros casos, porém, há confirmação pelas orações e pela interação do grupo. Também ocorre

---

* Em inglês: "meetings for clearness". [N. do E.]

de alguns membros do grupo sentirem-se chamados, assumindo a missão. Forma-se assim uma "companhia dos comprometidos".

Questões da maior importância pessoal podem ser apresentadas à comunidade a fim de serem discernidas. Por exemplo, em certa ocasião um casal nos procurou, afirmando sentir que o Senhor desejava que se unissem em casamento, mas desejavam a confirmação de um grupo dirigido pelo Espírito. Várias pessoas que conheciam bem o casal foram convidadas para um encontro com eles. Este é o relatório do grupo:

> A comissão especial indicada para conversar com Mark e Becky a respeito dos planos de se casarem tem a satisfação de apresentar um relatório dos mais positivos.
>
> Reunimo-nos com Mark e Becky e passamos uma noite muito agradável de comunhão e oração. Compartilhamos o interesse que temos pela santidade da família, que está no âmago do plano de Deus para os relacionamentos humanos. Ficamos impressionados com quanto Mark e Becky dependem da orientação do Senhor, com o modo em que anteveem problemas em potencial e com sua percepção madura de que o casamento bem-sucedido depende do compromisso continuado de um para com o outro e para com Deus.
>
> Ficamos felizes em recomendar os planos de Mark e de Becky à [igreja]. Temos a impressão de que o lar deles refletirá a influência amorosa, em atitude de oração, de seus lares de origem e da comunidade da igreja quando se unirem em amor nesse relacionamento ordenado por Deus.
>
> A comissão exprime seu afeto especialmente positivo por Mark e Becky, antevendo que esse afeto terá continuidade num relacionamento pastoral. Recomendamos esse precedente a outros casais que estejam pensando em se casar.[b]

---

[b] Mark e Becky deram-me permissão para contar a história deles.

É possível tomar decisões de negócios dentro do clima da orientação comunitária do Espírito Santo. Os quacres fazem isso há muitos anos, demonstrando que tal abordagem também é exequível. Aliás, as reuniões de negócios deveriam ser encaradas como cultos de adoração. Os fatos disponíveis podem ser apresentados e discutidos, tudo na expectativa de ouvir a voz de Cristo. Os fatos representam apenas um aspecto do processo decisório e não são conclusivos. A direção do Espírito pode ser contra ou a favor dos fatos disponíveis. Deus pode estabelecer um espírito de unidade quando o caminho correto for escolhido e nos deixar incomodados e inquietos se não ouvimos corretamente. A unidade, e não o domínio da maioria, é o princípio do direcionamento comunitário. A unidade que vem do Espírito vai além do mero consentimento. É a percepção de termos ouvido a *Kol Yahweh*, a voz de Deus.

Uma ilustração clássica e dramática aconteceu em 1758. John Woolman e outros haviam cutucado a consciência da Sociedade dos Amigos[c] por causa do envolvimento desta com a escravidão, uma instituição demoníaca. Nas reuniões de negócios do Encontro Anual da Filadélfia daquele ano, a escravidão era um dos itens principais da agenda. Havia muita coisa em jogo, e a questão foi calorosamente debatida. John Woolman, de cabeça baixa e com lágrimas nos olhos, permaneceu sentado durante várias sessões em silêncio total. Finalmente, após horas de oração agonizante, levantou-se e disse: "Minha mente é levada a ponderar sobre a pureza do Ser divino e a justiça de seu julgamento, e neste momento minha alma se cobre de horror [...]. Muitos escravos neste continente são oprimidos, e o clamor deles chegou aos ouvidos do Altíssimo [...]. Não é hora para adiamentos". Com firmeza e ternura, Woolman discorreu sobre "interesses particulares de alguns" e "amizades cujo fundamento é inabalável". Com ousadia

---

[c] A Sociedade dos Amigos é um grupo de tradição protestante formado por quacres. Foi fundada em 1652 por George Fox. [N. do T.]

profética, advertiu o Encontro Anual de que, se este falhasse em cumprir seu "dever com firmeza e constância", então "Deus pode dar-nos uma resposta, na íntegra, a essa questão por meio de coisas terríveis".[2]

Os participantes do Encontro Anual foram levados a um espírito de unidade, como consequência desse testemunho cheio de compaixão. A uma só voz, a resposta foi abolir a escravidão do meio deles. John Greenleaf Whittier afirma que aquelas sessões "devem para sempre ser consideradas uma das convocações religiosas mais importantes na história da Igreja".[3]

A decisão tomada em conjunto mostra-se particularmente impressionante quando lembramos que a Sociedade dos Amigos foi a única associação a pedir que os senhores de escravos reembolsassem seus escravos pelo tempo passado em cativeiro.[d] Também é notável que, sob o impulso do Espírito, os quacres tenham feito algo que nenhum dos líderes revolucionários antiescravagistas — George Washington, Thomas Jefferson, Patrick Henry — estava disposto a fazer. A decisão tomada em 1758 exerceu tanta influência que, na época em que a *Declaração de Independência* foi assinada, os quacres já haviam abolido de vez a escravatura.

Muitas das comunidades cristãs que estão brotando ao redor do mundo descobriram a realidade e a praticabilidade das decisões de negócios segundo a orientação do Espírito. Grupos tão diversos quanto a Comunidade Reba Place, de Illinois, a Sociedade dos Irmãos de Nova York e a Irmandade de Maria, de Darmstadt, na Alemanha, operam fundamentados na unidade direcionada pelo Espírito. As questões são abordadas na certeza de que a mente do Espírito pode ser conhecida. Eles se juntam em nome de Cristo,

---

[d] Não existe uma avaliação precisa do montante pago, embora naquela época fosse comum pagar-se o salário de um ano. Num apelo à Câmara dos Comuns para abolir a escravatura, certo sr. F. Buston disse que a decisão havia custado 50 mil libras aos Amigos da Carolina do Norte. [N. do T.]

crendo que a vontade de Deus será expressa em detalhes no meio deles. Não buscam concessões, mas o consenso proveniente de Deus.

Certa vez, participei de uma sessão de negócios com cerca de 200 pessoas, na qual um assunto estava sendo debatido com seriedade. Embora houvesse uma diferença brutal de opinião, cada um dos membros desejava sinceramente ouvir a vontade de Deus e obedecer a ela. Depois de um período de tempo considerável, um senso comum de direção começou a emergir no meio deles, exceto a umas poucas pessoas. Finalmente, alguém se levantou e disse: "Não me sinto à vontade com este direcionamento, mas espero que todos vocês tenham amor suficiente para me suportar até que eu tenha a mesma percepção sobre a direção divina ou até que Deus nos indique outro caminho".

Observando de fora, fiquei comovido com a resposta terna que o grupo deu a tal apelo. Por todo o auditório, pequenos ajuntamentos começaram a se formar para compartilhar, ouvir e orar. Quando conseguiram chegar a uma decisão unânime, eu havia aprendido um pouco mais sobre o modo com que os cristãos devem "conservar a unidade do Espírito pelo vínculo da paz" (Efésios 4.3). Expressões como essas da função que deve nortear a orientação espiritual comunitária estão entre os sinais mais saudáveis da vitalidade espiritual dos nossos dias.

O ORIENTADOR ESPIRITUAL

Na Idade Média, nem mesmo os maiores santos tentavam navegar as profundezas da jornada interior sem a ajuda de um orientador espiritual. Hoje, mal se entende esse conceito e menos ainda se pratica, exceto no sistema monástico católico romano. É uma tragédia, pois a ideia de um orientador espiritual é perfeitamente aplicável ao cenário contemporâneo. Trata-se de uma bela expressão do direcionamento divino obtido com a ajuda de nossos irmãos.

A orientação espiritual tem uma história exemplar. Muitos dos primeiros orientadores espirituais foram os pais do deserto, admirados pela habilidade que tinham em "discernir espíritos". Muita gente viajava quilômetros deserto adentro só para ouvir uma breve palavra de aconselhamento — uma "palavra de salvação" que resumisse a vontade e o julgamento de Deus a uma situação concreta na qual a pessoa se encontrasse. Os *Apophthegmata*, ou "ditos dos pais", são um testemunho eloquente da simplicidade e da profundidade dessa orientação espiritual. Além disso, muitos dos irmãos leigos cistercienses na Inglaterra do século XII distinguiram-se pela capacidade de ler as almas e lhes dar orientação.

Qual o propósito de um orientador espiritual? Augustine Baker, místico beneditino do século XVII, escreve: "Numa palavra, ele somente abre as portas para Deus e precisa conduzir as almas no caminho de Deus, e não no dele próprio".[4] Essa orientação serve para nos conduzir com simplicidade e clareza ao Orientador verdadeiro. É o meio que Deus utiliza para abrir o caminho que leva ao ensino interior do Espírito Santo.

O orientador desempenha uma função carismática, pura e simplesmente. Ele lidera apenas com a força de sua santidade pessoal. Não é um superior nem algum tipo de autoridade eclesiástica designada. Esse relacionamento é o de um mentor a um amigo. Embora seja óbvio que o orientador seja alguém que já avançou um pouco mais nas regiões profundas do mundo interior, ambos estão aprendendo e crescendo na esfera do Espírito.

Toda essa discussão sobre "alma" e "espírito" pode fazer-nos pensar que a orientação espiritual abrange apenas um pequeno compartimento de nossa vida. Ou seja, vamos ao orientador espiritual para cuidar do espírito, assim como procuramos o oftalmologista para cuidar dos olhos. É falsa tal abordagem. A orientação espiritual preocupa-se com a pessoa em sua inteireza e com o inter-relacionamento da vida toda. Thomas Merton conta a história de um orientador espiritual russo que foi criticado por gastar muito tempo aconselhando com sinceridade uma velha camponesa a respeito de como cuidar de perus. "Nada disso!", retrucou ele. "*Toda a vida* dessa anciã está naqueles perus."[5] A orientação espiritual confere importância sacramental às experiências concretas do cotidiano. Aprendemos "o sacramento do momento presente", como define Jean-Pierre de Caussade.[6] "Assim, quer vocês comam, bebam ou façam qualquer outra coisa, façam tudo para a glória de Deus" (1Coríntios 10.31).

A orientação espiritual nasce primeiramente de relacionamentos humanos naturais e espontâneos. Um sistema hierárquico, ou mesmo organizacional, não é essencial para seu funcionamento e quase sempre é destrutivo. Os tipos comuns de cuidado e compartilhamento, naturais à comunidade cristã, constituem o ponto de partida para a orientação espiritual. Deles fluirá a "autoridade do Reino", por meio da subordinação mútua e do servir.

O orientador espiritual precisa ser alguém que já aceitou a si mesmo e que o faz agora de forma confortável. Ou seja, é preciso que uma maturidade genuína permeie a vida dele por inteiro. Quem é assim, não se deixa levar pelas variações dos tempos. Consegue absorver o egoísmo, a mediocridade e a apatia ao seu redor, transformando-os. Não fica julgando e não se abala nunca. É preciso que ele tenha compaixão e compromisso. À semelhança de Paulo, que considerava Timóteo seu "verdadeiro filho", precisa estar preparado para assumir certas responsabilidades paternais. Seu amor tem de ser robusto, um amor que se recuse a aprovar caprichos. Deve também conhecer suficientemente bem a psique humana, a fim de que as necessidades inconscientes e infantis de autoritarismo não sejam reforçadas.

O orientador espiritual precisa ele mesmo empreender essa jornada interior e estar disposto a compartilhar suas lutas e incertezas.

Precisa também entender que ambos estão aprendendo com Jesus, o Mestre sempre presente.

Como surge um relacionamento desses? Como em todas as outras áreas no Reino de Deus, é a oração que o providencia. Depositando nossa situação diante de Deus, devemos esperar com paciência até que ele manifeste seu caminho. Se nos induzir a conversar com alguém ou a fazer certos arranjos, obedeçamos com alegria. Tais relacionamentos podem ser formais, como ocorre nas ordens monásticas, mas não precisa ser assim. Se tivermos humildade para acreditar que podemos aprender com nossos irmãos e entendermos que uns já chegaram mais perto do Centro divino, enxergaremos a necessidade de orientação espiritual. Como diz Virgil Vogt, da Comunidade Reba Place: "Se você não consegue ouvir seu irmão, não conseguirá ouvir o Espírito Santo".[7]

Além disso, nos será muito útil perceber que existem diversas formas de orientação espiritual. Pregar é uma forma de orientação espiritual, assim como o ministério direcionado a grupos menores. John Wesley estabeleceu as "reuniões de classe" e os "grupos" como formas de orientação espiritual. A própria Bíblia funciona como meio de orientação espiritual, pois, à medida que a lemos em atitude de oração, estamos sendo edificados mais e mais à imagem de Cristo.

Refletindo a respeito do valor desse ministério para os cristãos ao longo dos séculos, Thomas Merton afirma que o orientador espiritual tinha algo de "pai espiritual que 'gerava' a vida perfeita na alma de seu discípulo, em primeiro lugar pelas instruções, mas também pela oração, pela santidade e pelo exemplo. Ele era [...] uma espécie de 'sacramento' da presença do Senhor na comunidade eclesiástica".[8]

OS LIMITES DA ORIENTAÇÃO COMUNITÁRIA

Como todos sabem, existem perigos na orientação comunitária tanto quanto na orientação individual. Talvez o perigo mais ameaçador seja o de os líderes se valerem da manipulação e do controle. Se a orientação comunitária não for conduzida no contexto da graça que a tudo permeia, ela se degenera numa forma eficiente de legitimar o comportamento anômalo. Torna-se uma espécie de fórmula quase mágica por meio da qual os líderes impõem sua vontade aos indivíduos, um sistema autorizado para forçar o alinhamento de opiniões divergentes.

Tal perversão manipuladora tem como consequência o sufocamento da vitalidade espiritual. O profeta Isaías afirma que o Messias "não quebrará o caniço rachado, e não apagará o pavio fumegante" (Isaías 42.3; Mateus 12.20). Não é do estilo de Jesus esmagar os mais fracos ou apagar as esperanças mais tênues. A ternura em relação à situação de cada indivíduo precisa influenciar todas as deliberações. Certa vez, George Fox impôs uma esmagadora vitória sobre Nathaniel Stephens num debate. Inteiramente dominado, Stephens declarou: "George Fox adentrou a luz do sol e agora pensa em extinguir a luz de minha estrela". Fox escreveu: "Mas eu disse: 'Nathaniel, dê-me sua mão'. Então lhe declarei que não iria suprimir a menor partícula de Deus em ninguém, muito menos extinguir a luz de sua estrela".[9]

Há também o perigo de se caminhar na direção oposta. É possível que um povo de coração duro e teimoso seja um obstáculo para líderes inspirados pelo Espírito. Embora estes precisem do conselho e do discernimento da comunidade cristã, é certo que também precisam de liberdade para liderar. Se Deus os pôs na liderança, não devem ser obrigados a justificar cada detalhe de suas ações diante da comunidade. É necessário nunca se deixar seduzir pelos ideais democráticos ocidentais e acreditar que cada membro precisa ter uma opinião de peso equivalente sobre qualquer trivialidade da vida comunitária. Deus designa líderes com autoridade em sua Igreja, de modo que a obra possa ser realizada no âmbito terreno.

Outro perigo é o da orientação comunitária divorciar-se das normas bíblicas. As Escrituras precisam impregnar e penetrar todos os pensamentos e todas as ações. O Espírito nunca conduzirá a algo que se oponha à Palavra escrita que ele inspirou. A autoridade externa das Escrituras precisa estar presente o tempo todo, assim como a autoridade interna do Espírito Santo. De fato, as Escrituras em si representam uma forma de orientação comunitária. É um meio de Deus falar por meio da experiência de seu povo. É um aspecto da "comunhão dos santos".

Por fim, devemos reconhecer que a orientação comunitária é limitada por nossa finitude. Somos seres humanos falíveis, e há momentos em que, a despeito dos melhores esforços, nossos preconceitos e medos impedem-nos de alcançar a unidade à qual o Espírito nos conduz. Às vezes, simplesmente enxergamos as coisas de forma diferente. Por exemplo, Paulo e Barnabé não conseguiram chegar a um acordo sobre levar ou não João Marcos com eles na segunda viagem missionária. Lucas diz que eles tiveram um "desentendimento sério" (Atos 15.39). Não devemos ficar surpresos se tivermos a mesma experiência em nosso empenho ministerial.

Se isso acontecer, meu conselho é que sejamos gentis uns com os outros. De fato, equipes ministeriais às vezes se separam e igrejas se dividem. Devemos fazer todo o possível para que toda e qualquer separação seja feita num ambiente de graça. Oremos uns pelos outros e peçamos a bênção de Deus uns para os outros. Tenhamos a confiança do apóstolo Paulo de que, "de qualquer forma, seja por motivos falsos ou verdadeiros, Cristo está sendo pregado, e por isso me alegro" (Filipenses 1.18).

Dallas Willard afirma que "o objetivo de Deus na História é a criação de uma comunidade de pessoas amorosas, que abrange tudo, na qual ele mesmo está incluído como o sustentador principal e o habitante mais glorioso".[10] Tal comunidade vive sob o senhorio imediato e total do Espírito Santo. É um povo cego a qualquer outro tipo de senhorio por causa do resplendor de Deus, uma comunidade compassiva que incorpora a lei do amor que se vê em Cristo. É um exército obediente ao Cordeiro de Deus, vivendo em submissão às disciplinas espirituais, uma comunidade em processo de transformação total de dentro para fora, um povo determinado a vivenciar as exigências do evangelho num mundo secular. É ternamente agressiva, mansamente poderosa, sofredora, gente que se supera. Tal comunidade, forjada num molde raro e apostólico, constitui um novo ajuntamento do povo de Deus. Que o Deus todo-poderoso continue a juntar esse povo em nossos dias!

Notas

[1] Irmão Ugolino. **The Little Flowers of St. Francis**. Garden City: Doubleday, 1958. p. 74-78.

[2] Apud Jones, Rufus M. **The Quakers in the American Colonies**. New York: Norton, 1921. p. 517.

[3] Whitter, John G. (Org.). **The Journal of John Woolman**. London: Headley Brothers, 1900. p. 13.

[4] Apud Merton, Thomas. **Spiritual Direction and Meditation**. Collegeville: Liturgical Press, 1960. p. 12.

[5] Id., ibid., p. 8.

[6] Caussade, Jean-Pierre de. **The Sacrament of the Present Moment**. Trad. Kitty Muggeridge. San Francisco: Harper & Row, 1982.

[7] Jackson, Dave; Jackson, Neta. **Living Together in a World Falling Apart**. Carol Stream: Creation House, 1974. p. 101.

[8] Merton, op. cit., p. 9.

[9] Fox, George. **The Journal of George Fox**. London: Headley Brothers, 1975. p. 184.

[10] Willard, Dallas. **Studies in the Book of Apostolic Acts:** Journey into the Spiritual Unknown [guia de estudos que não foi publicado, disponível apenas com o autor].

TREZE

A DISCIPLINA DA CELEBRAÇÃO

O cristão deveria ser um aleluia da cabeça aos pés!

— AGOSTINHO DE HIPONA

A celebração está no âmago do caminho de Cristo. Ele entrou no mundo com um toque de intenso júbilo: "Estou lhes trazendo boas novas de grande alegria, que são para todo o povo", exclamou o anjo (Lucas 2.10). Ele saiu deste mundo deixando sua alegria como herança para os discípulos: "Tenho lhes dito estas palavras para que a minha alegria esteja em vocês e a alegria de vocês seja completa" (João 15.11).

André Trocmé, autor de *Jésus-Christ et la révolution non-violente* [Jesus Cristo e a revolução sem violência], e posteriormente John Howard Yoder, que escreveu *A política de Jesus*, dedicam bom espaço nessas obras para demonstrar que Jesus começou seu ministério público ao proclamar o ano do Jubileu (Lucas 4.18,19). As implicações sociais desse conceito são profundas.[a] É comovente

---

[a] Johannes Hoekendijk escreve: "O jubileu é o êxodo minuciosamente definido em termos de salvação social [...]" (Mission: A Celebration of Freedom. **Union Seminary Quarterly Review**, p. 141, jan. 1966).

descobrir que, em consequência disso, somos chamados para um perene jubileu do Espírito. Tal liberdade radical e divinamente possibilitada em relação aos bens, aliada à reestruturação da organização social, não pode levar a outra coisa que não a celebração. Quando os pobres recebem as boas-novas, os cativos são soltos, os cegos recuperam a visão e os oprimidos são libertos — quem pode conter o grito de júbilo?

No Antigo Testamento, todas as prescrições sociais do ano do Jubileu — o cancelamento de todas as dívidas, a libertação dos escravos, o descanso da terra, a devolução das propriedades aos primeiros donos — celebravam a provisão graciosa de Deus. Podia-se confiar em que Deus proveria tudo que fosse necessário. Ele havia declarado: "Eu lhes enviarei a minha bênção" (Levítico 25.21). A base da celebração é formada pela liberdade em relação à ansiedade e à preocupação. Pelo fato de sabermos que ele se importa conosco, podemos lançar sobre ele todas as nossas preocupações. Deus transformou nosso pranto em dança.

O espírito jovial e despreocupado de alegre festividade está ausente na sociedade contemporânea. A apatia, até mesmo a melancolia, domina nossa época. Harvey Cox diz que o homem moderno tem sido pressionado "tão fortemente para o trabalho útil e o cálculo racional que se esqueceu completamente da alegria que decorre do arrebatamento na celebração [...]".[1]

A CELEBRAÇÃO FORTALECE A VIDA

A celebração traz alegria para a vida, e a alegria nos fortalece. As Escrituras dizem que a alegria do Senhor nos fortalece (Neemias 8.10). Sem ela, não vamos muito longe em nenhuma atividade. As mulheres suportam o parto por causa da alegria da maternidade que virá logo depois. Os recém-casados esforçam-se nos primeiros anos de ajustes porque valorizam a segurança de uma longa vida em comum. Os pais mantêm a sobriedade durante os anos da adolescência do filho, sabendo que o ser humano completo dentro dele emergirá mais adiante.

Pode ser que, por força de vontade, tenhamos a capacidade de começar aulas de tênis ou de piano, mas não continuaremos por muito tempo se não houver alegria. De fato, começamos algo por uma única razão: sabermos que no final o resultado é a alegria. É o que sustenta todos os principiantes. Eles sabem que existe prazer e alegria no domínio das habilidades.

A celebração é o centro de todas as disciplinas espirituais. Sem um espírito alegre de festividade, as disciplinas ficam embotadas, transformam-se em ferramentas que exalam morte nas mãos dos fariseus modernos. Cada disciplina deve ser caracterizada pela alegria despreocupada e por um senso de ação de graças.

A alegria faz parte do fruto do Espírito (Gálatas 5.22). Sou inclinado a pensar que a alegria é o motor, aquilo que mantém tudo funcionando. Sem a celebração alegre infundindo-se nas outras disciplinas, cedo ou tarde iremos abandoná-las. Alegria gera alegria. A alegria faz-nos fortes.

O Israel antigo tinha ordens para se ajuntar três vezes por ano, a fim de celebrar a bondade de Deus. Eram festivais de dias santos no sentido mais puro. Eram experiências que davam força e coesão ao povo de Israel.

O CAMINHO PARA A ALEGRIA

Apenas uma coisa produzirá alegria genuína na vida espiritual: a obediência. Um hino antigo diz que não há outro jeito de ser feliz em Jesus que não o de "crer e observar".* O compositor recebeu inspiração do próprio Mestre, pois Jesus nos diz que não há bênção como a da obediência. Em certa ocasião, uma mulher gritou para

---

* Hino 301 do *Cantor cristão*. O estribilho diz: "Crer e observar / Tudo quanto ordenar / O fiel obedece / Ao que Cristo mandar!". [N. do T.]

Jesus no meio da multidão: "Feliz é a mulher que te deu à luz e te amamentou". Jesus respondeu: "Antes, felizes são aqueles que ouvem a palavra de Deus e lhe obedecem" (Lucas 11.27,28). É mais abençoado viver em obediência que ser a mãe do Messias!

Em 1870, Hannah Whitall Smith escreveu uma obra que se tornou um clássico do cristianismo alegre: *O segredo de uma vida feliz*.* O título não expressa a profundidade do livro, que não propõe nada de superficial, do tipo "quatro passos para alcançar o sucesso". A autora define em minúcias a forma da vida plena e abundante que está escondida em Deus e descreve em detalhes as dificuldades desse caminho. Por fim, relaciona os frutos da vida vivida inteiramente nas mãos de Deus. Qual o segredo do cristão para ter uma vida feliz? A melhor exposição está no capítulo intitulado "A alegria da obediência". A alegria surge mediante a obediência a Cristo e é consequência da obediência a ele. Sem a obediência, a alegria é oca e artificial.

Para trazer a celebração à tona, a obediência precisa entremear-se no tecido comum da vida diária. Do contrário, a celebração será como o metal que soa. Por exemplo, a maneira de viver de alguns cristãos impossibilita qualquer tipo de felicidade no ambiente doméstico, mas depois vão para a igreja, cantam hinos e oram "no Espírito", esperando que Deus, de alguma maneira, lhes infunda alegria ao encerramento da jornada diária. Estão à procura de algum tipo de transfusão celestial que passe ao largo da tragédia do cotidiano e lhes dê alegria. O desejo de Deus, porém, é transformar a tragédia, não a evitar.

É preciso entender que Deus pode infundir alegria em nós, mesmo quando estamos amargurados e com o coração endurecido, mas tal situação é excepcional. O modo costumeiro de Deus conceder a alegria é redimindo e santificando as junções da vida

---

* Belo Horizonte: Betânia, 2003. [N. do E.]

humana. Quando os membros de uma família se enchem de amor, compaixão e espírito de serviço mútuo, essa família tem motivos para celebrar.

Há uma nota triste naqueles que correm de uma igreja a outra, tentando receber uma injeção de "alegria do Senhor". Não é cantando certo tipo de música que se encontra a alegria, nem se juntando a determinado grupo, nem mesmo exercitando os dons do Espírito, independentemente de quão positivos possam ser. A alegria está na obediência. Quando o poder que reside em Jesus alcançar nosso trabalho e nosso lazer e os redimir, haverá alegria onde um dia houve pranto. Negligenciar essa verdade é não entender o significado da encarnação.

Foi por esse motivo que tratei da celebração na parte final deste estudo. A alegria é consequência do bom funcionamento das disciplinas espirituais. Deus produz transformação em nossa vida por meio das disciplinas; não conheceremos a alegria genuína enquanto não houver uma obra transformadora em nosso interior. Muitos querem herdar a alegria cedo demais. Tentam empurrá-la à força para dentro das pessoas, quando na realidade nada aconteceu na vida delas. Deus não invade as experiências rotineiras da existência diária. A celebração surge quando os riscos comuns à vida são reparados.

É fundamental evitar o tipo de celebração que, na verdade, não celebra nada. Pior ainda é fingir estar celebrando quando não estamos no espírito da celebração. Os filhos observam quando damos graças pela comida e em seguida passamos a reclamar dela — bênçãos que não são bênçãos. Um dos procedimentos mais destrutivos contra os filhos é forçá-los a ser agradecidos quando não estão agradecidos. Fingir uma aura de celebração porá em contradição o espírito dentro de nós.

Um ensino popular nos dias de hoje diz que devemos louvar a Deus pelas dificuldades que atingem nossa vida, afirmando que um grande poder transformador entra em operação quando louvamos Deus dessa maneira. Em seu melhor aspecto, esse ensino nos dá coragem para fazer, pelos olhos da fé, um ligeiro exame da estrada, a fim de ver o que acontecerá. Isso confirma no coração a segurança alegre de que Deus tem o controle de todas as coisas, operando nelas para o bem daqueles que o amam. Em seu pior aspecto, esse ensino nega que a maldade é abjeta e credita as tragédias mais horrendas à vontade de Deus. As Escrituras ordenam que vivamos em espírito de ação de graças em meio a todas as situações, mas não ordenam que celebremos na presença da maldade.

O ESPÍRITO DA CELEBRAÇÃO DESPREOCUPADA

É para isto que o apóstolo Paulo nos convida: "Alegrem-se sempre no Senhor. Novamente direi: Alegrem-se!" (Filipenses 4.4). Mas como vamos nos alegrar? Paulo continua: "Não andem ansiosos por coisa alguma" (v. 6a). Outra versão diz: "Não se preocupem com nada" (*NTLH*). Esse é o lado negativo do júbilo. O lado positivo é: "Em tudo, pela oração e súplicas, e com ação de graças, apresentem seus pedidos a Deus". O resultado? "A paz de Deus, que excede todo o entendimento, guardará o coração e a mente de vocês em Cristo Jesus" (v. 6b,7).

Paulo ensina-nos como viver alegre o tempo todo, e seu primeiro conselho é não ficarmos "cheios de cuidados" por nada. Jesus, naturalmente, dá o mesmo conselho: "Não se preocupem com sua própria vida, quanto ao que comer ou beber; nem com seu próprio corpo, quanto ao que vestir" (Mateus 6.25). A mesma palavra é usada nas duas passagens, que traduzimos por "ansioso" ou "cauteloso". Os cristãos são chamados a libertar-se da cautela, mas achamos estranho esse procedimento. Fomos treinados desde os 2 anos de idade a tomar cuidado com tudo. Gritamos "Cuidado!" para nossos filhos enquanto correm para o ônibus escolar, ou seja, que fiquem "cheios de cuidado".

Não alcançaremos o espírito de celebração enquanto não aprendermos a deixar de lado a "preocupação com as coisas". Jamais teremos a indiferença despreocupada em relação às coisas enquanto não confiarmos em Deus. É por isso que o Jubileu era uma celebração tão crucial no Antigo Testamento. Ninguém o ousaria celebrar, a menos que tivesse uma confiança profunda na capacidade de Deus em atender às necessidades.

Quando confiamos em Deus, ficamos livres para depender inteiramente dele quanto à provisão de que necessitamos: "Pela oração e súplicas, e com ação de graças, apresentem seus pedidos a Deus". A oração é o meio pelo qual movemos o braço de Deus. Assim, podemos viver num espírito de celebração despreocupada.

No entanto, Paulo não encerra a questão aqui. Em si mesmas, a oração e a confiança não são suficientes para nos trazer alegria. O apóstolo acrescenta que devemos concentrar-nos em tudo que seja verdadeiro, nobre, correto, puro, amável e de boa fama (Filipenses 4.8). Deus estabeleceu uma ordem na criação, a qual oferece muitas coisas proveitosas e excelentes; naturalmente, seremos felizes se as buscarmos. É o caminho estabelecido por Deus para a alegria. Se acharmos que vamos encontrar a alegria orando e cantando salmos, ficaremos desiludidos. Se, todavia, preenchermos a vida com coisas boas e simples, agradecendo constantemente a Deus por elas, viveremos alegres. E quanto aos problemas? Quando nos determinarmos a repousar nas coisas excelentes que a vida oferece, elas acabarão engolindo nossos problemas.

A decisão de voltar a mente para as coisas mais elevadas da vida é um ato da vontade. É por isso que a celebração é uma disciplina. Não é algo despejado sobre nós. É o resultado de se optar conscientemente por uma forma de viver e de pensar. Se fizermos essa escolha, a cura e a redenção que estão em Cristo penetrarão os recessos mais íntimos de nossa vida e de nossos relacionamentos; a consequência inevitável será a alegria.

Os benefícios da celebração

O benefício mais importante da celebração é, de longe, que ela nos livra de nos levarmos muito a sério. Essa é uma graça desesperadamente necessária a todos os que abraçam com sinceridade as disciplinas espirituais. Tornar-se chato e ranzinza é um risco ocupacional dos cristãos muito religiosos, mas não deve ser assim. Entre todas as pessoas, devemos ser as mais livres, vivas e interessantes. A celebração adiciona um tom de alegria, festividade e contentamento à nossa vida. Afinal, Jesus alegrou-se de forma tão plena na vida que foi acusado de ser beberrão e glutão. Alguns se confinam a uma existência tão azeda que nem mesmo podem ser acusados de coisas assim.

Bem, não estou recomendando arroubos periódicos de pecado, apenas sugerindo que realmente precisamos de experiências divertidas, mais terrenas. É terapêutico e renovador cultivar um amplo apreço pela vida. O espírito pode exaurir-se na busca desenfreada por Deus, assim como o corpo, com o trabalho excessivo. A celebração ajuda-nos a relaxar e a desfrutar as coisas boas deste mundo.

A celebração também pode ser um antídoto eficaz contra a tristeza que vez por outra nos oprime a alma. A depressão é uma verdadeira epidemia nos dias de hoje, e a celebração pode ajudar a deter essa maré. No capítulo intitulado "Auxílio na tristeza", François Fénelon aconselha os que estão abatidos com o peso da vida a encorajar a si mesmos "com boas conversas, até mesmo se divertindo".[2]

Outro benefício da celebração é que ela nos oferece uma perspectiva. Podemos rir de nós mesmos. Passamos a enxergar que as causas por nós defendidas nem de perto são monumentais como gostaríamos de acreditar. Na celebração, o alto e o poderoso recuperam o equilíbrio, o fraco e o humilde recebem nova estatura. Quem pode ser elevado ou rebaixado no festival divino? O rico e o pobre juntos, o poderoso e o fraco juntos, todos celebrando a glória e a maravilha de Deus. Nada se assemelha ao poder da festividade para nivelar o sistema de castas.

Libertos da visão inflacionada da própria importância, ficamos livres do espírito de julgamento. As pessoas não nos parecerão tão terríveis nem tão carnais. As alegrias comuns poderão ser compartilhadas sem depender do julgamento típico dos santarrões.

Por fim, outra característica interessante da celebração é que ela tende a gerar mais celebração. Alegria gera alegria. Risadas provocam risadas. É uma das poucas coisas da vida que multiplicamos quando distribuímos. Kierkegaard diz que "o humor é sempre um companheiro oculto".[3]

A PRÁTICA DA CELEBRAÇÃO

Se a celebração é primordialmente uma disciplina comunitária e traz tantos benefícios para o povo de Deus, como a praticamos? É uma boa pergunta, pois os seres humanos se tornaram tão mecanizados que sufocamos quase todas as experiências de alegria espontânea. A maioria de nossas experiências de celebração é artificial, feita de plástico.

Uma forma de praticar a celebração é pelo canto, pela dança e pelos brados de alegria. Por causa da bondade de Deus, o coração irrompe em salmos, hinos e cânticos espirituais. Adoração, louvor e reverência fluem dos compartimentos internos. Vemos no salmo 150 o povo de Deus celebrando com trombeta, lira e harpa, com tamborim e danças, com instrumentos de cordas, flautas e címbalos ressonantes.

O que as crianças fazem quando celebram? Fazem barulho, muito barulho. Não há nada de errado com barulho na hora certa, assim como não há nada de errado com o silêncio na hora apropriada. As crianças dançam quando celebram. A profetisa Miriã conduziu o povo numa animada dança de celebração depois que os filhos de Israel foram arrancados das garras do faraó pela mão poderosa do Senhor (Êxodo 15.20). Davi pulou e dançou diante do Senhor com todas as suas forças (2Samuel 6.14,16). A dança popular sempre foi portadora de valores culturais e repetidamente utilizada em celebrações genuínas. Evidentemente, a dança pode ter manifestações equivocadas e malignas, mas isso já é outro assunto.

Cantar, dançar e fazer barulho não são formas obrigatórias de celebração. São apenas formas de imprimir em nós a lembrança de que ao Senhor pertencem a terra e sua plenitude. À semelhança de Pedro, precisamos aprender que nada proveniente da mão graciosa de Deus é intrinsecamente impuro (Atos 10). Estamos livres para celebrar a bondade de Deus com todas as nossas vísceras!

O riso é outra forma de praticar a celebração. Ainda vale, portanto, o velho ditado de que rir é o melhor remédio. De fato, Norman Cousins, no livro *A força curadora da mente*, discute como ele utilizou a terapia do riso para superar uma doença degenerativa. Na cama do hospital, o autor assistia a filmes antigos dos Irmãos Marx e ao *Candid Camera*,[b] e as gargalhadas pareciam ter um efeito anestésico, proporcionando a ele um sono sem dor. Até mesmo os médicos confirmaram os efeitos saudáveis do riso sobre a química de seu corpo.

Por que não? Jesus tinha senso de humor — algumas das parábolas que contava apresentam um lado cômico. Existe até mesmo o "riso santo", fenômeno que ocorre em diversos movimentos de avivamento. Embora eu nunca o tenha experimentado, já observei o riso santo em outros irmãos, e seus efeitos parecem inteiramente

---

[b] Programa de "pegadinhas" da TV americana. [N. do T.]

benéficos. Quer Deus nos conceda essa graça especial quer não, todos podemos experimentar momentos de riso proveitoso.

Então, ria de você mesmo! Desfrute as piadas sadias e os trocadilhos engenhosos. Aprecie boas comédias. Aprenda a rir: é uma disciplina a ser dominada. Deixe de lado o fardo de sempre se mostrar sisudo para dar a impressão de elevada condição espiritual.

A terceira forma de promover a celebração é realçar os talentos criativos da imaginação. Harvey Cox observa que "as faculdades da celebração e da imaginação se atrofiaram".[4] E acrescenta: "Houve um tempo em que os visionários eram canonizados; os místicos, admirados. Agora todos são estudados, escarnecidos e até condenados. Diante disso, podemos afirmar que a imaginação é vista com desconfiança em nossos dias".[5]

Nós, que seguimos Cristo, corremos o risco de ir contra a maré cultural. Vamos apreciar com liberalidade os jogos fantasiosos das crianças. Tenhamos visões e sonhos. Vamos brincar, cantar, rir. A imaginação pode soltar uma torrente de ideias criativas, e isso pode ser muito divertido. Só os inseguros em relação à própria maturidade temerão essa forma tão aprazível de celebração.

Apreciemos também a criatividade das outras pessoas. Os que fazem esculturas, pinturas, peças de teatro e música são para nós uma dádiva preciosa. Podemos organizar exposições e apresentações para exibir suas obras. Podemos cantar a música deles em reuniões informais e em concertos. Podemos organizar produções dramáticas das obras de nossos amigos. Podemos programar uma apresentação com os talentos da família ou expor as pinturas que as crianças fazem na escola. Por que não? É bem divertido e desenvolve relacionamentos.

Outra coisa que podemos fazer é transformar os eventos familiares em momentos de celebração e de ação de graças. Isso é particularmente válido para os diversos ritos de passagem de nossa cultura, como nascimentos, formaturas, casamentos e aniversários. Um casal que conheço planta uma árvore a cada aniversário de casamento. Na fazenda dele, agora existe uma pequena floresta com cerca de 40 árvores, testemunhas silenciosas de seu amor e fidelidade.

Também podemos celebrar eventos menores, mas igualmente importantes, como a conclusão de um projeto importante, um emprego, uma promoção. Além disso, por que não formar rituais periódicos de celebração que não estejam vinculados a eventos especiais? Passe mais tempo ao redor do piano com a família e cante a valer! Aprendam a dança folclórica de várias culturas e divirtam-se juntos. Defina horários para jogos, para assistir a filmes ou ler livros em conjunto. Transforme a visita aos parentes numa celebração do relacionamento de vocês. Tenho certeza de que irão surgir muitas outras ideias que serão a marca de sua família.

A quinta coisa que podemos fazer é aproveitar as datas comemorativas de nossa cultura e celebrar de verdade. Podemos transformar o Natal numa tremenda celebração. Não é preciso vincular a ele o grosseiro apelo comercial da época, se decidirmos que não queremos tal coisa. É evidente que presentear pessoas queridas é uma coisa muito boa, mas há diversos tipos de presentes. Vários anos atrás, nosso filho mais novo, Natã, que estava aprendendo a tocar piano, presenteou cada membro da família com uma música que ele havia aprendido. Ele se divertiu bastante embrulhando caixas enormes e tentando fazer cada um adivinhar qual era o presente. E, quando a caixa era aberta, um bilhete dizia que ele tocaria para eles uma peça curta no piano. Foi encantador e muito divertido!

E quanto à Páscoa? Esqueça o *show* sofisticado e celebre o poder da ressurreição. Encene peças familiares nesse dia. Recupere as celebrações do dia do trabalho. Saia para colher flores e distribua-as entre vizinhos e amigos. Alegre-se com a beleza da cor e com a variedade. Por que permitir que o Halloween seja um feriado pagão, em comemoração aos poderes das trevas? Encha a casa ou a igreja com luz. Cante e celebre a vitória de Cristo sobre as trevas. Deixe as crianças (e os adultos) se fantasiarem de personagens bíblicas ou dos santos que viveram ao longo dos séculos.

Na Idade Média, havia um feriado conhecido como Festa dos Tolos.[6] Era um momento em que se podia rir e zombar de todas as "vacas sagradas" da época. Os clérigos de menor projeção imitavam e ridicularizavam seus superiores. Os líderes políticos eram satirizados. É possível fazer isso sem o deboche excessivo que normalmente acompanhava tais festividades, mas realmente precisamos de ocasiões nas quais possamos rir de nós mesmos. Em vez de criticar os costumes sociais de nossa época, podemos fazer melhor: encontrar formas de rir deles.

Não fiquemos limitados às comemorações já existentes. Podemos criar as nossas. Certa comunidade programou uma noite de celebração em apreço aos pastores. Cada família fez um cartão artesanal. Diversos grupos prepararam esquetes, peças, leituras e piadas. Como um dos pastores, posso afirmar que foi uma noite hilariante. Por que esperar até que os pastores estejam mudando de igreja para dar uma festa? Se demonstrarmos nosso apreço com mais frequência, talvez eles se sintam mais motivados e fiquem mais tempo.

Conheço uma igreja que organiza um "festival das luzes" no Natal. Há música, teatro, e, acima de tudo, muita gente envolvida. Sei de outro grupo que se encontra a cada quatro meses para celebrar a comida de outros países. Num dos encontros, comem uma refeição sueca; em outra ocasião, uma irlandesa; na reunião seguinte, comida japonesa.

Na escola em que leciono, temos um evento anual, a Sinfonia da Primavera, e o bem que ele proporciona ao espírito humano é incalculável. É o dia mais aguardado do ano. Música, trajes, cor

— é uma minissuperprodução com todo o profissionalismo de uma produção profissional, sem a superficialidade plástica. Esse evento não é barato. Exige um gasto considerável de tempo, energia e dinheiro. Todos nós, porém, precisamos de festivais de alegria enquanto buscamos juntos o Reino de Deus.

A celebração nos dá força para vivenciar todas as outras disciplinas. Quando as buscamos com intensidade e fidelidade, as demais disciplinas libertam-nos de coisas que durante anos transformaram nossa vida em tragédia. Elas, por sua vez, evocam mais celebração. Assim, forma-se um círculo ininterrupto de vida e poder.

Finis

Chegamos ao fim deste estudo, mas apenas ao começo da jornada. Vimos como a *meditação* acentua a sensibilidade espiritual e que, por sua vez, leva à *oração*. Logo descobrimos que a oração está associada ao *jejum*. Influenciados por essas três disciplinas, podemos com eficácia caminhar para o *estudo*, que nos dá discernimento a respeito de nós mesmos e do mundo em que vivemos.

Por meio da *simplicidade*, vivemos de maneira íntegra em comunidade. A *solitude* permite-nos estar genuinamente presentes quando estamos com as pessoas. Mediante a *submissão*, convivemos com os demais seres humanos sem o apelo da manipulação e pelo *serviço* tornamo-nos bênção para elas.

A *confissão* liberta-nos de nós mesmos, liberando-nos para a *adoração*. A adoração abre as portas para a *orientação espiritual*. Todas as disciplinas exercidas livremente geram a doxologia da *celebração*.

As disciplinas clássicas da vida espiritual acenam a nós em direção aos Himalaias do Espírito. Agora estamos sobre uma linha imaginária nas montanhas, assombrados com os picos nevados diante de nós. Aceleremos o passo, confiantes em nosso Guia, que abriu a trilha e conquistou o cume mais alto.

Notas

[1] Cox, Harvey. **The Feast of Fools**. Cambridge: Harvard University Press, 1969. p. 12 [**A festa dos foliões**. Petrópolis: Vozes, 2001].

[2] Fénelon, François. **Christian Perfection**. Minneapolis: Bethany Fellowship, 1975. p. 102.

[3] Apud Trueblood, D. Elton. **The Humor of Christ**. New York: Harper & Row, 1964. p. 33.

[4] Cox, op. cit., p. 11.

[5] Id., ibid., p. 10.

[6] Id., p. 3.

CELEBRANDO A
CELEBRAÇÃO DA DISCIPLINA

Para homenagear o décimo aniversário da publicação de *Celebração da disciplina*, pediu-se a diversos líderes de igreja e professores que fizessem uma reflexão a respeito do significado que o livro teve para eles e para seu ministério e dos efeitos causados pelo livro no ensino e na prática da espiritualidade na igreja como um todo.

Seguem-se os comentários, que são um convite para apreciarmos com mais profundidade este livro e a centralidade das disciplinas espirituais na vida cristã.

"Ouvi falar pela primeira vez de *Celebração da disciplina* por meio de um padre católico na República do Panamá, que estava recomendando o livro à sua paróquia. Comprei um exemplar e imediatamente transformei-o em leitura obrigatória para toda a liderança da minha igreja [...]. Desde então, adotei a prática das disciplinas como estilo de vida [...]. Devo muito a Richard Foster por esclarecer no papel as questões que o Espírito me trazia ao coração."

Jamie Buckingham, editor, *Buckingham Report*

"Richard Foster causou grande impacto à minha vida. Como ativista, tenho a tendência de ficar tão envolvido com minhas 'boas obras' que frequentemente negligencio as disciplinas espirituais que me põem em contato com as origens de minha força e visão. Ainda tenho muito que caminhar, mas *Celebração da disciplina* é uma ajuda de peso, que me leva na direção em que devo caminhar."

Tony Campolo, autor de *Who Switched the Price Tags* [Quem trocou as etiquetas de preço?] e de *Seven Deadly Sins* [Sete pecados mortais]

"Richard Foster é um autor incomum e poderoso, cujos escritos são perceptivos, concisos, penetrantes. Eles provocam a reflexão, são intelectualmente estimulantes, intensamente práticos e livres dos floreios verbais que parecem caracterizar tantos livros modernos. *Celebração da disciplina* tem sido um guia influente, desafiador e útil em minha caminhada espiritual. Este livro é como um amigo muito querido. Sou grato a Deus pela contribuição profunda e poderosa feita por Richard Foster à espiritualidade cristã e fico empolgado ao saber que este clássico cristão contemporâneo continua ajudando gerações de leitores a andar com Cristo."

Gary R. Collins, professor de psicologia, Trinity Evangelical Divinity School

"A década passada foi testemunha de um profundo e renovado interesse pela espiritualidade em diversas áreas da Igreja. Nós, protestantes evangelicais, estávamos precisando de uma correção em nosso ativismo e de um retorno às raízes da caminhada autêntica com Deus. *Celebração da disciplina* certamente é um dos livros mais importantes nessa renovação. Pessoalmente, fui muito ajudado quando o li pela primeira vez e tenho recomendado sua leitura amplamente. A escrita lúcida de Richard Foster, aliada à ênfase da graça disciplinada, faz deste livro uma das obras mais notáveis de nossos dias. Faço muitas referências a ele. Os que estão preocupados com a evangelização do mundo precisam reconhecer que essa tarefa enorme não pode ser realizada sem um enraizamento ainda mais profundo em Cristo, influenciado pela Palavra de Deus e alimentado pelo Espírito. Dou as boas-vindas à nova edição de *Celebração da disciplina*."

Leighton Ford, Leighton Ford Ministries

"*Celebração da disciplina*, de Richard Foster, é um dos poucos livros de nossa geração a merecer a designação de 'clássico'. Quando se fala em clássicos cristãos, raramente pensamos numa obra contemporânea. Pressupõe-se que, para ser um clássico, a obra precisa ser muito antiga. Na verdade, idade pouco conta para isso. Um livro torna-se um clássico quando sua mensagem primordial foi testada por um número suficiente de pessoas e descobriu-se que é autêntica, sensata e útil.

"*Celebração da disciplina* é um livro popular, no melhor sentido da palavra — foi escrito para o povo. É comum pensar que as disciplinas estão restritas aos gigantes espirituais ou às almas privilegiadas que não precisam lidar com as 'distrações' da família ou de um emprego de tempo integral. Richard Foster resgata as disciplinas da mão dos especialistas e dos ascetas devolvendo-as aos discípulos comuns, a quem elas se destinavam originariamente. Sua ênfase no 'discípulo em treinamento' engloba o trabalhador na linha de produção, o acadêmico, a mãe aflita com os filhos pequenos, o escriturário e o clérigo."

William C. Frey, ex-deão, Trinity School for Ministry

" 'Siga-me' foi o chamado de Jesus a Tiago e João no litoral galileu, quando começou seu ministério terreno. 'Siga-me' continua sendo o chamado de Cristo a todos os cristãos, mas atender a esse chamado no ambiente de uma cultura que ignora Cristo e adota o materialismo é difícil e pode facilmente produzir frustração e derrota. *Celebração da disciplina*, de Richard Foster, explora cuidadosamente os meios bíblicos para conhecer e seguir o Salvador na sociedade contemporânea e oferece sugestões práticas da vida cotidiana para os cristãos."

Mark O. Hatfield, ex-senador americano pelo Estado de Oregon

"*Celebração da disciplina* tem ajudado a Igreja de hoje a alcançar um entendimento restaurador e profundo a respeito das disciplinas espirituais. Uma onda de ânimo varreu o país, à medida que diversos cristãos foram pondo em prática as verdades encontradas neste livro, verdades que transformam vidas."

Carolyn Koons, autora de *Tony: Our Journey Together* [Tony: nossa jornada em comum] e *Beyond Betrayal* [Além da traição]

"Li *Celebração de disciplina* há quase dez anos e não mais me senti assustadoramente sozinha na jornada espiritual. Com o passar dos anos, cresci e valorizei imensamente este livro em meu trabalho como escritora e professora. Bem semelhante a um amigo antigo e caro, *Celebração da disciplina* gentilmente me desafia a ser constante na caminhada que leva à inteireza e a Deus. A força e a clareza do pensamento e da expressão de Richard Foster iluminam o caminho, mesmo nos momentos mais tenebrosos, ao mesmo tempo que sua prosa lúcida e suas observações incisivas ajudam a tornar a difícil prática pessoal e comunitária das disciplinas espirituais uma experiência notavelmente alegre."

Judith C. Lechman, autora de *Yielding To Courage* [Entregar-se à coragem] e de *The Spirituality of Gentleness* [A espiritualidade da bondade]

"Fui conquistada por *Celebração da disciplina* quando de sua publicação pela primeira vez, uma voz vicejante de realidade [...], e a sabedoria de Richard Foster é ainda mais necessária hoje. De fato, ele nos oferece a alegria da disciplina que irá nos ajudar a buscar o Reino de Deus de forma mais alegre e menos moralista do que a cristandade de nosso século está disposta a incentivar. Ele se expressa na linha tênue que separa a permissividade aleijadora e a autoindulgência do legalismo e do medo, todos igualmente destrutivos. Quer escreva sobre meditação e contemplação quer sobre estudo ou jejum, Richard Foster oferece-nos uma visão das disciplinas espiritualmente saudável e alegre. Se cada pessoa deste país pudesse ler — e seguir à risca — este livro, que diferença isso faria neste Planeta! Aliás, no cosmo!"

Madeleine L'Engle, autora de *Uma dobra no tempo* e de *The Crosswicks Journals* [Os diários de Crosswicks]

"Somos um povo tolerante numa época egoísta. Mesmo sendo cristãos, não celebramos a disciplina: física, intelectual, social ou espiritual. No entanto, é essa a tônica, direcionada pelo Espírito, de *Celebração da disciplina*, de Richard Foster. Partindo da própria fé e prática, o autor mostra o que está faltando — a alegria de exercitar a disciplina espiritual e de descobrir a plenitude da vida prometida por Cristo. Dez anos depois de sua publicação, ainda faço citações do livro, recomendo sua leitura, pratico os princípios e celebro sua contribuição oportuna para a literatura cristã duradoura."

David L. McKenna, presidente emérito, Asbury Theological Seminary

"Eu costumava dizer que o tema do evangelicalismo era 'Maravilhosa graça', lamentando o fato de os evangelicais nunca terem composto um hino que se chamasse 'Maravilhosa disciplina'. Não digo mais isso. Richard Foster ensinou-me a interioridade mais completa que já conheci. *Celebração da disciplina* é um contágio de alegria que me levou para além da graça barata, para um estilo de vida contemplativo que, além de mudar minha vida, também concedeu renovo ao meu ministério a uma congregação grata pelas mudanças."

Calvin Miller, autor de *The Book of 7 Truths* [O livro das sete verdades] e de *The Singer Trilogy* [A trilogia do cantor]

"Como a criança que explora o sótão de uma casa antiga num dia chuvoso descobre um baú cheio de tesouros e chama todos os irmãos para dividir o achado, Richard Foster 'descobriu' as disciplinas espirituais que o mundo moderno engavetou e esqueceu, e animadamente nos chamou para celebrá-las. Porque, como nos mostra, elas são instrumentos de alegria, o caminho para a espiritualidade cristã e para a vida abundante em Cristo."

Eugene H. Peterson, autor de *A Mensagem* [**no prelo, por Editora Vida**] e *Diálogos de sabedoria*

"O grande lapso na Igreja de hoje é a disciplina pessoal. Há bem pouca orientação saudável sobre o que os cristãos devem fazer *depois* de terem nascido de novo. A obra grandiosa da santificação apenas começa na conversão. O livro *Celebração da disciplina*, de Richard J. Foster, foi e continua sendo uma celebração muito valiosa daquele tipo de disciplina que cada cristão precisa assumir se quiser adquirir maturidade em Cristo. Recomendamos enfaticamente *Celebração da disciplina* a todos os leitores."

John e Paula Sandford, autores de *Transformation of the Inner Man* [Transformação do homem interior]

"Enquanto valores baratos e espalhafatosos amoldam nossa sociedade, Richard Foster apresenta-nos um modelo sólido e precioso. As disciplinas, a respeito das quais escreve com tanta ousadia e clareza, são disciplinas convincentes praticadas pelo próprio Cristo [...].

"Pessoalmente, acho que uma das conclusões mais proveitosas de Foster é que, em si, as disciplinas não possuem valor — são simples meios que levam a um fim maior [...]. Assim como as leis (ou disciplinas) da física liberam um barco a vela para transformar um impetuoso vento em movimento na direção oposta, as disciplinas espirituais e físicas permitem-nos transformar limitações e desvantagens em liberdade e benefícios redentores para nós mesmos, para as igrejas, para a sociedade e para Deus.

"Sempre gostei da natureza prática de Foster. Há mistério aqui, mas ele não é inacessível, pois mostra-nos em detalhes *como* praticar as disciplinas de forma concreta. O espiritual funde-se com o físico; mais uma vez, a palavra se faz carne; céus e terra parecem unir-se neste escrito."

Luci Shaw, autora de *Listen to the Green* [Ouça o verde]

"*Celebração da disciplina* de Richard Foster é o melhor livro moderno sobre espiritualidade. Li-o cerca de seis vezes na última década e o tenho usado como texto em aulas e grupos pequenos [...]. Nenhum outro livro, com exceção da Bíblia, tem sido tão útil para mim em nutrir minha jornada interior de oração e crescimento espiritual."

Ronald J. Sider, diretor-executivo, Evangelicals for Social Action

"Comemorar o aniversário do esplêndido *Celebração da disciplina*, de Richard Foster, com uma nova edição dá a todos nós a oportunidade de agradecer a Deus por este presente, um livro que trouxe significado novo à caminhada da vida cristã neste nosso mundo satisfeito consigo mesmo."

Lewis B. Smedes, autor de *Caring & Commitment* [Cuidado e compromisso] e de *Perdoar e esquecer*

"*Celebração da disciplina* ajudou-me a crescer no entendimento e na prática da vida cristã. Tenho apreço especial à sensibilidade de Foster com a comunidade — a ênfase que dá às disciplinas compartilhadas e às individuais. *Celebração da disciplina* ajuda-nos a experimentar a verdadeira realidade da igreja."

Howard A. Snyder, professor adjunto de renovação eclesiástica, United Theological Seminary

"*Celebração da disciplina* deve fazer parte da biblioteca de todos os cristãos e deve ser lido e estudado regularmente. Toda a área do crescimento espiritual recebe uma interpretação redentora, da primeira à última página. Richard Foster combina materiais clássicos tradicionais e bíblicos com ideias contemporâneas e atualiza de fato o significado e a necessidade de uma *Celebração da disciplina*. Cada leitura deste livro gera um desejo renovado de ter a vida em conformidade com a pessoa de Jesus Cristo."

Tommy Tyson, evangelista

"A maioria dos livros reconhecidos como clássicos foram bons livros escritos no momento certo. Richard Foster escreveu *Celebração da disciplina* no momento certo, e de fato muitos o consideram um clássico. A época era o final da década de 1970, quando Deus estava começando a levar a Igreja na América e em outras partes do mundo a uma era nova de acentuada espiritualidade [...]. Richard Foster foi um dos primeiros a ouvir o que o Espírito estava dizendo às igrejas e a mostrar ao mundo, por meio de *Celebração da disciplina*, o que estava ouvindo. Este livro foi a dobradiça central na porta aberta por Deus para um novo tempo. Sua mensagem chegou a lugares remotos, ajudando cristãos de todos os estilos de vida a estabelecer mais intimidade com o Pai celestial."

C. Peter Wagner, professor, Fuller Theological Seminary

"Ao longo das duas últimas décadas, minha peregrinação espiritual afastou-me da mentalidade proposicional e racionalista que proclama uma fé intelectualizada e voltada para comprovações e me aproximou do cristianismo da prática e da experiência.

"*Celebração da disciplina*, de Richard Foster, convida todos nós a esse tipo de fé. Diz que não é suficiente apenas acreditar. O que Deus quer é a prática: a prática da adoração, a prática da disciplina, a prática de uma fé experimentada. Creio firmemente que este é um livro para nossa época! É um oásis em terra árida, que pode oferecer a nós, crentes modernos, um gole da água fresca de uma espiritualidade profundamente arraigada à tradição cristã."

Robert Webber, professor de teologia, Wheaton College

"Em *Celebração da disciplina*, Richard Foster oferece-nos um presente raro. Este livro conectou-me com verdades que já conheço, mas que continuo esquecendo. Trouxe-me uma vez mais para perto de um tesouro que minha vida monástica sempre me encorajou a explorar, *minha vida interior*. Richard Foster acena-me às profundezas, prometendo que para chegar lá não se exige o enfado do ascetismo mórbido e sombrio que quebra meu espírito, e sim uma disciplina alegre que abre as portas para a liberdade até se transformar em celebração.

"Há muito tempo, suspeito que a melhor maneira de atingir a alegria autêntica é por meio da obediência. Entretanto, a obediência é hoje uma palavra insossa em nossa boca. Como é aprazível, então, descobrir um livro que apresenta uma imagem renovada da obediência. De fato, a força deste livro é que a obediência às disciplinas cristãs tradicionais da oração, jejum, meditação, simplicidade, orientação espiritual e outras é apresentada como celebração, não lei [...]

"Richard Foster apresenta-nos algumas maneiras de fazer as tarefas do cotidiano com profundidade. A celebração de cada

disciplina deste livro põe em nossa mão uma ferramenta que pode ser de grande auxílio para integrar a vida interior com a exterior."
Macrina Wiederkehr, O.S.B.,* autora de *A Tree Full of Angels* [Uma árvore cheia de anjos]

"*Celebração da disciplina* silenciosamente se impôs na vida de multidões ao redor do Globo e assumiu seu lugar como guia aos lugares altos da vida espiritual no final do século XX. Em toda parte aonde vou, encontro pessoas cuja vida foi transformada com a leitura deste livro. *Celebração* põe-nos ao lado daqueles que obtiveram sucesso na caminhada com Jesus em cada situação e mostra-nos padrões de ação acessíveis, por meio dos quais nossa interação com seu Reino é garantida. É esse o segredo de sua força. Se quiser experimentar a realidade da vida graciosa de Deus que vemos na Bíblia, não há melhor conselheiro que Richard Foster".
Dallas Willard, autor de *O espírito das disciplinas*

"Em 1978, foi publicado sem muita ostentação o primeiro livro de Richard Foster, *Celebração da disciplina*. As vendas iniciais foram, na melhor das hipóteses, tímidas. Poucos especialistas de *marketing* acreditavam que um livro convidando à disciplina e à santidade fosse encontrar mercado numa geração hedonista e absorta em si mesma, oriunda dos conturbados anos de 1960. Afinal, era o advento dos *yuppies*, que dirigiam BMWs enquanto bebericavam água Perrier, não de monges enclausurados em cavernas acostumados a jejuns de duas semanas.

"Bem, os especialistas estavam errados. Aqueles poucos leitores iniciais de *Celebração da disciplina* começaram a espalhar a notícia: a verdadeira porta para a libertação em Cristo são as disciplinas

---

* *Ordinis Sancti Benediti*: designação dos que pertencem à ordem de São Benedito, isto é, os beneditinos. [N. do E.]

espirituais. Foster, refletindo a respeito de sua herança quacre, escreve sobre uma vida interior de santidade e de restrições pessoais — qualidades desejáveis e plausíveis —, uma vida que, em última análise, chega à plenitude!

"Desde 1978, centenas de milhares de pessoas ao redor do mundo leram e releram *Celebração da disciplina*. Estou entre essas pessoas. Este livro deu uma contribuição ímpar à minha vida de oração. À medida que o livro avança mais uma década, minha esperança é que a nova geração descubra a mensagem central de *Celebração da disciplina*: cultivar um relacionamento pessoal com Jesus Cristo é verdadeiramente o caminho para o crescimento espiritual."

John Wimber, fundador, Associação das Igrejas Vineyard

LISTA DE VERSÕES BÍBLICAS USADAS

Almeida Revista e Atualizada (ARA). 2. ed. Barueri: Sociedade Bíblica do Brasil, 1999.
Almeida Revista e Corrigida (ARC). Barueri: Sociedade Bíblica do Brasil, 1998.
Bíblia de Jerusalém (BJ). São Paulo: Sociedade Bíblica Católica Internacional/Paulus, 1995.
Bíblia Viva (BV). 2. ed. São Paulo: Mundo Cristão, 2002.
Nova Tradução na Linguagem de Hoje (NTLH). Barueri: Sociedade Bíblica do Brasil, 2000.
Nova Versão Internacional (NVI). São Paulo: Vida, 2001.

BIBLIOGRAFIA CONCISA DE OBRAS RECENTES

As notas no final deste livro e a bibliografia bem extensa indicada no *Richard J. Foster's Study Guide for Celebration of Discipline* [Guia de estudo de Richard J. Foster para *Celebração da disciplina*] têm o objetivo de apresentar a você os recursos para sua pesquisa. Além dessas fontes, pensei que seria útil acrescentar à lista os livros publicados em anos recentes. Quando escrevi *Celebração*, as obras contemporâneas que tratavam da espiritualidade eram de fato muito restritas, especialmente entre os protestantes. Todavia, nos últimos dez anos uma enxurrada de livros foi escrita, alguns dos quais bastante bons, o que é motivo de alegria. A lista a seguir é uma amostra desses livros, e espero que sirvam de pontos de referência para sua jornada.

OBRAS DE REFERÊNCIA SOBRE ESPIRITUALIDADE

Muitos não têm uma percepção histórica da espiritualidade, do desenvolvimento da teologia espiritual, nem mesmo dos principais representantes dessa área. Os livros indicados a seguir ajudarão a preencher possíveis lacunas que você tenha sobre o tema.

JONES, Cheslyn et al. (Org.). **The Study of Spirituality**. New York: Oxford University Press, 1986. Esse livro oferece uma excelente amostra de autores provenientes das principais tradições de espiritualidade. Fico especialmente feliz que uma seção inteira tenha sido dedicada à "espiritualidade pastoral", uma vez que essa ênfase tem sido extremamente negligenciada nos programas tradicionais de teologia pastoral.

LANE, George A. **Christian Spirituality:** An Historical Sketch. Chicago: Loyola University Press, 1984. Esse livro contém um esboço do transcorrer da espiritualidade na história cristã. No final do livro, há uma bela cronologia das principais personalidades (outra opção pode ser *A History of Spirituality*, de Urban Holmes).

LEECH, Kenneth. **Experiencing God:** Theology as Spirituality. San Francisco: Harper & Row, 1985. Talvez você esteja familizarizado com o nome de Kenneth Leech por causa dos outros livros que escreveu: *Soul Friend* e *True Prayer*. *Experiencing God* procura firmar a teologia em seu papel central, que é buscar um conhecimento transformador de Deus. Antigos escritores costumavam falar da "teologia do *habitus*", ou seja, uma teologia que nos transforma no nível mais elementar de nossos hábitos. É um livro consistente, que traz a teologia de volta para essa tradição.

PENNINGTON, M. Basil et al. (Org.). **The Living Testament:** The Essential Writings of Christianity Since the Bible. San Francisco: Harper & Row, 1985. Uma seleção sólida de escritos, desde o Credo Apostólico até Billy Graham.

RAMSEY, Boniface. **Beginning to Read the Fathers**. New York: Paulist Press, 1985. Todos os que desejam ler os escritos dos pais da Igreja (incluindo os pais do deserto), mas se sentem incomodados com o abismo cultural e linguístico, receberão novo ânimo com esse livro. Ele ajuda a esclarecer posições a respeito de muitos temas, desde "condição humana" até "morte e ressurreição". Felizmente, o livro traz numerosas citações dos próprios pais da Igreja.

ESPIRITUALIDADE E ORAÇÃO

Uma vez que a oração está no coração da vida espiritual, faz sentido dar atenção especial a esse tópico.

BLOESCH, Donald G. **The Struggle of Prayer**. San Francisco: Harper & Row, 1980. Nesse livro, o conceituado teólogo evangelical aborda questões bíblicas e teológicas importantes relacionadas à oração.

Embora se concentre em perguntas difíceis, Bloesch também mostra a espiritualidade de um coração terno.

Griffin, Emilie. **Clinging:** The Experience of Prayer. San Francisco: Harper & Row, 1984. A autora conhece Deus, e, por isso, o convite caloroso que faz a uma vida de oração deve ser levado a sério. É um livro pequeno que vale seu peso em ouro.

Guyon, Jeanne. **Experiencing the Depths of Jesus Christ**. Goleta: Christian Books, 1975. É uma edição nova de um livro antigo, do século XVII, e devemos nos alegrar por esse ensino simples — profundamente simples — de Madame Guyon acerca da oração estar disponível aos leitores de hoje.

Hassle, David J. **Radical Prayer:** Creating a Welcome for God, Ourselves, Other People and the World. New York: Paulist Press, 1983. Surgido das percepções obtidas com *Os exercícios espirituais de Inácio de Loyola*, esse livro conduz-nos à redescoberta da oração, tal como era antes de se tornar uma técnica. A orientação é católica romana, entretanto apresenta esclarecimentos aplicáveis a todas as tradições.

Hinson, E. Glenn. **The Reafirmation of Prayer**. Nashville: Broadman, 1979. Esse livro procura dar às formas tradicionais de oração — adoração, ação de graças, confissão, intercessão, petição e dedicação — uma configuração moderna. Quem conhece Glenn Hinson, fica impressionado com sua solidez intelectual e sua profunda espiritualidade — virtudes raramente encontradas na mesma pessoa.

Peterson, Eugene H. **Earth & Altar:** The Community of Prayer in a Self-Bound Society. Downers Grove: InterVarsity, 1985. Sem dúvida, você já ouviu falar de Eugene Peterson por causa dos seus livros e da versão contemporânea da Bíblia *A Mensagem* [**São Paulo: Vida, 2011**]. Em *Earth and Altar*, ele trabalha o aspecto comunitário da oração e concentra-se especialmente em como ela age para nos libertar da autocentralização. O autor utiliza como plataforma 11 salmos que moldaram a política de Israel e com base neles nos mostra como a oração deve moldar a política.

Toon, Peter. **From Mind to Heart:** Christian Meditation Today. Grand Rapids: Baker Book House, 1988. Esse livro é uma introdução à disciplina cristã da meditação. O autor mostra como a meditação "está relacionada ao estudo intelectual e à oração, mas não é idêntica a eles".

Obras gerais sobre espiritualidade

Alguns livros excelentes sobre espiritualidade apareceram nos últimos anos. Incluo aqui uma pequena relação desses livros.

BOYER Jr., Ernest. **A Way in the World:** Family Life as Spiritual Discipline. San Francisco: Harper & Row, 1984. Esse livro considera a família não um obstáculo à vida espiritual, mas, sim, um recurso concedido por Deus para nutrir a vida espiritual. "O sacramento do cuidado com os outros" e "O sacramento da rotina" são dois capítulos que representam bem essa preocupação.

COLLIANDER, Tito. **Way of the Ascetics:** The Ancient Tradition of Discipline and Inner Growth. Trad. Katherine Ferré. San Francisco: Harper & Row, 1960. [**Caminho dos ascetas**. São Paulo: Paulinas, 1986]. Se algum dia você quis aprender com os mestres devocionais da Igreja ortodoxa do Oriente, esse pequeno livro é um bom ponto de partida. Contém excertos sucintos dos escritos dos pais da Igreja ortodoxa, além de breves comentários e aplicações práticas para a devoção diária.

EDWARDS, Tilden H. **Spiritual Friend:** Reclaiming the Gift of Spiritual Direction. New York: Paulist Press, 1980. Para muitos, o conceito de orientação espiritual é obscuro e envolto em mistério e em preságios. *Spiritual Friend* esclarece a confusão e convida-nos a enxergar que não precisamos viver a vida espiritual em isolamento. Você desejará também ler o livro anterior de Edwards, *Living Simply Through the Day*.

FOSTER, Richard J. **The Challenge of the Discipline Life:** Christian Reflections on Money, Sex & Power. San Francisco: Harper & Row, 1985. [**Dinheiro, sexo e poder**. São Paulo: Mundo Cristão, 2005]. *Celebração* é a tentativa de descrever como vivemos devocionalmente, mas esse livro é a tentativa de descrever como vivemos eticamente — amar a Deus, amar o próximo. Ao fazê-lo, descarto os votos monásticos de pobreza, castidade e obediência como resposta às questões apresentadas pelo dinheiro, sexo e poder e procuro enunciar os votos contemporâneos de simplicidade, fidelidade e serviço. Você também deve conhecer um livro anterior, *Freedom of Simplicity* [**A liberdade da simplicidade: encontrando harmonia num mundo complexo. São Paulo: Vida, 2008**].

GRANBERG-MICHAELSON, Wesley. **A Worldly Spirituality:** The Call to Redeem Life on the Earth. San Francisco: Harper & Row, 1984.

Esse livro apresenta uma nova perspectiva teológica que dá apoio à comunhão afetiva e estimulante com toda a criação de Deus. Procura aplicar os temas da espiritualidade aos complexos problemas ecológicos que enfrentamos hoje.

HOLMES, Urban T. **Spirituality for Ministry**. San Francisco: Harper & Row, 1982. Muitos pastores e sacerdotes atarefados acham que a vida espiritual é quase a última coisa que seu povo os incentiva a nutrir. Esse livro procura corrigir tal desequilíbrio.

KLUG, Ronald. **How to Keep a Spiritual Journal**. Nashville: Thomas Nelson, 1982. Um livro franco a respeito do valor do diário espiritual e do mecanismo para mantê-lo.

LECKEY, Dolores R. **The Ordinary Way:** A Family Spirituality. New York: Crossroad, 1982. Esse livro procura aplicar à vida familiar as percepções obtidas com as *Regras de São Benedito*. Abrange tópicos como intimidade, igualdade, oração, divertimento, estudo, estabilidade e hospitalidade.

MCNEILL, Donald P. et al. **Compassion:** A Reflection on the Christian Life. Garden City: Image Book, 1983. [**Compaixão:** reflexões sobre a vida cristã. São Paulo: Paulus, 1998]. Esse livro procura aplicar a virtude cristã da compaixão às prementes injustiças sociais de nossos dias. Os autores mostram como se nutre a compaixão na vida espiritual corretamente ordenada e como ela pode levar-nos à ação em favor dos oprimidos e quebrantados.

MACY, Howard R. **Rhytms of the Inner Life:** Yearning for Closeness with God. Old Tappan: Fleming H. Revell, 1988. Usando Salmos como base, o autor identifica sete movimentos do coração que ajudam a nutrir a vida espiritual: anseio, espera, tremor, desespero, descanso, diálogo e celebração.

NOWEN, Henri J. M. **The Way of the Heart:** Desert Spirituality and Contemporary Ministry. New York: Seabury, 1981. [**A espiritualidade do deserto e o ministério contemporâneo:** o caminho do coração. Rio de Janeiro: Loyola, 2000]. O autor ofereceu sustento à vida espiritual de muitos por meio de livros como *O sofrimento que cura*, *De coração a coração* e *Renovando todas as coisas*. Em *A espiritualidade do deserto*, ele aplica as descobertas oriundas dessa espiritualidade ao cenário contemporâneo. Ele se concentra em particular nas disciplinas espirituais da solitude, do silêncio e da oração.

STRINGFELLOW, William. In: BELL, Richard H. (Org.). **The Politics of Spirituality:** Spirituality & the Christian Life. Philadelphia:

Westminster, 1984. Encontrar-se com William Stringfellow é libertar-se da tentação de divorciar a vida espiritual das prementes questões sociais do momento. Esse livro trata a espiritualidade como uma realidade política elementar, no sentido de que pretende influenciar integralmente a pessoa: corpo, mente, alma, lugar, relacionamentos, estruturas institucionais e outros elementos. Ao longo de sua produtiva vida, Stringfellow escreveu 14 livros, entre eles *Conscience and Obedience* e *An Ethic for Christians and Other Aliens in a Strange Land*.

WILLARD, Dallas. **The Spirit of the Disciplines:** Understanding How God Changes Lives. San Francisco: Harper & Row, 1988. [**O espírito das disciplinas:** entendendo como Deus transforma vidas. Rio de Janeiro: Habacuc, 2003]. Se tivesse de apontar o livro mais importante desta década sobre espiritualidade, seria esse. Ele apresenta uma teologia lúcida para as disciplinas espirituais, apresentando-as como meios pelos quais somos transformados à semelhança de Cristo.

WOODBRIDGE, Barry A. **A Guidebook for Spiritual Friends**. Nashville: Upper Room, 1985. Livro simples, mas útil, que trata de como empreender a orientação espiritual.

ÍNDICE DE ASSUNTOS

Abençoar, 37, 80, 234
Adão, 47, 221
Adoração
  e distrações, 237
  frutos da, 238
  e orientação espiritual, 244
  líder de, 227
  objeto da, 223
  preparação para, 225
  prioridade da, 224
  passos para, 235
Afonso de Ligório, 213
Agostinho de Hipona, 19, 203, 259
Alberto, o Grande, 56
Alegria, das disciplinas, 263
Amona, 232
Ana, profetisa 84, 92
Ansiedade (ansioso)
  celebração e, 260
  simplicidade e, 132
Antinomianismo, heresia do, 37
Apophthegmata ("ditos dos pais"), 253
Aristóteles, 85
Arnold, Heini, 33, 34, 41
Arquimedes, 129
Arrependimento
  e confissão, 214
  e exame de consciência, 213
Ascetismo, 94, 128, 190, 283
Astério, 94
Automenosprezo, 166, 167
Autonegação, 165, 166, 167, 169, 170, 171, 173, 174, 182
Autoridade
  para perdoar, 207
  e orientação, 254

  e serviço, 194
  e submissão, 194

Baker, Augustine, 253
Barnabé, 244, 257
Barulho, celebrar com, 267, 268
Bernardo de Claraval, 181, 193, 205
Bíblia
  jejum na, 32
  e orientação, 225
  meditação na, 46
  e oração, 219
  e simplicidade, 124
  estudo da, 110, 112
  e submissão, 70
Blake, William, 68
Bonhoeffer, Dietrich
  sobre ascetismo, 190
  sobre confissão, 207
  sobre graça, 37
  sobre meditação, 50, 61
  sobre serviço, 196
  sobre silêncio, 150
  sobre solitude, 146
Brainerd, David, 68, 85
Buber, Martin, 114, 117
Buckingham, James, 275
Byrd, Richard E., 123, 141

Calvino, João, 34, 43, 84
Campolo, Tony, 276
Canções da alma (João da Cruz), 152
Cânticos, adoração com, 267
Carey, William, 67
"Caridade", serviço da, 193
Cartwright, Thomas, 89

Casamentos, oração a favor de, 75, 79
Celebração
   benefícios da, 266
   disciplina da, 272, 275
   prática da, 267
Cervantes, 113
Chaucer, 214
Ciência popular, 31
Clara, Irmã, 247
Os contos de Cantuária (Chaucer), 214
"Convergência", 63
Coggan, Donald, 29
Collins, Gary R., 276
Colton, Caleb, 101
Compaixão, 35, 75, 115, 158, 177, 187, 191, 194, 196, 215, 218, 219, 239, 251, 254, 263, 293
Comunidade Reba Place, Illinois, 251, 255
Concílio de Orleans, Segundo, 88
Confessionário, 209, 210
Confiança, e celebração, 215
Confissão
   fazer uma, 212
   ouvir uma, 16
Confúcio, 85
Consciência, 47, 80, 121, 122, 144, 148, 174, 187, 188, 189, 208, 211, 213, 216, 221, 225, 241, 250
Constantino, 246
Consumismo, e simplicidade, 14
Contracultura, 124
Corporal, adoração é, 234
Cousins, Norman, 268
Cox, Harvey, 260, 269, 273
Crianças, oração a favor das, 78
Criação, meditar sobre, 63
Criatividade, celebrar com, 270
Cristianismo puro e simples (Lewis), 113
Cruz
   morte de, 167, 168
   vida de, 167, 168
Culturas, estudo das, 117

Dança, celebração com, 268
Daniel, 73, 84, 86, 89
Dante (Alighieri), 113
Davi, 68, 84, 93, 94, 268
Demóstenes, 161
Dependência santa, 237
Desligamento, na meditação oriental, 52
"Devoção voluntária", 34
Didaquê, 88
Dieta, por causa da saúde, 85
Disciplinas clássicas, 29, 272
Disciplinas comunitárias, 201, 206
Disciplinas interiores, 43
Disciplinas exteriores, 119
Discipulado (Bonhoeffer), 37, 113
Discussão, e estudo, 108
Dispensacionalismo, (nota) 89
Dodd, C. H., 186
Doherty, Catherine de Haeck, 150, 156, 159, 197
Domingo, 150
Dorcas, 191
Dostoievski, 53, 113, 115

Eckhart, Meister, 76, 82
Edwards, Jonathan, 85
Eli, 46
Elias, 46, 73, 84, 86, 148
Eliot, T. S., 143
Encarnação, e imaginação, 58
"Encontros de esclarecimento", 248
Epíteto, 70
Escravidão
   de hábitos arraigados, 33
   quacres e, 251
   e serviço, 172
   e submissão, 162
Escutar, serviço de, 196
Esdras, 87
Ester, 84, 86
Estoicismo, 70
Estudo
   aplicação do, 109
   de livros, 107
   compreensão no, 105
   concentração no, 105
   quatro passos para o, 104
   de "livros" não verbais, 114
   lugares para, 106

repetição no, 104
e solitude, 155
tempo para, 110
Eva, 47, 221
Eventos familiares, celebração nos, 269
"Expectativa santa", 225, 238
Experiência, e estudo, 102, 103, 108, 110, 114 (ss)
Exterioridade, 39, 40

Faber, Frederick W., 55
Fala
   serviço na fala, 138
   simplicidade na, 138
Fantasias
   celebração com. *Cf.* Imaginação, 269
Fazer doações, jejuar e, 89
Fé, oração de, 69, 72, 74
Fénelon, François, 121, 193, 231, 266
Festa dos Tolos, 271
Filemom, 172
Finkenwalde (seminário), 61
Finney, Charles, 85
Ford, Leighton, 277
Forsythe, P. T., 73
Fox, Emmet, 34
Fox, George, 14, 69, 113, 141, 150, 229, 241
Francisco de Assis, 19, 34, 115, 150, 176, 185
Francisco de Sales, 57, 113, 192
Freedom from Sinful Thoughts (Arnold), 33, 292
Frey, William C., 277
A força curadora da mente (Cousins), 268
Gentileza, serviço da, 194, 195
Gide, André, 114, 117
Gish, Arthur, 124, 141
Grã-Bretanha, dia de oração e jejum, 87
Graça
   barata, 91
   da confissão, 212
   disciplinada, 37, 38
   e meditação, 56
Greve de fome, 85

Grupo (comunitárias), disciplinas em, 201
Guyon, Madame, 21, 50, 65, 291

Hamel, Johannes, 173
Hammarskjöld, Dag, 113
Hatfield, Mark O., 278
Haustafel, 169,170
Henry, Patrick, 251
Hershberger, Guy, (nota) 168
Hipócrates, 85
Hoekendijk, Johannes (nota) 259
Holofotes, serviço longe dos, 184, 186, 187
The Holy Exercise of a True Fast (Cartwright), 89
Hospitalidade, serviço da, 195
Hsi, pastor, 85
Humildade
   serviço e, 184
   estudo e,106
Humor, 116, 216, 267, 268, 273
Hyde, John, 69

Igreja, oração a favor da, 87
Igreja do Salvador, Washington 56, 248
Imaginação
   celebração com, 269
   na meditação, 56, 57
   e oração,76, 77
Imitação de Cristo (Thomas à Kempis), 112, 297
Inácio de Loyola, 62, 291
Instituições, estudo das, 117
Institutas da religião cristã (Calvino), 113
Intercessão, oração de, 71
Intermediários (mediadores), 55, 225
Introduction to the Devout Life (Francisco de Sales), 66, 113
Irmandade de Maria, Darmstadt, Alemanha, 251
Isaías, 33, 46, 47, 114, 223, 224, 227, 239, 256
Israel
   celebração por, 261
   orientação de, 243
   mediador a favor de, 48

Jefferson, Thomas, 251
Jejum
 absoluto, 86
 em grupo, 87
 público, 86
 comunitário, 86
 e orientação, 98
 parcial, 86
 prática do, 84
 propósito do, 92
 periódico, 92, 96, 97, 99
Jeremias, 47, 112, 210
Jesus
 e ansiedade, 131
 e autoridade, 177, 183
 bênção de, 81
 celebração e, 259
 compaixão de, 75
 economia e, 125
 e jejum, 85
 e orientação, 40, 74, 246
 e imaginação, 57
 e meditação, 47
 com Moisés e Elias, 148
 sobre matar, 164
 e obediência, 261, 262
 e oração, 67
 sacerdócio de, 56
 redenção por, 203, 204
 sobre justiça, 34
 e serviço, 224
 e solitude, 143
 sobre estudo, 101, 102
 e submissão, 164
 e adoração, 223, 224
Jésus-Christ et la révolution non-violente (Trocmé), 259
João, 50, 63, 65, 106, 148, 186, 233, 246, 277
João da Cruz, 65, 150, 151, 152, 153, 154, 159, 295
Jonas, 87, 159
Josafá, 87
The Journal of George Fox, 113, 258
Journal of John Wesley, 100, 141
The Journal of John Woolman, 41, 113, 141, 258

Jubileu, 125, 259, 260, 265
Judson, Adoniram, 69
Juliana de Norwich, 19, 34, 67, 78, 113
Jung, Carl, 45
Justiça
 externa, 33
 como dádiva de Deus, 35
 objetiva, 35 (nota)
 subjetiva, 35 (nota)

Kelly, Thomas, 14, 58, 82, 100, 113, 122, 184, 198, 228, 240, 258
Kierkegaard, Søren, 74, 82, 130, 139, 141
Knox, John, 84
Koinonia, 228
Koons, Carolyn, 278

Lao-tsé, 113
Laubach, Frank, 79, 80, 81, 226, 240
Law, William, 113, 187, 198
Lechman, Judith C., 278
Leis
 Novo Testamento sobre, 103
 Antigo Testamento sobre, 103
 transformar disciplinas em, 40
L'Engle, Madeleine, 279
Leonardo, Irmão, 189
Lewis, C. S., 113, 158
Liberdade
 no serviço, 182
 na submissão, 162
Na liberdade da solidão (Merton), 146
Liderança
 e serviço, 182
 e submissão, 162. *Cf.* Orientação
Little Flowers of St. Francis (Irmão Ugolino), 112
Livro de oração comum, 208
Livros
 avaliação de, 108
 interpretação de, 109
 estudo de, 107, 114
 entender os, 108
Lourenço, Irmão, 20, 58, 112, 226, 240

Louvor, e adoração, 267
Lugares
  para meditação, 59
  para solitude, 144
  para estudo, 106
Lutero, Martinho
  e confissão, 207
  jejum por, 90
  sobre oração, 68
  e submissão, 161
  e adoração, 228

Matar, 127, 164
McKenna, David L., 279
Matheson, George, 167
Meditação
  cristã *versus* ocidental e secular, 46
  formas de, 61
  concepções errôneas sobre, 51
  lugares para, 59
  e oração, 30, 63, 95, 211, 247
  preparação para, 59
  propósito da, 50
  estudo *versus* tempo para, 58, 95
Meditatio Scripturarum, 61
Merton, Thomas
  sobre iniciantes, 31
  sobre meditação, 53
  sobre solitude, 146
  sobre orientador espiritual, 254
Metodistas, e jejum, 88
Miller, Calvin, 28
Milton, 113, 198
Miriã, 268
Moisés
  jejum por, 86
  como mediador, 47, 48
  oração de, 70
  e adoração, 223, 225
Moralismo, heresia do, 37
Movimento carismático, 233
Murray, Andrew, 71

Natal, celebração do, 270
Natureza, estudo da, 107
"Noite escura da alma", 65, 150, 151, 152, 153, 154

Obediência
  e alegria, 255
  e meditação, 47
  adoração e, 238
Obediência santa, 238, 239
Objetivos, reorientação de, 157
"Ócio santo", 59
Onésimo, 172
Opressão, rejeitar a, 139
Oração
  e confissão, 219
  e jejum, 87
  formas de, 70, 71
  e orientação, 247, 248
  aprendendo a fazer, 71
  "Orações-relâmpago", 80
Orientação
  comunitária, 242, 243, 244, 245, 250
  disciplina da, 241
  limites da o. comunitária, 225
Orientação do Espírito, 246, 251
Orientador espiritual, 252, 253, 254, 255
Oseias, 212
Otium Sanctum, 59
Ouvir
  meditar é, 47
  orar é, 67, 244
  solitude e, 145. *Cf.* Escutar

Pascal, Blaise, 113
Pastor, oração a favor do, 79
Paulo
  e celebração, 264
  e finanças, 127
  jejum de, 86
  e orientação, 232
  sobre meditação, 58, 59
  e oração, 79
  e redenção, 205
  sobre justiça, 35, 36
  sobre salvação, 205
  e serviço, 195
  sobre pecado, 33, 34
  sobre estudo, 103, 110
  estudo por, 101, 109

sobre submissão,169
e "vigílias", 88
e adoração, 224
Pecado,
   confissão de, 212
Pedro
   e orientação, 245
   seu sacrifício de tolo, 148
   e serviço, 194
   e simplicidade, 134 (nota)
   estudo por, 110, 111
   e submissão, 169
   e adoração, 233
Pedro de Celles, 52, 59
Penitência, 210
Penn, William, 53, 66, 69
Pennington, Isaac, 238
Pensamentos (Pascal), 113
Perdão, 148, 204, 205, 207, 208, 209, 210, 211, 215, 218, 219, 220
Pesar, e confissão, 214
Peterson, Eugene H., 280, 291
Platão, 85, 109
Pobreza forçada, 128
A política de Jesus (Yoder), 167, 179, 259
Pope, Alexander, 117
Postura, na meditação, 60
*Poustinias,*156, 197
A prática da presença de Deus (Irmão Lourenço), 20, 112, 226, 240
Programação televisiva, 105
Psicocibernética, 104
Purity of Heart is to Will One Thing (Kierkegaard), 122

Quacres, 24, 53, 63, 250, 251
Quinquilharias, 137

"Recompilação", 63
Redenção, 203, 204, 205, 265
Reflexão, no estudo, 106
Reforma (protestante), 206, 207, 209
Relacionamento entre pessoas, estudo dos, 87, 102, 115
Reputação das pessoas, proteção da, 193

Reter pecados, 219
Revelations of Divine Love (Juliana de Norwich), 113
Risadas (gargalhadas)
   celebrar com, 267
   e oração, 269
Rolle, Richard, 60

Sacerdócio, 56, 208, 209, 224, 233
Sacrifício de adoração, 238
Sacrifício de tolo, 147
Sala de aula, oração na, 78
Salvação, 128, 169, 205, 247, 253, 259
Sanford, Agnes, 219, 220
Santa Joana (Shaw), 76
O segredo de uma vida feliz (Smith), 262
Serious Call to a Devout and Holy Life (Law), 113, 187, 198
Sermão do Monte, 20, 89
Serviço
   carregar os pesares, 197
   na lida diária, 190
   farisaico *versus* verdadeiro, 183
   partilhar a Palavra de Deus, 94
   de coisas pequenas, 192
   submissão e, 168, 172
   e adoração, 188
Servidão (ser servo), 167,189
Sexualidade, oração e, 80
Shakespeare, 38, 113
Shaw, George Bernard, 76
Shaw, Luci, 281
Shekinah, 221, 226, 227
Sider, Ronald J., 141, 281
Silas, 233
Silêncio
   e solitude, 144
   e submissão, 163
   e adoração, 232
Silvestre, Irmão, 247
Simplicidade
   nas finanças, 128
   expressão externa, 134
Sinfonia da Primavera, 271
Smedes, Lewis B., 281
Smith, Hannah Whitall, 14, 262

Snyder, Howard, 282
Sociedade dos Amigos, Nova York, 250, 251
Sócrates, 87, 117
Solidão, 173, 144, 146, 151, 167
Solitude
   e "noite escura da alma", 150
   lugares para, 155
   e silêncio, 143
   passos para a, 154, 155
Sperry, William, 239, 240
Spurgeon, Charles, 79, 92
Steere, Douglas, 213, 220, 240
Stephens, Nathaniel, 256
Submissão
   atos de, 175
   limites da, 173
   e serviço, 175

Table Talks (Lutero), 113
Tait, arcebispo, 82
Taylor, Jeremy, 50, 65, 191, 198
Temple, William, 78, 221
Tempo
   para meditação, 95
   para orar, 95
   para estudar, 108
Teófano, o Recluso, 49
"Teologia indigente", 190
Teresa de Ávila, 20, 34, 57, 76
Testament of Devotion (Kelly), 143
Thomas à Kempis, 50, 65, 112, 159, 166, 175, 178, 189, 198
Thoreau, 137
Tiago, 127, 146, 147, 148, 197, 277
Timóteo, 254
Tolstoi, Leon, 41, 113
Tozer, A. W., 20, 66, 223, 239
Trocmé, André, 259
Tyson, Tommy, 282

Ugolino, Irmão, 113, 198, 258
Underhill, Evelyn, 64, 66, 115, 117
Usura, 138

Vícios, simplicidade e, 135
Vida em comunhão (Bonhoeffer), 145, 146, 159, 191, 199, 220
"Vigílias", 46, 88, 89
Vogt, Virgil, 255
Vontade de Deus, oração e, 72
Vontade de ser libertado do pecado, 214

Wagner, C. Peter, 282
Wallis, Arthur, 91, 100
Washington, George, 251
Webber, Robert, 283
Wesley, John
   sobre a determinação de evitar o pecado, 214
   e jejum, 87, 88
   Journal of, 100
   sobre oração, 68
   seu sermão "O arrependimento dos santos", 205
   e orientação espiritual, 255
Whittier, John Greenleaf, 251
Whyte, Alexander, 56, 62, 66
Wiederkehr, Macrina, 284
Willard, Dallas, 9, 20, 242, 257, 284
Wimber, John, 285
With Christ in the School of Prayer (Murray), 71
Woolman, John, 14, 20, 30, 41, 113, 139, 140, 141, 148, 250

Yoder, John Howard, 167, 172, 179, 259
Iogues, 85

Zaratustra, 113
Zoroastro, 85

Posfácio

Este livro nasceu de uma busca do autor por referências que o pudessem ajudar, quando ainda era jovem pastor, a lidar com os desafios inquietantes de uma igreja que não conseguia avançar, por maior que fosse o seu esforço. Assim, Richard Foster nos conta que, em algum sentido, *Celebração da disciplina*, um dos livros devocionais mais vendidos nos EUA, foi gestado no útero da inquietação.

Ao se voltar para os mestres devocionais do passado, Foster descobre a pérola perdida na vida da igreja: a prática das disciplinas espirituais. Com seu talento para a sistematização e organização das ideias, ele nos fala de três grupos de disciplinas: as *interiores*, as *exteriores* e as *comunitárias*. Lista e descreve com singular inspiração as disciplinas que integram cada um desses grupos numa perspectiva complementar: a prática de uma delas não nos dispensa da vivência das demais. A relação entre elas assemelha-se a uma dieta saudável em que diferentes tipos de alimento se combinam e complementam a fim de gerar vida. Este banquete espiritual que nos é servido deve ser experimentado com todos o seus ingredientes!

O autor então nos convida a praticar cada uma dessas disciplinas. Sim, elas somente provarão seu enorme poder quando as vivermos de maneira persistente no cotidiano. O resultado dessa vivência será a participação na vida de Jesus, ou, em outras palavras, é passando pelas disciplinas espirituais que somos formados e transformados segundo a imagem de Jesus. É preciso, no entanto, ter cuidado, adverte-nos o autor. Não podemos transformar a prática das disciplinas em legalismo, como se elas pudessem nos justificar diante de Deus ou fossem obrigações que, caso descumpridas, geram culpa e punição. Se as transformarmos em lei, matamo-las na essência. São graça; não lei! Não são instrumentos de justiça própria, mas meios de graça pelos quais Deus vai injetando a vida do seu Filho em nós. As disciplinas são os meios por excelência por meio dos quais nossa *formação espiritual* é possível.

Quando assisto, ao mesmo tempo fascinado e aterrorizado, ao crescimento da igreja cristã em nosso país, com todos os seus problemas e desafios, percebo como este livro — escrito há três décadas — é extraordinariamente atual. Sobra espiritualidade em todos os poros do tecido social que compõem a igreja, mas transborda a ausência de formação espiritual na maioria dos cristãos!

A edição comemorativa agora apresentada ao leitor brasileiro é um presente de Deus a cada um de nós. Isso porque a leitura deste livro é um convite à formação espiritual que passa por um grupo de disciplinas que, ao serem praticadas, nos levará à *celebração*, por percebermos que em nós, ao redor de nós e por meio de nós fluirá a vida de Jesus.

Pastor Eduardo Rosa Pedreira
Fundador e presidente do RENOVARE BRASIL

O QUE É O RENOVARE BRASIL?

É um ministério voltado para a vivência e a reflexão da espiritualidade cristã em todas as suas dimensões. Tem como visão primordial a renovação da igreja de Jesus por meio da FORMAÇÃO ESPIRITUAL. A palavra *renovare* significa *renovar* e aparece na versão latina da Bíblia no seguinte texto: "Por isso, não desanimamos; pelo contrário, mesmo que o nosso homem exterior se corrompa, contudo, o nosso homem interior se renova [*renovare*] de dia em dia" (2Coríntios 4:16).

O RENOVARE BRASIL tem na literatura, nas conferências regionais, nos congressos nacionais e internacionais, nos retiros, nos cursos presenciais e *on-line* as atividades práticas por meio das quais busca disseminar o conceito e a experiência da FORMAÇÃO ESPIRITUAL em nosso país.

Baseamo-nos em uma visão integral da espiritualidade cristã e em uma estratégia prática para vivê-la como suas referências maiores. Enquanto a visão integral ilumina, a estratégia prática aponta-nos o caminho.

A visão integral está fundamentada nas seis tradições espirituais da história da espiritualidade cristã, sistematizadas no livro *Rios de água viva* [**Editora Vida, 2008**], de Richard Foster. São ao mesmo tempo tradições históricas e dimensões da espiritualidade cristã:

1. **A tradição contemplativa:** Enfatiza um estilo de vida totalmente comprometido em buscar a Deus, o que exige uma profunda ruptura com tudo quanto se constitua obstáculo a esse viver totalmente embriagado de oração e outros hábitos sagrados. *Intimidade* é palavra que sintetiza essa tradição espiritual.
2. **A tradição de santidade:** Busca a santidade de vida que resulta da ação reformadora de Deus no coração humano. A santidade inclui: viver ético, reforma profunda no caráter, vivência de virtudes e hábitos santificadores inspirados em um Deus santo! *Santidade* é a palavra-chave dessa tradição!
3. **A tradição carismática:** O foco está no poder capacitador do Espírito, expresso nos dons e carismas, para ser cristão e realizar a obra de Deus. Busca a presença viva e ativa de Deus no meio do seu povo, confirmada pelas múltiplas manifestações do Espírito. *Carisma* é, sem dúvida, a palavra definidora dessa tradição!
4. **A tradição de justiça social:** A ênfase está na busca da justiça das relações humanas e nas estruturas sociais. Busca a prática da compaixão com os socialmente excluídos e o engajamento nas lutas sociais, visando a uma sociedade mais justa e produtora do *shalom* (paz) de Deus. *Justiça* é a palavra que resume essa tradição!

5. **A tradição evangelical:** Tem o foco na proclamação do evangelho. Reconhece que qualquer transformação no interior do homem somente é possível quando o ser humano se encontra com o evangelho de Jesus. *Kerigma* ou *proclamação* é a palavra síntese dessa tradição.
6. **A tradição sacramental:** O foco está em fazer presente e visível o Reino invisível do Espírito. Sacramento significa um sinal visível da invisível presença de Deus. Busca um estilo sacramental de viver que percebe Deus nos símbolos, nas expressões artísticas, no trabalho, enfim nas muitas materializações que compõem o nosso cotidiano. A palavra *sacramento* expressa com precisão essa tradição!

Nossa estratégia prática baseia-se na criação dos GRUPOS RENOVARE DE FORMAÇÃO ESPIRITUAL. Vemos que por meio dos pequenos grupos, cujo objetivo não é a multiplicação em massa, mas uma lenta e profunda formação espiritual de seus participantes, a igreja do Senhor pode ter semanalmente um espaço no qual se busque o crescimento espiritual baseado nas seis tradições descritas.

Nosso ministério é uma extensão do RENOVARE USA. Há aproximadamente vinte anos, Richard Foster, o conhecido autor do livro *Celebração da disciplina*, e outros amigos fundaram o RENOVARE — um ministério voltado para a renovação da igreja por meio da formação espiritual. Como fruto da amizade, da parceria, da afinidade de visão e de uma caminhada de dois anos com o RENOVARE USA, pela graça e oportunidade de Deus, fundamos o RENOVARE BRASIL, que está inteiramente comprometido em contribuir com as maravilhosas iniciativas do Espírito de Deus para a melhoria da qualidade do cristianismo no cenário brasileiro.

Para saber mais sobre o RENOVARE BRASIL, visite nosso *site:* <www.renovare.org.br> ou envie um *e-mail* para <renovare@renovare.org.br>. Se preferir, faça contato pelo telefone e endereço abaixo:

RENOVARE BRASIL
Av. General Guedes da Fontoura, 125 – sala 203
Barra da Tijuca – Rio de Janeiro – RJ
CEP 22620-031
Fone: (21) 2122 2705
Fax: (21) 2122 2712

PASTOR EDUARDO ROSA PEDREIRA
Presidente do RENOVARE BRASIL